S0-ADM-084

VOLODIA TEITELBOIM

GABRIELA MISTRAL PUBLICA Y SECRETA

Truenos y silencios en la vida
del primer Nobel latinoamericano

EDITORIAL HERMES

Primera edición en México: noviembre de 1996

© Volodia Teitelboim, 1991
Inscripción N° 79.743

© Editorial Hermes, S.A.
Calz. Ermita Iztapalapa, 266
Col. Sinatel, México, D.F.

Diseño de la cubierta: Patricio Andrade

ISBN 968-446-204-2

IMPRESO EN MÉXICO

CHULA VISTA PUBLIC LIBRARY

3 3650 01271 5374

INDICE

POBRES POETAS

A Gabriela Mistral

Pobres poetas a quienes la vida y la muerte
persiguieron con la misma tenacidad sombría
y luego son cubiertos por impasible pompa
entregados al rito y al diente funerario.
Ellos —oscuros como piedrecitas— ahora
detrás de los caballos arrogantes, tendidos
van, gobernados al fin por los intrusos,
entre los edecanes, a dormir sin silencio.
Antes y ya seguros de que está muerto el muerto
hacen de las exequias un festín miserable
con pavos, puercos y otros oradores.
Acecharon su muerte y entonces la ofendieron:
sólo porque su boca está cerrada
y ya no puede contestar su canto.

PABLO NERUDA

PRIMERA PARTE

UNA CREATURA EXTRAÑA

I EN EL FONDO DEL VALLE

PUDO LLAMARSE CRISTA. O Jesusa. Desde la víspera su nacimiento tuvo visos de imitación. Fue todo casual, pero en algo recordaba la Natividad de Belén, siempre que se disculpen ciertas confusiones elementales en cuanto a escenarios y se admitan pequeñas y grandes transgresiones en el modelo de la huida a Egipto.

Por ejemplo, sin ir más lejos, el hombre montó a la mujer encinta en un asno con silla inglesa. Más que la Virgen María, era una amazona muerta de miedo. Se agarró tensa a las riendas cuando el burro partió seguido por el impasible macho de carga, que transportaba sobre las ancas un atado de pañales. El hombre iba detrás. A trechos, cuando las bestias apuraban el paso, él pegaba unos trotes.

No era una peregrinación; era un viaje contra el reloj.

Pero nadie sabía la hora exacta del alumbramiento.

¿Por qué esa escapada tan a destiempo? ¿Había algo oculto? ¿O un designio de lo Alto? No. La pareja iba sola. Todo se hacía a la hora peligrosa, aquélla demasiado próxima al parto. ¿Huían? ¿Temían la orden infanticida de un Herodes? ¿Alguien había profetizado en aquellas postrimerías del siglo XIX de la Era Cristiana que un nuevo Mesías nacería en una remota aldea de una apartada, súbita e inverosímil Palestina situada al final del mundo? Tonterías. Delirios de grandeza. No estaba el dedo divino en esto. Quizás simplemente escapaban a los fatídicos augurios que corrían de boca en boca por La Unión. Nunca en los villorrios (tampoco en las ciudades) faltan los espíritus supersticiosos que gozan con los presagios funestos. En este caso varias vecinas coincidieron simultáneamente en que de ese vientre hinchado no saldría nada bueno. Las más recatadas anunciaron mellizos. Pero se impuso la predicción que nacería «una creatura extraña». Tal fue la expresión que se usó y se repitió, recorriendo como un reguero las casas del poblado.

La gente menos adicta a los anuncios alarmantes no pudo menos que pronosticar un parto difícil. Le aconsejó a Petronila que diera a luz en un lugar no tan alejado de la mano de Dios, donde se contara con más recursos para espantar al Diablo.

¡Qué travesía, Señor!, murmuró ella, persignándose. Una amiga bondadosa, para consolarla, conjeturó que el niño nacería «parado», pero a ella le daba susto que asomara la cabeza en cualquier recodo, precipitado por el traqueteo irregular de los burros de piel cenicienta. Estos tenían sus mañas y a veces corcoveaban. Le daba espanto parir en el hueco de una ladera o a la sombra mezquina de unos espinos precarios. ¿Quién la asistiría en el trance? El hombre nunca había oficiado de partero. Sabía cantar, pero no ayudar a parir. ¿Se moriría junto con el niño? Cuando dijo su temor en voz alta, el hombre —que conocía latines y había estudiado para cura— soltó un ¡abracadabra! La situación era tan crítica que autorizaba exorcismos contra los demonios.

Ella ya no era tan joven. Su beatísima suegra, al saber después tamañas peripecias, comentó que fue una lástima que el nacimiento no hubiera reeditado la versión del pesebre bíblico: con dicho acompañamiento de mulas cansadas hasta tal vez aparecerían los Reyes Magos. Si no sucedió así —concluyó decepcionada—, quería decir que la creatura no llegó al mundo con una estrella en la frente.

Viajaron todo el día subiendo y bajando cerros. Durante las repechadas ella tuvo varias veces la sensación de que la creatura ya venía. Rezó desesperada. Imploraba que el Señor le permitiera llegar a tiempo.

Reyes Magos no aparecieron, pero a la caída del sol se hicieron presentes las constelaciones que ella conocía por sus nombres desde pequeña. Cuando las descubrió diáfanas en el cielo tan limpio del Norte Chico la mujer exhausta, bañada en sudores helados, dio gracias a Dios, pero no por ellos, los luceros lejanos, sino porque había divisado las luces del pueblo.

Entraron a Vicuña a pedir posada. Laura Rodig trasmite la visión de su amiga pronta a nacer. Repite a su vez el testimonio materno: «Amigos y parientes los acogieron con la costumbre y la hospitalidad de aquellos tiempos. Apenas traspasada la noche llegó la extraña creatura que presentían en el Valle». Venía mal colocada y la comadrona las vio negras antes que consiguiera extraer ese ser amoratado de las entrañas de la parturienta y se oyera el agudo grito de la vida nueva. Al cortar el cordón umbilical, la matrona diagnosticó que la niña recién nacida tal vez no sobreviviría. Por eso el padre, al cabo de pocas horas, se apresuró a tomarla en sus brazos y fue con ella a la iglesia a fin de que no muriera mora y le pusieran el óleo y la crisma antes que terminara ese angustioso día 7 de abril de 1889.

No es lo habitual, pero también las niñas pobres pueden tener varios nombres. Eso no cuesta plata. Al nacer fue bautizada como Lucila de María del Perpetuo Socorro Godoy Alcayaga.

Tres contemporáneos

¡Cien años, Señor! ¡Es tanto y es tan poco!

En un contradictorio abril de 1989 se conmemoró un siglo del nacimiento de varios individuos muy diferentes.

Respecto de uno, el más temible, alguien expresó en Chile —con precisión cronométrica y entonación orquestada por el eco de las cumbres— que el personaje invocado «nació a las 6,30 de la madrugada, bajo la vigilancia de Venus, del lucero de la mañana y del crepúsculo».

Los términos astrales se desvanecieron ese día 20 entre los contrafuertes de la cordillera, junto con los sones retumbantes de la *Marcha de las Walkirias*.

Resultaba insólito que esos trozos de *El anillo de los Nibelungos* no se escucharan en Baireuth sino en una quebrada de la hacienda Las Varas, junto al camino a Farellones en los faldeos de Los Andes, cocinando un solemne revoltijo de liturgias y paisajes.

El orador peroraba erguido sobre la imitación pétrea de un anfiteatro griego. La tribuna de madera revestida de un barniz viejo lucía, en tono oro pálido, la imagen de un águila con las alas abiertas y las garras curvas en un círculo cruzado por la cruz gamada.

El hombre con casaca de cuero pardo reveló de entrada un secreto mantenido hasta entonces en el más impenetrable hermetismo: el cuerpo de Hitler se oculta celosamente en los Himalayas o en la Antártica, a la espera del instante de su reaparición en escena. «¡Resucitará!», vaticinó, en forma tan espectacular como Cristo. No sería la única analogía. También vivió casto. Dejó en claro que sus relaciones con Eva Braun fueron tan puras como las que Jesús sostuvo con María Magdalena.

Usando un código iniciático, el portavoz anunció un nuevo *Drang nach Osten*, el regreso a Tule, a la patria original del Hombre Ario, que atravesaría el Paraíso de los Ases del Cáucaso, en búsqueda del circuito de la Svástica Dextrógira. Al culminar su arenga, con ojos de iluminado, comunicó que, a cien años de su nacimiento, Hitler, el Guía Hiperbóreo, vuelve.

Reverenció una vez más el rostro mítico. No le dijo adiós sino un *heil*, precisando que «estamos en la era de Acuario, que es la era de Hitler...»

También por esos mismos días cumplía cien abriles un actor que si hubiese caído en manos del «lucero del alba» habría terminado, como millones de judíos, en las cámaras de gas instituidas por el «Nuevo Caleuche». Debía pagar un pecado complementario a todas luces sacrílego: burlarse de la divinidad. *El gran dictador* es un film del ridículo que, según dicen, mata. Pasaron pocos años y el super-hombre de abril era un cadáver carbonizado en medio de las cenizas del milenio hitleriano. Charles Spencer Chaplin, quien nunca aspiró a tener un milenio, le sobrevivió largo y tendido sobre su risita melancólica.

Niño de orfelinato, nació cuatro días antes de Hitler y nueve días después de nuestra heroína.

Hitler hizo una guerra donde murieron cuarenta millones de personas. Chaplin había dicho en *Monsieur Verdoux* que «las guerras no son más que negocios. Un solo muerto, usted es un bandido. Millones, usted es un héroe». El número santifica.

Hitler, santo, cuarenta millones de veces héroe. Un discreto ciclo cinematográfico fue en Santiago el número fuerte del programa en memoria de un actor que hizo de la comedia tragedia y de lo trágico una parte infaltable y a veces risible de la vida. Sobrevive porque él es humanidad, como todo era inhumanidad en su contemporáneo de abril. La pequeña diferencia se expresa en *grandes aterradores números*. Habla de la peligrosidad de los seres providenciales y de la bondad de los que no se toman demasiado en serio.

Aquella que muchos consideran máxima poetisa rusa del siglo XX, Anna Ajmátova, nació en las postrimerías el siglo XIX, en el mismo año de Gabriela, a quien leyó, admiró y descubrió en ella una rima, una hermandad. Su «Réquiem» está vinculado a acontecimientos luctuosos de su existencia. Cierto aire familiar lo aproxima a «Los Sonetos de la Muerte». Próximas en pathos y temperamentos, ambas hicieron de la poesía y la vida dramas de la pasión.

Antes de leer a Gabriela dio unos datos someros sobre su llegada a este valle de lágrimas.

«Nací —apunta Anna— el mismo año que Charles Chaplin, la *Sonata a Kreutzer* de Tolstoi, la Torre Eiffel y creo que Elliot. Aquel verano de 1889 París festejó el centenario de la caída de la Bastilla. Me llamaron Anna en honor de mi abuela Anna Egórovna Motovílova, cuya madre pertenecía a la estirpe de los descendientes de Gengis Khan y era la princesa tártara Ajmátova, apellido que convertí en mi nombre literario sin darme cuenta que me había propuesto ser poeta rusa». Como Gabriela, nació rodeada por el campo. Recuerda que su casa se hallaba en el fondo de un paraje muy angosto y en descenso hacia el mar. Colindaba con la oficina de correos. La costa era allí acantilado y los rieles del ferrocarril pasaban por sus bordes.

Cuatro coetáneos, cuatro destinos desiguales: uno, pintor fracasado. Los otros tres, artistas totales.

La nuestra también vio la luz del mundo en la Era de Acuario.

Pertenecía a las almas submarinas. Guardó algunos secretos bajo el agua.

La cuna deshecha

Verán sus ojos signos agoreros. Para una mujer de adivinaciones y señales —que no pasa bajo una escalera y estima mala suerte toparse con un gato negro—, observar derrumbada su casa natal, en la calle Maipú 759, no es un espectáculo auspicioso. Anuncia desgracias. «La casa en que yo nací no existe ya [...]. Yo misma la vi caída en el suelo». Fue como mirarse a sí misma derribada por tierra. Es cierto que allí se ha levantado otra edificación bajo número idéntico, con igual dirección. Desde lejos se distingue, clavada en el frontis, una plancha metálica con el escudo chileno y la leyenda Museo Gabriela Mistral. Esa plancha, ese escudo con el cóndor y el huemul heráldicos y ese museo no la resucitan, no rescatan su perfil interior. No era persona de dormir en museos. Ni de escudos, aunque sí, quizás, de leyendas.

Con su afán obsesivo de verdad estará siempre restableciéndola en este juego de casualidades y apariencias en que suele transformarse la enrevesada existencia. Mujer sin partido, militaba, como a alguien se le ocurrió decir, en el partido del amanecer, estaba siempre aclarando, desde el principio. Y empieza por aclarar su nacimiento. Que nadie se engañe sobre su cuna. Vicuña, sí. Nació en ese pueblo, pero no tomen el dato tan al pie de la letra. Es y no es. «Mi nacimiento en Vicuña fue puro azar [...] —advierte—. A los diez días mis padres me llevaron al pueblo de La Unión...».

Con el tiempo estallará una nueva paradoja que ella considera inmunda, falta de respeto. El pueblo ya no se llama La Unión. ¿Y por qué? Por una demanda de mercachifles en torno a una marca de licores fuertes. Los fabricantes de un acreditado aguardiente destilado en la localidad peruana de Pisco deducen una querella judicial que demanda indemnización por millones a sus desleales competidores chilenos, por estampar indebidamente en la etiqueta de las botellas alargadas una palabra con imán monetario: Pisco. Ellos no tienen derecho porque no son de Pisco; pues bien, lo serán. Ni cortos ni perezosos, los destiladores cambian nombre al pueblo. Lo meten de nuevo a una pila bautismal llena de aguardiente y lo sacan borracho y chorreante, impartiéndole, en nombre del Espíritu Santo y del licor de la vida, la gracia del apelativo compuesto: Pisco Elqui. Alguien pensó que Gabriela tampoco tenía derecho a reclamar. Al fin y al cabo, también ella cambió de nombre.

En esa zona la religiosidad era casi tan alta como la gradación alcohólica. Su abuela tenía fama de beata. Algunos librepensadores la consideraban flor rancia de fanatismo. Doña Isabel Villanueva, a los ojos de su nieta, era

> una vieja católica de catolicismo provincial, podría ser una chilena con Biblia leída, si no con texto sacro oral, aprendido de memoria en lonjas larguísimas.

Pero a aquella curiosa mujer la llamaban los sacerdotes de La Serena «la teóloga».

Quería que sus hijos marcharan por la estrecha senda que conduce al Cielo. Bajo su insistente influjo, Jerónimo ingresó al Seminario y dos de las hijas se hicieron monjas; una de la Caridad; la otra del Buen Pastor.

La vieja se ganaba la vida bordando casullas. Tenía buen pulso para diseñar y coser indumentaria eclesiástica.

> Sus manos de gigantona se habían vuelto delicadas en las yemas de los dedos […], casi todas las casullas de las catorce iglesias de La Serena salían de la aguja de doña Isabel […], mi Isabel Villanueva, vieja santa para quienes la convivieron, ella sería la criatura más penetrante que cruzó por mi vida de chilena.[1]

Gabriela se sentía siempre mujer de raíces, condicionada por sus orígenes. Dentro del círculo familiar se redescubre sobre todo en los rasgos físicos y espirituales de la abuela paterna. Admira en ella el carácter y su rabia para repudiar a un marido calavera que se acostaba con la sirvienta. Se reconoce en su estirpe, en la ira de Dios, en el ancestro de hierro: «Era mujer ancha, vigorosa, físicamente parecida a mí».

Frecuentó a esa lectora extasiada de «aquel chorro de poesía» que para ella brotaba del Libro Absoluto en este universo relativo. Su madre arreglaba a Lucila lo mejor que podía y la mandaba a ver a su «abuela loca», de quien se murmuraba que tenía algo de hebreo. Acentuaba esa sospecha el ser no sólo la propietaria de una Biblia antigua, sino el hecho de leerla a diario y declararse siempre maravillada por el Libro Sagrado, enciclopedia de las pasiones humanas, donde se cuentan tantas cosas profanas y en donde hay escenas tremendamente licenciosas. Esto sacudía interiormente a la niña. Su abuela fue la primera que le leyó, transportada, los Salmos de David y el Cantar de los Cantares.

Si otro abuelo paterno en los campos de Parral declamaba a pleno pulmón a su pequeño nieto Neftalí trozos del Libro de los Libros, aquí es la abuela paterna la que teatraliza ante su nieta Lucila el Viejo y el Nuevo Testamento, «la tirada de Salmos que, algunas veces, eran de angustia aullada y otras de gran júbilo…» Por lo visto no sólo educaron a creyentes y ateos, sino también enriquecieron la infancia de unos cuantos poetas. Neruda, que los amó literariamente como libros carnales más que divinos, no experimentó ante sus páginas de fuego cruzado la suprema exaltación que despertaban en la niña Lucila. Para ella fue efectivamente el Libro Padre, le provocó el encuentro con caracteres afines.

> ¡Qué fiesta! ¡Qué fiesta para los días de fiesta! Era su Libro. Libro mío, libro en cualquier tiempo y en cualquier hora, bueno y amigo para mi corazón […]. Mis mejores compañeros no han sido gentes de mi tiempo, han sido los que tú me diste: David, Job, Raquel y María. Con los míos éstos son toda mi gente […]. Por David amé el canto, mecedor de la amargura humana. En el Eclesiastés mi viejo gemido de la vanidad de la vida […]. Canción de cuna de los pueblos…[2]

Estas líneas no sólo hablan de la Biblia, sino más bien de la persona a la cual el Libro arranca dicha declaración de amor. No es una monja; no debe repasarlo todos los días; no está obligada a hacer exégesis de las Sagradas Escrituras, a meditar por las mañanas determinados versículos ni a ensayar comentarios píos. Sin embargo lo declara de su propiedad, casi de su autoría, como si ella lo hubiera escrito, porque dice lo que siente su alma y le habla en todo momento con voz ardiente y apasionada. La bondad que no encontró en la vida, el mensaje del misterio que siempre la seducía, emana de algunas de esas manoseadas páginas. Por ello esta mujer proclama que sus mejores compañeros no los encontró en gente de su tiempo sino en las figuras que vivieron hace dos mil años o más en tierras de Judea. Entre los contemporáneos, a lo sumo incluirá a sus parientes más cercanos. Es curioso: forma con ellos y los personajes de la Biblia un solo clan. Allí está su verdadera familia.

La abuela la prepara para la Primera Comunión. Le confecciona el traje ceremonial. La niña se encuentra con Dios vestida de albo. Viene un tipo estrafalario con una máquina enfundada; mete la cabeza en el túnel de trapo negro y grita: «Miren el pajarito». Aprieta el obturador y allí queda estampada la niña Lucila con su redonda cara de luna sorprendida. Después que se saca el atuendo celestial, suena de nuevo el clic para fotografiar con ropa de calle a nieta y abuela sentadas a respetuosa distancia. Lucila mira a su abuela de reojo. En verdad se nota que pertenecen a una misma sangre no obstante la diferencia de años. Ambas son de formato grande, como el tomo que agrupa el Libro de los Libros o, mucho más tarde, las *Obras completas de Gabriela Mistral.*

En la Biblia suele hallar su retrato sicológico. Más que el goce, el rasgo que nombra y acentúa es la amargura. Se ve con «las trenzas de los siete años y batas claras de percal», pero con ojos de pregunta: «¿Quién soy? ¿Qué será de mí? ¡Contéstame, Libro que todo lo sabes y Dios que todo lo ves!»

Hay que imaginarla: niña que se siente perdida en un pueblo chico. «Pueblo chico, infierno grande», penuria diaria. Nunca le pareció la aldea bendita. Si el padre de Cristo fue un carpintero que no engendró a su hijo, ella vive con su media hermana Emelina, que es hija de su madre, pero no de su padre, el poeta de la eterna partida. ¡Qué expresiones tan cicateras para designar su parentesco con Emelina! ¡Media hermana de madre, hermanastra, hija natural! Emelina, ¿hay hijos que no sean naturales? ¡Cuánta pequeñez anda por dentro de la gente! La niña está rodeada por la chatura que le tapa el mundo. Vegeta encerrada entre cerros, lo que significa que es muy difícil ver el horizonte. Emelina fue su primera profesora de vida y de letras. Tenía unos quince años más que ella. Hermana plena.

Se esfuma en la puerta

Lucila terminó por lucirse, pero demoró. Vivió como una niña nocturna, bajo la oscuridad. A posteriori, un apologista retórico —y esto más tarde fue frase trillada de discursos— sostuvo que nació envuelta por la luz. Como se sabe, al momento de asomar a la vida ni siquiera su abuela Villanueva, que no carecía de ínfulas proféticas, predijo nada excepcional. La niña no era ningún prodigio. El único que sin barruntar tampoco signos extraordinarios le deseó, como era de rigor, un porvenir, fue su padre tarambana. Al menos quiso que se le pareciera. Le compuso unas cancioncillas de cuna y le dedicó unos módicos ripios versificados en que aludía a ella, sin olvidarse de él.

> Oh dulce Lucila
> que en días amargos
> piadosos los cielos
> te vieron nacer,
> quizás te reserve
> para ti, hija mía,
> el bien que a tus padres
> no quiso ceder.[3]

Envidiaba su eventual buena estrella y le deseaba venturas. Solicitó para ella «cielos favorables».

Gabriela vio poco a su padre, sin embargo lo quiso y lo consideró su primer maestro literario.

> Mi padre se fue cuando yo todavía era pequeñita [...] Revolviendo papeles, siguiendo huellas que me condujeron a este rincón misterioso, encontré unos versos suyos, muy bonitos, que impresionaron de manera muy viva mi alma infantil. Esos versos de mi padre, los primeros que leí, despertaron mi pasión poética.

En el rostro ancho de la niña reinan los ojos verdes. ¿Los ojos verdes tienen algo que ver con su pueblito, que ella siguió oliendo en cualquier parte del mundo, como una fragancia de albahaca, un olor a romero y a lejanía? ¿O con su padre, buen plantador de higueras y paltos?

Los ojos verdes le vinieron precisamente por el lado del padre. ¿Los ojos verdes perdieron a su padre? ¿O fue su amor al guitarreo, su don de payador sumergido en la bohemia de las aldeas regionales?

El padre no contribuyó gran cosa a plasmar sus buenos augurios. Cuando ella era niña tampoco el abandono del hogar constituía una rareza. Los hombres allí solían ser andariegos. Eran numerosos en la zona los que partían a buscar llampos, a hacerse ricos atraídos por el sortilegio de fabulosos descubrimientos mineros. Mientras perseguían la lámpara de Aladino, la mujer se convertía en matriarca, padre y madre.

Tenía él temporadas de queda. Sin embargo no resultaba extraño que después de un largo faltar, el día menos pensado el huidizo volviera con algo en la mano. Regresaba sin dar aviso ni explicaciones de su ausencia, como si hubiera salido, según la costumbre de los demás, por la mañana de su casa a hacer alguna diligencia no tan urgente o se marchara a una ocupación que, por lo general, no tenía o era tan inasible como el viento que bajaba por las quebradas.

¿Cómo vio la niña el ir y venir de su inasible papá?

> El padre anda en la locura heroica de la vida y no sabemos lo que es su día. Sólo vemos que por las tardes vuelve y suele dejar en la mesa una parvita de frutos, y vemos que os entrega a vosotras para el ropero familiar los lienzos y las franelas con que nos vestís. Pero la que monda los frutos para la boca del niño y los exprime en la siesta calurosa, eres tú, madre. Y la que corta la franela y el lienzo en piececitas, y las vuelve

un traje amoroso que se apega bien a los costados friolentos del niño,
eres tú, madre pobre, «la tiernísima».[4]

Jerónimo Godoy Villanueva estudió en el Seminario y alcanzó a
recibir órdenes menores, pero carecía de auténtica vocación religiosa. Decidió retornar al mundo que lo llamaba a gritos y a cantos, con
acompañamiento de guitarra y violín. Le agradaba tañer cuerdas,
enamorar mujeres, escribir versitos, payar. Maestro, organizador de
coros, fiestero de trasnoche. Al director del coro le gusta tanto la voz
de la corista Petronila, que le propone formar un dúo aparte y luego
marchar a dúo por la vida. Ella le dice no. ¡Imagínese! Alguien ha
escrito que entonces «era una viuda hermosa y joven». Viuda no era,
porque no se había casado antes. Joven sí, aunque no exageradamente.
Tiene una hija natural de 11 años llamada Emelina. Le confiesa,
además, la diferencia de edad. Pero el director insiste. Cantan muy
bien juntos. Jerónimo acaricia una idea peregrina: sentar cabeza
casándose. Y sale con la suya. La novia, Peta Alcayaga, residente en
Vicuña, hija natural de Lucía Rojas, se quita la edad ante el cura. En
la partida de matrimonio declara 12 años menos. Así será un año más
joven que el novio. Contraen matrimonio en Vicuña por la Iglesia y
en Paihuano por el Registro Civil.
   A Gabriela su madre la parió a los cuarenta y cuatro años.
   El padre alocado tiene fama de preceptor entretenido pero poco
razonable. Suelen despedirlo del trabajo. Uno de sus períodos de
cesantía coincide con la preñez de Petronila; la pareja se va a vivir a
la casita de la mujer.
   El carácter bohemio del progenitor se le convirtió a la hija en una
pesada y odiosa leyenda negra. Siempre replicó al comentario peyo-
rativo y burlesco defendiéndolo a brazo partido, ponderando en la
balanza más las cualidades específicas o volátiles que su sed de
calavera. Nuestra conocida Laura Rodig, basándose, sin duda, en los
dichos de su amiga, retrata a Jerónimo Godoy enfocándolo desde el
ángulo más benévolo: «Por relatos familiares y de gentes que fueron
alumnos suyos, sabemos que era muy instruído, de genio violento, de
aspecto imponente, sin ser muy alto; moreno tostado, de ojos verdes;
inspiraba respeto y se imponía siempre. Era un gran profesor,
procurando hacer labor cultural dentro y fuera de la escuela».
   Entra, pero sobre todo sale de las aulas. Su inquietud lo impulsa
a una errancia continua. Le ofrecen un puesto en una escuelita cercana
a Ovalle. La madre no es «paticaliente», sino apegada al terruño. No
lo va a seguir en sus vagabundeos; no quiere más aventuras. Luego
sabe que Jerónimo trabaja en el colegio San Carlos Borromeo de
Santiago. Pero la capital tampoco posee un gancho tan firme como

para arraigarlo. Vuelve al Norte Chico, pues se siente maestro atacameño. Su figura se dibuja de pronto en el vano de la puerta de la casa y la niña ve a este semidesconocido como una aparición. Canta, dice cosas lindas, bebe unos vasos de vino y se esfuma. Así era. Partía y regresaba sin decir palabra. Un día ya nadie miró a la puerta esperando ver dibujarse su figura sobre el umbral, nadie esperaba que golpeara. No porque tuviera que pedir permiso. Al fin y al cabo, no lo necesitaba. Pero se le olvidó la casa. Simplemente se quedó en la ruta. Buscó otros caminos, vivió como bala perdida. Formó nueva familia en Copiapó. Poeta intermitente, mujeriego permanente, chileno errante, preceptor a ratos, ahogó sus capacidades en copiosos hectolitros del reputado pisco de la zona.

Hubo un tiempo en que solía dar clases particulares de matemáticas, castellano y francés en su domicilio de la calle Merced, en Vallenar. Sus lecciones eran caóticas y fascinantes. Declamaba versos suyos, recitaba poemas de otros. Por regla general nunca duraba mucho en un lugar.

En 1909 era una sombra de sí mismo. Ya corroído por la decadencia del cuerpo, encontró un puesto de profesor en la escuela nocturna de la Mutual de Trabajadores en el mineral de Quebradita.

Alguien lo recuerda como un hombre vestido de negro, ni alto ni bajo, con el rostro desdibujado de aquél que ha llevado una vida disipada. Dos años más tarde se trasladó a Tierra Amarilla. Abrió cátedra en el mineral Punta de Cobre. Ofrecía clases particulares. Una funcionaria de correos, Aura Araya, alumna suya, quería que le enseñara francés. Extrañada un día por su inasistencia, lo descubrió enfermo y consiguió internarlo en el hospital.

Su hija Lucila no supo la noticia sino mucho más tarde. Estaba en Antofagasta cuando murió su padre el 30 de agosto de 1911, en la sala común del Hospital de Copiapó. Aunque el bardo, quien dijo de sí mismo: «Yo soy un poeta elquino; ¡pajarete es mi cantar!», no pertenecía exactamente al común de los mortales, fue a dormir en la fosa común un sueño total y gratuito.

Nunca Gabriela aceptó que nadie lo denigrara.

E país de chiste grueso no faltó un señor que hiciese chacota con mi padre. Ni mi padre se la merece ni son ésas unas zonas que remueva y pise un espíritu asistido de mínima nobleza.

Tenía sentido de tribu y el orgullo de su sangre.

Venganza de la lazarilla

Con el tiempo verá a su madre como «una viejecita con estatura de niño. Linda viejecita, criatura donosa, llena de simpatía, de españolidad y de gracia».

La madre es la contracara del padre. Sedentaria, personifica la estabilidad. Se afirma en la tierra. La sintió como el cimiento de su vida. Cuando en 1929 se le murió, Gabriela dijo acongojada: «me he quedado como una piedra que rueda sin sentido, como un papel de periódico viejo con el que hace lo que quiere el viento». De nuevo la autoimagen de la piedra cordillerana que rueda sin sentido refleja la duda que a ratos tenía sobre su misión y su sitio en el mundo, dramatizada por la metáfora del papel (mujer de papel y lápiz). ¿Qué era? Un periódico viejo transportado por los aires. Nunca se trató con dulzura ni estaba cierta de su puesto entre los hombres, más bien creía que no tenía ninguno. Ello habla de un pesimismo fundamental de su naturaleza, interrumpido por raros destellos de confianza.

En presencia, en ausencia, en vida de su madre o después de su partida, ella será confidente pública o privada de una hija agradecida.

> Madre: en el fondo de tu vientre se hicieron en silencio mis ojos, mi boca, mis manos. Con tu sangre más rica regabas como el agua a las papillas del jacinto, escondidas bajo tierra. Mis sentidos son tuyos, y con éste como préstamo de tu carne ando por el mundo. Alabada seas por todo el esplendor de la tierra que entra en mí y se enreda en mi corazón...[5]

Así, parte del cuerpo y parte del alma se la hizo doña Petronila, mujer pequeña que dio a luz una hija grande.

> Mi madre era muy pequeña,
> pequeña como la menta, menuda como la hierba fina,
> hacía sombra apenas.

Con genuino placer y sin reservas detalla el lugar que ella ocupa en su formación. Tiene mucho que decirle porque mucho ella le dijo.

> En esas canciones, tú me nombrabas las cosas de la tierra, los cerros, los frutos, los pueblos, las bestiecitas del campo, como para domiciliar a tu hija en el mundo, como para enumerarle los seres de la familia, ¡tan extraña! en la que la habían puesto a existir...[6]

Le habla con ternura, al uso de un poema lírico. Pero no es su intención hacer literatura. Simplemente quiere decirle gracias sin proferir banalidades.

> Y así, yo iba conociendo tu duro y suave universo: no hay palabrita nombradora de las criaturas que yo no aprendiera de ti. Las maestras sólo usaron después los nombres hermosos que tú ya habías entregado.[7]

Al rememorarla, habla de sí con una sensación de pena entibiada por una pizca de oculta felicidad. O de melancolía recóndita no tanto por ella sino porque su mamá padecía de verla así, tan solitaria.

> Yo era una niña triste, madre, una niña huraña como son los grillos oscuros en el día, como es el lagarto verde, bebedor del sol. Y tú sufrías de que tu niña no jugara como las otras, y solías decir que tenía fiebre cuando en la viña de la casa la encontrabas conversando con las cepas retorcidas y con un almendro esbelto y fino que parecía un niño embelesado.
>
> Ahora está hablando así también contigo, que no le contestas, y si tú la vieses le pondrías la mano en la frente, diciendo como entonces: Hija, tú tienes fiebre.[8]

En verdad, la niña sostiene diálogos febriles y sorprendentes con dos iguanas del patio. Las sube a su falda y enhebra con ellas conversaciones enigmáticas.

Sin embargo no es una soñadora paliducha. Se la ve robusta, como es común en el vecindario, en trato constante con los trabajos al aire libre. «Mis gentes son como yo, fuertes, sanguíneas, bien punzadas de sol».

La madre fue de pocas lecturas. En rigor era semianalfabeta, pero conversadora interminable y vaporosa, narradora por cataratas, como se reveló más tarde su hija Lucila. Doña Petronila, casi una vieja matera, no resumía; extendía la charla. Platicaba la amistad vorazmente, desgranando imágenes como si arrancara granos a las mazorcas de maíz de toda la chacra. Ponía en la calabaza un poco de chismes, de yerba, revolvía la bombilla y se daba a la conversación, relatando los sucesos del día y del pasado. Poseía una refinada cortesía aldeana, en ese ambiente que despedía olor a égloga de los pobres, rico en frutales dulces, de clima benigno, protegido por los montes, donde exiguos buenos ratos solían darlos chistes, exabruptos, apariciones de ánimas, cuentos grotescos o un encuentro inesperado con forasteros, de ésos que se aventuraban tarde, mal y nunca por aquellos perdederos.

Años más tarde escribiría:

Yo me crié en Monte Grande, el penúltimo pueblo del Valle de Elqui. Una montaña al frente y otra a la espalda y el valle estrechísimo y prodigioso entre ellas: el río, treinta casitas y viñas. De tres a once años, viví en Monte Grande y ese tiempo y el de la maestra rural en la Cantera me hicieron el alma.[9]

Primero estudió con Emelina. Luego en la escuela de La Unión, a tres kilómetros de Monte Grande. Su madre la llevó a Vicuña para que concluyera el último año primario. No era mucho. Más tarde se lo echarían mil veces en cara.

La memoria del horror

«Hay golpes en la vida tan fuertes», dijo un día su colega peruano César Vallejo, ésos que escapan a los centros del pensamiento consciente; se convierten en causa desconocida de reacciones incontrolables, aquéllas cuyo origen el ojo cotidiano no detecta ni comprende. Ramifican sus conexiones a todas las zonas de la sensibilidad, sin pasar necesariamente por la neocorteza en que se aposenta el pensamiento. Invaden el hipocampo, empapan la memoria como una esponja que jamás pierde líquido, aunque siempre está allí goteando las consecuencias del temor perpetuo que el hecho abominable introdujo en su vida y la condicionó hasta el fin. No pudo superar esa descarga irracional, irreflexiva. Trató muchas veces de explicársela, como un modo de dominarla. Pero fue imposible. Cuando le sucedió, a los siete años, sintió pánico, un pánico primitivo, cerval. Entonces prefirió estar muerta. Con el tiempo aquel trauma entró a formar parte de su sicología y cambió su conducta. La experiencia brutal nunca le dio tregua. Se quedó a vivir con ella. Ni la luz más resplandeciente pudo hacerla olvidar los minutos tremendos, tan duros, tan tenebrosos. El accidente fatal no le produjo la sensación de sentir en las entrañas un golpe eléctrico bajo la lluvia... Fue como si le hubieran metido ratas adentro.

La violación sufrida cuando niña almacenó en su inconsciente todas las pruebas de que en cualquier momento el mundo, es decir el hombre, podría agredirla en forma salvaje.

En Vicuña la directora de la escuela y apoderada suya, doña Adelaida Olivares, era conocida de su madre.

A pesar que con Emelina aprendió a leer en el silabario apenas en un mes, le dieron fama de retrasada mental. La señora Yaya citó a la madre para decirle que Lucila no tenía futuro; carecía de inteligencia y no se interesaba por el estudio. «Es mejor —le dijo— que la retire y le encargue hacer las cosas del hogar». La directora estaba, por lo visto, ciega. Estaba totalmente ciega y Lucila le servía de lazarillo para conducirla de la casa a la escuela y viceversa. No sólo la guiaba de la mano o agarrándola del brazo para evitar la acechanzas del camino; también doña Adelaida le confió la tarea de distribuir los útiles escolares, cuadernillos con líneas o cuadriculados que tenían impreso su origen y destino: Oficinas Fiscales. Las niñas se apropiaban por cualquier medio de las hojas que estaban contadas y debían ser repartidas con parsimonia y estricta economía. Un día, cuando todos los pliegos habían volado antes de tiempo, la directora decidió aplicar la pedagogía del escarmiento, con exposición de la culpable a la vergüenza pública. Hizo formar en el patio a todo el colegio, allí instaló el tribunal, donde se condenó a la pobre lazarilla a la ignominia por ladrona. La justicia de la anciana ciega era ciega. La niña Lucila se desmayó. Cuando recobró el sentido no se atrevía a salir a la calle; esperó que estuviera oscuro. Inútil. Escondido en la penumbra la esperaba un grupo de sus compañeras más tenaces, provistas de un arsenal de piedras. Fue lapidada. Huyó perseguida por los peñascazos. Salió del asalto con una herida en la cabeza, hecha un San Lázaro. Así terminó su rol de lazarilla. Pero esa cabeza cubierta de sangre no olvidó jamás el hecho ni los nombres de los agresores.

El episodio siguiente parece arrancado a una página de Dostoievski en *Pobres gentes* o a un cuento de Anton Chéjov. Muchos años después, ya famosa, volvió Gabriela a Vicuña, en fugaz visita a los lugares de su infancia. Deseaba refrescarse la memoria, como un remedio contra la amnesia, el desarraigo y la desesperación por la sensación de las raíces sin riego que se van secando. De pronto cruzó frente a ella un funeral. Arrastrada por una especie de impulso irreprimible e instantáneo, se sumó en silencio al cortejo. Intuía que ese duelo tenía algo que ver con ella. Caminó sobrecogida, sin preguntar nada. Toda esa marcha tras un cadáver en su aldea representaba para ella no sólo un símbolo del culto a los muertos, sino en cierta forma un retorno a sus orígenes y una premonición de un próximo último viaje suyo, siempre en perspectiva, que diariamente la atormentaba.

Llegó hasta la iglesia como una sonámbula. Le pareció que revivía un sueño ya soñado, la liturgia conocida. La había vivido cuando niña en ese mismo poblado, en esa tierra, impresión que no le causó asombro, porque, a fin de cuentas, andaba de nuevo en el suelo natal. Una niña le entregó un ramo de rosas, igual que a los otros desprevenidos acompañantes del duelo que habían acudido al entierro sin flores. Así la viajera de paso por el terruño se percató que no eran para ella sino con el fin de depositarlas en el ataúd. Las colocó haciendo una leve reverencia y musitando un rezo. Luego preguntó, como si despertara, quién era el muerto.

—Doña Adelaida. Doña Yaya. Doña Adelaida Olivares. Era una señora ciega. —Le explicaron—. Fue directora de la Escuela. ¿Se acuerda de ella?

Respondió secamente:

—Yo no olvido nunca.

Las alegrías se le esfumaban como la tiza en la pizarra bajo el borrador. Pero las ofensas, jamás.

Con el tiempo se llamará a sí misma «la patiloca». La patiloca niña sueña con recorrer tierras, pero está confinada en la sala de clases. No la quiere. Cuando va a la escuela se siente en una prisión, encabezada por un carcelero: la directora que un día públicamente la acusa de hurto e incita a una especie de linchamiento infantil, azuzando crueldades inconscientes de los niños. Más que los golpes y las magulladuras, la cicatriz que nunca se le cierra es el horror ante la perversidad de quienes la crucificaran, como a Cristo en el Calvario, cuando tenía no 33 sino siete u ocho años. Mucho después (recién le ha sido concedido el Premio Nóbel), en una entrevista, evoca la escena infamante y no se inhibe en dar el nombre completo de la directora que fue fiscal, juez sentenciador, lanza de Longinos, deján-dole una herida indeleble. Como otras criaturas de la Biblia, adoraba a un Dios que no perdonaba.

II UNA MUCHACHA SIN GRAMOFONO

L EE Y LEE, ¿así llena la soledad? Toma los libros por verdades. Crece sumida en el ensueño de los personajes ficticios y las tensiones de la pobreza. Para una niña lectora en un pueblito perdido entre cerros, sin fortuna, sin padre en quien apoyarse, para la cual la vida no ofrece ningún mañana claro, tal vez exista una sola posibilidad que la libre del pesar que aplasta su ansia no sólo de estar sino de ser. Quizás deba buscar una salida por la única puerta que sabe abrir: la lectura, la escritura. No las Escrituras, puesto que no siente vocación monacal. No le está permitida otra aspiración que ser maestra, pero no al estilo de aquélla que la hizo apedrear, sino como alguien que quisiera revelar a los niños ciertas secretas maravillas del Libro Sagrado. No lo hará por amor a la religión sino a la poesía, por un sentido de la vida del cual nadie habla en el pueblo ni por los alrededores.

Ese camino tiene sus piedras. Más bien dicho está tapiado por peñascos. No está en condiciones; carece de dinero para matricularse en una Escuela Normal de Mujeres. Será entonces, como tantas de su tiempo, preceptora sin título. Ha cumplido 16 años y empieza a trabajar como ayudante en la Escuela de la Compañía, una hacienda que deriva su nombre del hecho de haber sido antigua propiedad de los jesuitas. Allí penetra un día, tímida, la adolescente de cara redondeada y grandes ojos verdosos con la misión de impartir el aprendizaje más primario: lectura, escritura, aritmética. La muchacha tiene algo que alguien pudo considerar espíritu precozmente maternal y otros don pedagógico. Es una abreojos y una fantasiosa que ilumina con sus palabras los palotes de las letras y descifra el secreto de cada signo, convirtiendo la enseñanza del abecedario más que en un cuento de hadas, en una pequeña novela de aventuras. Yuxtapone a las historias que leyó en la Biblia peripecias sugeridas por el otro tesoro formativo de su infancia: el acervo sin nombre del folklore, recurriendo al agua fresca del pozo, a los cuentos que vienen del fondo de la memoria sin fondo del pueblo. La maestra anda en una edad que apenas difiere de la de sus alumnos más crecidos. Relata con duende. Convierte la clase en sesiones de magia. Ni los chicos ni los grandotes se aburren. Sienten la seducción del relato como si se les abriera el telón de un teatro al cual ellos nunca antes habían asistido.

¿La ayudante ha afrontado la prueba de suficiencia y merece

considerarse una maestra, sin tener diploma oficial? A los diecisiete recibirá un nombramiento anhelado: profesora en la escuelita de La Cantera.

El equívoco

Esta mujer pública, tomando en cuenta la nombradía universal que alcanzó, en materia de intimidad fue cerradamente sigilosa. Mantenía una vida propia casi inaccesible. Se mostraba suspicaz y evasiva. Si algún gen determinaba este carácter lo acentuó una existencia que desde niña la trató —según ella— como la madrastra o la bruja perversa de los cuentos. Se reservaba sus secretos aunque, muy raramente, cuando tenía un interlocutor válido y de confianza a mano, se ponía habladora y escribidora a sus anchas. Su charla entonces se desataba como un torrente. Fue una mina que mantuvo largo tiempo tapados sus metales. En ese mundo subterráneo, donde nadie o casi nadie debía penetrar, estallaban las explosiones, germinaban los más violentos sentimientos.

A menudo daba versiones equívocas, perfectamente capaz de dejar correr por la superficie una historia que sugería pistas falsas. A veces la coartada se convertía en verdad, repetida generación tras generación. Alimentaba el folletín amoroso, donde, como corresponde a la época, la muerte viene a tronchar la pasión de una joven desconocida. En este terreno fue un as de la desinformación.

Al escribir «Los sonetos de la muerte» ella misma genera la ficción coloreada por la tragedia. Convierte un episodio marginal en la chispa que hace cundir el incendio dentro del bosque. Crea literariamente un mito que se expande y exalta la imaginación de los lectores.

Allí saca patente la leyenda oficial: su amor desventurado por Romelio Ureta. Ella misma reacciona más tarde aclarando la verdad: «Esos versos fueron escritos sobre una historia real. Pero Romelio Ureta no se suicidó por mí. Todo aquello ha sido novelería».

No logrará contener esa bola de nieve que corre despeñada, haciéndose cada vez más voluminosa, adquiriendo la consistencia dura del hielo que quema. Es la historia sentimental, no exenta de truculencia, que se eterniza, a pesar que en su origen hay mucho de inexactitud, como ella misma lo reitera una y otra vez en vano.

La célebre pasión por el suicida sirve para esconder en el fondo otros sentimientos más verídicos. Pues esa niña sola se enamora o se deslumbra. Tal vez no sepa bien si se trata de amor o de encandilamiento. La atraviesa, la fulmina el rayo flamígero; sufre, cree morir como todos o casi todos los seres que lo experimentan cuando llegan a la pubertad, aunque es posible que ella sintiera antes amores de infancia. Pero no constan. Lo que consta son sus pasiones de adolescencia, de juventud y de primera madurez. Se descubren muchos años después de su muerte porque ella, no obstante ser grafómana desde pequeña, suele dejar escondida la certificación escrita de sus afectos amorosos. En ocasiones no consigue ocultarlos. Se delata por la letra ante grafólogos o peritos calígrafos. O por colaboraciones a los diarios.

El 17 de diciembre de 1904 envía al periódico *El Coquimbo* un artículo cuyo nombre podría ser equiparado al del folletín de moda que un repartidor ambulante de ese tiempo suele arrojar por debajo de las puertas: «Amor imposible». Hoy podría servir de argumento a una teleserie.

¿Cuál era ese «amor imposible»? ¿Existía? ¿O se trataba de la invención pueril de un autor novel?

Existía. Existía el príncipe azul de la Cenicienta. Era rico, hermoso. Pintaba; tocaba el piano, coleccionaba cosas lindas. Fue un ídolo a los ojos de esa niña pobre que desasnaba revoltosos iletrados en una escuela de última categoría. Para aquella muchacha, que nada había visto del mundo, pero que leía con furia no sólo la Biblia sino también narraciones ingenuas o novelitas rosas, equivalía al hijo del rey probando el zapato del baile a la doncella enhollinada que trabaja en la cocina o —¿por qué no?— en la destartalada sala de clases de una aldea insignificante.

A los quince años se enamora de Alfredo Videla Pineda, dando rienda suelta a la erupción de su volcán, de ésos en que es pródiga su tierra sísmica y que suelen provocar terremotos. Ella no expelerá por las fosas nasales lava ni fuego de fumarolas. Arderá por dentro. Sólo traicionará el crujido de la hoguera el artículo que titula con un nombre desesperanzado y anacrónico.

¿Qué esperanza podría tener ella, si estaba arrinconada en la indigencia, lidiando con chicuelos desatentos y él pertenecía a una familia adinerada, propietaria de viñas en Samo Alto?

Sin embargo no era la opulencia, la gran fortuna la que encendía en ella su fuego devorador. Lo admiraba porque lo creía rico por dentro. Lo consideraba un artista. Otros lo estimaban un artistón. Ella lo juzgaba un esteta. No faltaban quienes decían que era un poco femenino, es decir, poco masculino. No puede afirmarse que fuera un jovencito. Tal vez un Dorian Gray de Samo Alto que a esa altura de la vida teme mirarse al espejo porque tiene treinta y ocho años, veintidós o veintitrés más que ella.

La amazona en pelo

Un día Isolina Barraza invitó a Lucila, cuando ésta tenía quince años, a la parcela de sus abuelos en Arqueros. Ese jinete adolescente tenía ganas de recorrer los potreros y lo hizo «a burro en pelo y a dos piernas», a diferencia del viaje de su madre a Vicuña, adonde fue para parirla.

Era una austera con sus vicios. Muy temprano comenzó a fumar. Tabaquista sin pausas largas, con los años llegó a consumir, casi sin darse cuenta, hasta tres cajetillas de cigarrillos diarios.

Vestía con la sencillez de la pobreza. Ya grande, su indumentaria se juzgaba estrafalaria y anticuada. Le gustaban las polleras hasta el suelo. En esa mujer, que su amiga Isolina describía como pestañuda y cejuda, iban bien los ojos verdes, que hacían juego con el cutis mate y el pelo castaño claro. En los tiempos de su juventud usaba moño. Después se lo cortó a lo garzón. El común de la gente la hallaba fea y ella lo repetía con orgullosa tristeza. Otros la miraban con pupila descubridora de bellezas interiores. No la consideraban bonita, pero podían encontrarla atractiva. Y hasta majestuosa y visible desde lejos, con su metro 78 de estatura.

Vegetariana parcial: miel, frutas, dulces. Por la noche, mate o chocolate. Alza la taza con una mano. Con la otra sostiene un libro de Goethe, Guyau, Sarmiento, Martí o Vargas Vila.

Escribió miles de cartas, porque fue cartista, carteadora, epistolera desde que aprendió tempranamente a garabatear esquelas. Dada a los recados impresos y a las comunicaciones manuscritas, también se dejó llevar (éste es un descubrimiento póstumo) por las misivas sentimentales o antisentimentales. Es cierto que entonces se escribían más cartas de amor que ahora. Uno mira facsímiles suyos. La letra tiende a subir y va descendiendo al final de cada línea.

Correspondencia a menudo sin respondencia. «Mi Alfredo: Le escribí a Samo hace dos días. Pida allá esa carta...» El tono frecuentemente bordea la angustia. Es pudorosa. No hará nada a escondidas; pero toma la iniciativa de citas. Le propone verse «y conversar en cualquier parte pública; la que usted designe...». Pueden encontrarse de dos y media a tres y media (una conversación a la luz, si es que ella no vuelve en el tren ese mismo día a Cantera), tal vez en el lugar acostumbrado de encuentro por aquellos tiempos, las consabidas plazas de armas. «Si me quedo de ocho media a ocho de la noche [aquí hay un error; imaginamos que quiere decir nueve de la noche], nos podríamos ver en la plaza, costado norte».

Las celestinas existen desde mucho antes que Fernando de Rojas las instalara en el teatro. Pero su amiga Artemia no fomenta relaciones pecaminosas. Con la conciencia limpia es portadora de comunicaciones confidenciales. Ese cuadro de época, familiar en las piezas del repertorio clásico, alcanzamos a conocerlo en nuestras localidades provincianas. No cuesta aceptar la verosimilitud de ese Cupido viajero, Artemia nunca entregando cartitas triviales sino rendidas epístolas amorosas escritas por una maestra de escuela rural.

El estilo por momentos es el de una joven que admite la superioridad del ser amado y adopta una actitud de reconocimiento:

> No me olvide ni haga propósitos pérfidos en contra de esta pobre [...].
> Un infinito de agradecimiento y de amor tengo por usted ahora que vino
> a verme tan pronto. Siempre suya, Lucila, Compañía, 21 de marzo.[10]

El galán maduro quiere algo que ella no puede darle. Se trata de una virgen temerosa. Su pasión es antes que nada enardecimiento platónico y siente miedo al sexo, lo cual —al parecer— encierra una clave en su vida íntima. Por esa razón ella se niega a concederle la entrevista a solas en un lugar cerrado. No hay nada que él no pueda decirle a cielo abierto y no sea susceptible de expresarse por escrito. (Declaración indicativa de que ella conoció muy pronto el poder de las letras). «Y no hay demostración de cariño que no le haya hecho y no pueda hacerle. Es mi última palabra al respecto...»

Como buena romántica e imaginativa fogosa, se da a la tarea de convencerlo que su amor es único. «No habrá otra alma en que su amor haga lo que en mí...» Así confirma que, si todas las almas son particulares y distintas, ella se sabe más singular y diferente que el común de las almas. Ya grita de dolor, como lo hará más tarde en sus poemas de amor. Su característica es la pasión, el reclamo y la profundidad del alarido que se oirá al otro lado de los montes.

> Jamás un hombre me ha hecho sufrir como usted suplicio de celos,
> jamás ninguno ha motivado mis desvelos, ni me ha llenado el alma de
> pena sin nombre, como usted.[11]

Se nota ya plenamente conformada la tendencia autodescriptiva del sentir, el ojo abierto para mirarse, asombrarse, desolada, ante tanto garfio que la atenaza por dentro, la boca presta para contarse y dolerse y sentirse desde el principio abandonada por ser mujer trascendente, por su seriedad desgarrada y urgida, que no juega con la carne. «No es mi cariño esa pasión loca y desbordante que muere con la ligereza con que nace, no...»

Cobradora de sentimientos

La vida suele bajarla de la cumbre del Sinaí en dos sentidos. En la vuelta a la ternura campesina de una mujer que morigera el ardor de la grandilocuencia de tono con la despedida suavizante, propia de la que entiende que el otro no puede estar respirando todo el tiempo el aire enrarecido de las alturas del Himalaya, ni siquiera del Ojo del Salado, más próximo al Valle de Elqui. Y así la última frase de la carta amarga se torna arrumaco de mujer criolla, que vuelve a hablar el lenguaje de una enamorada de pueblecito: «No se olvide ni se enoje conmigo, ¿no, mi malito regalón?»

El segundo descendimiento a la tierra es más interesado y representa las vergüenzas y preocupaciones provocadas por el vil dinero que le falta. El 23 de diciembre de 1905, Lucila Godoy, desde la Compañía, despacha al querido acreedor la carta de una deudora enamorada que refleja su situación económica:

> Ante todo le pido mil disculpas por no haberle devuelto hasta hoy la suma de dinero que le adeudo. Usted no me ha de negar sus disculpas, mis exiguas entradas son causa de que aún no pueda dar mi debido cumplimiento...[12]

Pero no todo el texto estará dedicado a explicar atrasos de una deudora insolvente y morosa. Contiene una frase que desata la reminiscencia de una escena bañada en el color sepia de la época, elocuente por el lenguaje de las miradas, que entonces hacía furor. Recuerda la «inolvidable noche aquella, pasada en el palco número 10». Inolvidable noche, en el teatro, a la vista del público, donde estuvieron juntos, acompañados por otros, pero sosteniendo con los ojos una conversación llena de silencios, de reproches y declaraciones sin palabras.

Ama la zona de los Valles Transversales, donde termina el desierto de Atacama y comienza a brotar la vegetación y a madurar la fruta azucarada que nace en cajones de tierra encerrados entre colinas. Se sentirá siempre hija fugitiva de la Cordillera de los Andes, que alarga sus brazos de piedra para estrechar el talle de la Cordillera de la Costa. Tiene la sensación de vivir recluida dentro de cuatro muros. Lo único que falta, por fortuna, para el aislamiento total, es el techo. Es cierto que los cerros achican el cielo y retardan la salida del sol; pero no cortan ni opacan el firmamento. Lo que la comunica con el mundo es el cielo, lo que está en lo alto. Su madre le enseñó a deletrear los astros, las estrellas, los cometas. Ella, buena lectora de Flammarion, los contempla cada noche.

Un día querrá ir al gran espacio abierto, hacia el mar, ése que no tiene paredes visibles. Se dirige a la playa mansa y sedante de Coquimbo.

Confía a su amigo: «el mar me hará el pensamiento más alegre». Se sabe con predisposición trágica. Necesita, por lo tanto, unas bocanadas de risa y también sentir la sal del agua en su cuerpo. «Le escribo desde Coquimbo. He venido aquí por bañarme...» Pero el acento quieto le dura un celaje. No, no está con ánimo jubiloso; ella anda siempre cobrando sentimientos. La respuesta la esperaba antes.

> Todas éstas son pequeñeces, ¿no es verdad?, pero si usted comprendiera mi alma, vería lo inmensas que son para ella todas estas pequeñeces, y todo lo que representan y todo lo que de ellas deduce. Perdóneme si lo fastidio con estas necedades...[13]

Y agrega casi desafiante: «Así soy yo». ¿Es la humilde satánicamente orgullosa y preocupada hasta la última minucia por el interés que se la comprenda? «Y quizás, poco a poco, mientras vaya más y más conociéndome, se arrepienta de haber empleado algún tiempo de su vida en mí...» Porque así era su sicología del todo o nada. Iba de la cima a la sima. Nada de términos medios. Reivindicaba derechos de reina en materia de corazón y acto seguido se declaraba mendiga.

Además le resulta difícil creer en la sinceridad ajena. Tal vez tenga, muy a lo lejos, un instante confiado. El hombre al cual le escribe no le inspira fe.

> He de ser sincera. Yo creo que sólo en los momentos en que está cerca de mí, son míos sus sentimientos y sus pensamientos. Lo creo muy fácil a olvidarlo todo, incapaz de cultivar y conservar un amor en una larga ausencia.[14]

No se fía de las excusas del hombre. El se disculpa pretextando situaciones ficticias o alegando dificultades reales. Ella desmenuzará sus explicaciones para deshacerlas y acusarlo, dejando al desnudo la falta de interés verídico.

> El no poderse dirigir a mí sin que las cartas sean vistas por otros; y el no poder ir continuo a mi casa, por los habladores del pueblo, son los motivos con que se defiende usted cuando yo le hago presente el olvido o el silencio completo en que me deja largos períodos de tiempo. Esos motivos son ciertos; pero no creo que puedan vindicarlo ante mí. Haga

luz usted en su memoria, recuerde cuántas veces, deseando verlo, le he escrito diciéndole: en tal casa puedo recibirlo, etc. Y duramente, agriamente, me ha contestado que no irá más a mi casa, sólo en casos, extremos de enfermedad... ¿Eso hace el que quiere?[15]

El ojo y el pulso del cazador

Recurre a una eterna estrategia: la provocación de celos. No, que no crea Alfredo que ella está tan dejada de la mano de Dios como para que nadie la mire por esas soledades. Al contrario, la buscan, por no decir que la persiguen varios pretendientes y no del todo desdeñables, personas de posición. Nombra a uno. El señor Marín. ¿Quién es el señor Marín? ¿Víctor Marín, propietario de Cutún Bajo? El apellido Marín en la zona suena a terrateniente. ¿O acaso es un muchacho de la parentela de la señora Delfina Marín, nada menos que dueña de la Hacienda Compañía? Se lo dice para que él sepa que le han salido competidores a la cancha. Aunque también para ponderar su fidelidad y demostrarle de qué paño irrompible e inmaculado ella está hecha. Le comunica, por si su Alfredo se intranquilizara un momento, que su fortaleza es intomable.

El señor Marín fue a casa tres veces, después que usted se fue; una de esas veces me encontró a mí de sorpresa y no pude librarme de su visita; pero, en las otras dos, a pesar de estar yo en casa y de haberme él visto, no salí a saludarlo y no tuvo más que irse. Creo que no volverá.[16]

Ella quiere despertar celos; pero con esta vieja táctica es él quien se los desata. La mujer no puede dejar de transparentar su miedo por escrito. El 20 de marzo de 1906 le dice desde la Compañía que teme «ser abandonada por una nueva y mejor elección...» Debe darle explicaciones de su silencio:

El miércoles de la semana antepasada fui a Serena, expresamente a ver si encontraba carta de mi regalón; esperé hasta el tren de cuatro P.M., nada llegó. Me vine con una desesperación indescriptible. Le dije a mi amiga Artemia: «tan pronto llegue carta, avísame por teléfono». Así lo hizo a los tres días después. Pero entonces yo no podía ir a Serena por varios inconvenientes; al exigirlo de mi mamá hubiera sospechado algo pues soy yo siempre la que me opongo a ir allá. Ahora, mandarla traer tampoco pude por cuanto todo se hubiera descubierto. Hube de pasar siete días de agonía sabiendo que me tenía carta suya y sin poder verla...[17]

Esas líneas permiten asomarse al corazón y al temperamento de una mujer, pero también contienen toques costumbristas de la época, incluso el temor a que la madre descubra sus sentimientos. Ella se solaza describiendo su «moribundia» de amor. Sus «siete días de agonía» le sugieren a Cristo. En ese tiempo pensaba que el amor era una causa sagrada. Pero el sentido capital del párrafo lo constituye un autorretrato sicológico. La heroína sufriente del amor no correspondido se pinta por dentro, sabiéndose más fiel, más auténtica, más sincera, con más amor verdadero que la parte contraria. No vacilará en establecer la comparación, pasando al ataque. «Ya lo sabe, mi juzgadorcito: como usted olvida con la más grande facilidad, cree que yo soy lo mismo». Rechaza el paralelo en el padecimiento amoroso, porque ella sí sabe amar y él no. De modo que no se le compare.

> Ahora dígame: ¿viene usted a hablarme de sufrimiento por silencios crueles, a mí, la que vivo completamente olvidada, muerta por usted, semanas, meses?[18]

Hay en ella una cierta mirada desolada y escéptica respecto de la conducta humana y una convicción desesperada de que no la aman. Si antes se definió como un papel de periódico viejo con el cual el viento hace lo que quiere, ahora se autodefinirá como un juguete dejado y vuelto a tomar. Todo esto por una verdad descarnada: simplemente no es querida. Se lo echa en cara con la crudeza que le nace de adentro.

> Y así viene diciéndome que no puede pasar bien carnavales, fiestas y no fiestas, todo pasa y yo sigo siendo en su vida como un pasatiempo, un juguete que arroja y vuelve a recoger...[19]

Y le pide, le exige, que mire bien en sí mismo, que se observe cuidadosamente, para no andar con historias. «Usted no me quiere ni me querrá nunca, si cree lo contrario, se engaña a sí mismo.»
Confía en una casi infalible capacidad de penetrar sicológicamente en sí misma y en los otros, no obstante su juventud. Tiene 17 años cuando le escribe:

> He vivido muy poco pero sé comprender el amor y distinguirle de la entretención caprichosa como es la suya...[20]

Agrega algo que pueda inducirlo al temor. Ella tiene el ojo y el pulso del cazador no sólo para apuntar a los embusteros, sino también para ahondar en lo que les anda por dentro. «¡Ah!, no se imagina lo que profundizo sus sentimientos, sus ideas y sus pensamientos».

La sicóloga hurgadora de todos los gestos y los pasos que puede percibir en el hombre vuelve a los celos; no puede acallarlos.

> ¿Sabe en qué me pongo a pensar a veces? En que por los alrededores de su hacienda hay alguna aldeanita de esas cautivadoras que me está robando sus miraditas tan preciosas para esta pobre mendiga.[21]

Pero no son las aldeanitas cautivadoras las que más le duelen. Son las *damas*, las damas de sociedad. Entre otros motivos, porque ella no es una dama. Es el revés de una dama. Es pobre de solemnidad, viste mal, no sabe portarse bien a la hora del té, no tiene gramófono en su casa. Y no escucha sino la música prestada que viene de lejos.

> Pero esto no es nada para la pena que me llena el alma a veces, cuando sentada en la ventana de la picza de los altos, el viento favorable me trae los acordes de la música lejana, de esa música que usted goza todas las noches en el paseo lleno de damas entre las cuales hay una a quien usted quiere, y que quizás sea más tarde la dueña de mi Alfredo.[22]

Seguramente la joven tiene razón para celarlo. Alfredito, no obstante que ya frisa la cuarentena, oficia de «toronjil de las niñas». Mariposea entre tanta flor silvestre o entre damitas de copete. ¿Bajo el revoloteo oculta algo? ¿Es mariposa o mariposón? No lo sabemos. Pero trabaja de picaflor profesional, afirmado en su fortuna.

En cambio ella, como dice la broma popular chilena, es «pobre pero honrada». El insiste en la conversación secreta, a solas. ¿Desea ir más lejos? ¿Quiere probarla? ¿Quiere conocerla en el sentido bíblico? Ella siente pavor y no lo aceptará. Tampoco manchará casas y honras calderonianas de familias amigas donde se aloja. Es terminante en la notificación.

> Siento no acceder a su ruego sobre una entrevista reservada. No tengo un lugar determinado que designarle y las casas donde alojo, que son de la viuda de Reygados y la de la familia Aguilar, tendría que avergonzarme más tarde de mí misma al faltar en ellas al respeto con una cita secreta verificada allí...[23]

Siempre le preocupó el qué dirán. Quería que su nombre, brillara o no brillara, se mantuviera transparente, intacto, sin la sombra de una sospecha. Esta actitud la conservó toda la vida. Jamás disculpó a los maledicentes. No le gustó nunca dar pasto a las bestias de lenguas afiladas.

Le niega la cita *reservada,* tanto por ella como por el juicio que el resto del mundo se pueda formar. De sí misma está completamente segura, tal vez porque el aspecto carnal de la relación hombre-mujer le causó siempre pánico. A ese miedo, por un fenómeno de enmascaramiento inconsciente, tal vez lo llame sentido o sentimiento del deber. Ella estimaba que su deber era, en ese terreno, mantenerse virgen, no sabemos hasta cuándo. Le anticipa que no es por ella sino por el juicio ajeno que no le dará esa cita secreta.

> Nada significa esto para mí que sé que de esas entrevistas no me resultará nada deshonroso, porque llevo siempre conmigo el recuerdo de mi deber; pero, el extraño que llegara por casualidad a imponerse de ello, ¡cuánta base para una calumnia, un juzgamiento, una aseveración que me perjudicaría en grado sumo a mí, que para merecer la ayuda o el respeto del mundo no dispongo más que de mi honra, la riqueza de la mujer pobre![24]

El párrafo corresponde a una carta escrita el 20 de marzo de 1906. Se podrá advertir cuánto han cambiado las costumbres, la idea sobre la reputación, las reacciones, los modos de relación entre el hombre y la mujer de principios a fin de siglo. Pero, sin duda, no faltan quienes, a la vuelta de la esquina del tercer milenio, siguen sintiendo el peso paralizante de la crítica y vindicta social. ¿Pero en ella era esto el resorte esencial de la inhibición?

Eros metafísico y volcánico

Lo llama conflicto entre el amor y el deber. «Si el amor me dice: ¡accede!, el deber me dice ¡no!»

Intuye, se lo grita su inteligencia, que la ley de la tribu puede ser abusiva y tonta, que el sacrificio de impulsos y sentimientos tan fuertes no debería ser materia resuelta por otros y más bien responde a convencionalismos arcaicos. Lo percibe, pero no será ésa su rebelión, al menos por el momento: «El mundo lo manda así, vivimos en él y debemos respetar sus leyes aunque sean absurdas y ridículas».

Se inclina ante el mundo, a pesar que lo sabe duro e inhumano. Lo que no acepta es que se confunda el amor con lo que ella considera concupiscencia. «El que ama no pide sacrificios, se sacrifica a sí mismo. Ese es amor; lo demás es mentira».

Aquella relación platónica ha durado, contando el tiempo de los cortocircuitos, dieciséis meses. Esa carta es la última, al menos de las conocidas, en aquella correspondencia asimétrica y sobre todo unilateral.

Más allá de la sustancia del sentimiento ardiente y púdico de una joven que lo experimenta de los dieciséis a los diecisiete años, tal vez valgan dos puntualizaciones al margen.

Fue la amistad casi imposible de un hombre rico y una muchacha pobre, donde él parecía perseguir la conquista amorosa por detrás de la puerta y ella convertía el amor en una esencia de espíritu, endiosándolo hasta lo metafísico.

Si él se casaba alguna vez, debía hacerlo con una mujer de posición, no con una adolescente que le pedía plata prestada, a la cual le costaba mucho cancelar la deuda y que, para colmo, se negaba como una monja a aceptar sus avances eróticos.

Habría que preguntarse si en ella sólo le atrajeron la muchacha en flor, los ojos verdes, la sabrosa charladora, la niña atormentada o el hecho que escribiera versos y cartas que, imbuidos por el estilo de su tiempo, sin embargo tenían algo muy personal, cierta expresividad fuerte y punitiva.

La segunda reflexión está ligada precisamente con su palabra punzante y dolorida, filuda y enérgica, con su lenguaje de agujas que se clavan en el alma de la que escribe y en la piel del destinatario esquivo. Confirma la norma de que en los escritores natos toda vivencia individual es materia susceptible de transformarse en texto literario. Así se desprende de la última carta de que hay constancia en esa amistad inicial que se le conoce a Gabriela. Fue revelada después de su muerte. Carta de ruptura, página de adiós.

Para sepultar un amor, desde antiguo se han recomendado los viajes. Los ricos de aquella época solían navegar hacia Europa. Las mujeres pequeñoburguesas se trasladaban de pueblo o ciudad. Ella también se irá. Pero no a París ni a Santiago. Se irá a la vuelta de la quebrada, de Compañía Baja a La Cantera. De todos modos, ya es una distancia.

Tiene que cerrar ese capítulo que ella estima el último de su existencia, a los diecisiete años.

Por eso antes de partir vaciará su estado de ánimo ya no en una carta sino en un poema, que manda al periódico *La Voz de Elqui*. Adviértase que ha sufrido en silencio, salvo el aluvión privado de la correspondencia que sólo conoce una persona más. Transfigurará su desconsuelo en poesía. Y como cree que no sobrevivirá al golpe titula el poema «Al final de la vida». En suma, su culpa es sentir mucho y hondo. No está hecha a la medida de los demás. Su sentimiento trabaja con un voltaje distinto. «Corazón, corazón, ¡cuánto soñaste!».

¡Honor a los que se acuerdan de la mujer!

Podría escribirse todo un libro titulado con desnuda precisión *Gabriela Mistral y la mujer*. El asunto la apasionó siempre, hasta los límites de la obsesión, porque, en el fondo, cuando lo tocaba se estaba tocando a sí misma. Sin nombrarse, cuando se refería al tema lo miraba con un prisma personal. Lo abordaba con pronunciamientos en que se enlazan principios generales, intereses comunes fundidos con experiencias individuales, casi siempre negativas. Respondía de este modo a vejámenes verídicos o imaginarios que perduraban en ella como afrentas siempre frescas. Es sabido que los ataques e injusticias sufridas en su infancia no tuvieron plazo de prescripción, porque el dolor le era inolvidable. La dominaba una memoria tenaz, a prueba de tiempo, imborrable para el escarnio y el desprecio. Vivió poseída por aversiones sin remisión y por tabúes perpetuos.

No ha cumplido aún 17 años cuando publica en el periódico de Vicuña *La Voz de Elqui* una declaración de guerra a la institución matrimonial. La repudia con los términos más condenatorios:

> Es preciso que la mujer deje de ser la mendiga de protección y pueda vivir sin que tenga que sacrificar su felicidad con uno de los repugnantes matrimonios modernos; o su virtud con la venta indigna de su honra.[25]

En el mismo texto transita de este rechazo a la admiración por aquéllos que en esos confusos albores del siglo anuncian en Chile la irrupción de un nuevo personaje (que algo tiene que ver con las protestatarias sufraguistas inglesas, aunque aclaró que no debía confundírsela con ellas). Ese arquetipo revolucionario es la Mujer Emancipada. El arma liberadora más efectiva del sexo oprimido será la educación. Siente escandalosas ganas de gritar ¡viva! a los que escriben en la prensa abogando por los derechos de la otra mitad, a los que manifiestan por ella —según le consta— una vívida adhesión en reuniones minúsculas, improvisadas, en recodos de villorrios marginales o en las encrucijadas de los caminos del Norte Chico. Le gusta oírlos reclamar a viva voz los derechos del obrero. No le asustan sus palabras incendiarias, a veces no desprovistas de un guiño cómplice y tierno en defensa de la mujer, que es ella misma o la que pena presa en el fondo de las cocinas, o está encorvada, como su madre, en la hondonada de los valles y tiene la voz trasminada por el silencio de las huertas. Siente que esos agitadores callejeros hablan también por la joven maestra abandonada. Le complace escuchar el trueno silbante de esos campeones de su sexo, caballeros rotosos de la parte postergada de la naranja. Tal vez no sean sólo Quijotes. Quiere agradecerles el tono encendido. Y dice, como si ella misma estuviera haciendo una arenga de barricada:

> Honor a los representantes del pueblo que en sus programas de trabajo por él incluyen la instrucción de la mujer; a ellos, que se proponen luchar por su engrandecimiento, ¡éxito y victoria![26]

III LA RESURRECCION DEL SUICIDA

AHORA VAMOS al encuentro del gran mito, de la hiperfabulación admitida por el público: el amor total por el suicida Romelio Ureta. Hay críticos que lo proclaman el único amor de Gabriela Mistral. Personas que estuvieron muy próximas a ella no emplean la palabra único sino gran. Otros declaran que ese fantasma la persigue toda la vida. Anderson Imbert lo juzga «su amor primero y único». Otros lo estiman «un amor infinito. Terrible. Fogoso. Sangriento». Alone aventura que ese amor puede considerarse «el germen de todo lo demás que le ocurriría… e incluso del Premio Nóbel».

Soberana equivocación, convertida en dogma.

¿Pero no existió nada entre ellos? La respuesta no es tan lineal. ¿Existió Romelio Ureta? Sí. ¿Cuándo lo conoció? Al parecer, inmediatamente después de la ruptura o del fin del vínculo con Alfredo Videla, cuando trabajaba como profesora en la escuela primaria de La Cantera. Ya ha puesto espacio para aquietar sus sentimientos. Es cierto que Compañía Baja no queda lejos. Son apenas unos kilómetros, pero ya no está allí. Tampoco durará mucho en La Cantera. Tenía 17 años cuando lo conoció. Hay amantes del bosque genealógico que cuelgan a Romelio Ureta de la rama de un árbol distinguido, plantado en la aristocracia colonial. Nieto —dicen— de don Baltazar Ureta y Verdugo, que fue primo carnal de José Miguel Carrera.

En esta historia se juntan dos corrientes, que terminan por confundir su caudal. Son dos formas de fabricar mitos, dos teorías: *la teoría de la ensoñación* y la *teoría de la atribución*.

> Yo elegí esta invariada
> canción con la cual arrullo un muerto que fue ajeno
> en toda realidad, y en todo sueño mío…[27]

Así escribe en «Los sonetos de la muerte». A través de la poesía lo convertirá en historia trágica. Por la fuerza con que brota su capacidad de ensoñación encenderá el fósforo susceptible de hacer arder el fuego de una leyenda. La ensoñación le pertenece; es exclusivamente suya.

La teoría de la atribución, en cambio, dice que el mito es cosa de ella y cosa de los demás. Ella engendró su Frankestein y éste, con el tiempo, fue repudiado por la autora; pero siguió caminando por el mundo, indetenible tras el impulso inicial. Por un fenómeno de sobresaturación llegó ella a aborrecer algunos de sus poemas interminablemente declamados, que fueron leños para esa hoguera, sobre todo «El ruego» y «Los sonetos de la muerte».

«Son cursis, dulzones», le confía a Alone, en Nápoles, en 1952, ese mismo año en que Neruda escribe a poca distancia de allí, en la isla de Capri, *Los versos del capitán* (los publica escondiendo su paternidad). Detesta como ella su «Farewell», tan infinitamente recitado, incluso en los burdeles de esos años.

Son los periodistas, los críticos, los lectores, la imaginación de la multitud, la novelería, la sensibilidad folletinesca, quienes hacen lo demás: convierten el episodio, con el detonante de «Los sonetos de la muerte», en el hecho capital de su biografía y en el amor definitivo, único y fatal, tres palabras contundentes, que representan cierto espíritu sensacionalista y hablan de una ávida y morbosa afición por entrometerse en la vida privada de los personajes.

Ella se aburrió del melodrama; desautorizó el mito. Al novelista peruano Ciro Alegría le reveló: «la gente habla pero no es verdad. No tuve amor. Si alguna vez te preguntan, di eso, como si fueras mi hijo». Porque en este asunto caben también las negaciones integrales y tajantes. Ella rechaza las habladurías y niega ese amor, con lo cual quiere talar de un hachazo el árbol de la fabulación colectiva.

Tal vez manejó todo esto como una coartada. Insinúa un romance que termina en tragedia, sobre cuya veracidad se contradice, para ocultar una pasión mucho más real. En palabras dirigidas a la escritora Ladrón de Guevara, le dice:

> ¡Ay, Matilde, las cosas que me pregunta! Usted, que comprende todo, tiene que haber comprendido también que ese amor no es precisamente el amor que inspiró «Los sonetos de la muerte». ¡Fue un segundo amor, hermana![28]

Además, sobre el hecho mismo que desata la cristalización mítica, ella da cuentas muy dispares. Berta Singerman, quien muchas veces recitó ante públicos conmovidos versos que se creía inspirados por el trágico destino de aquel Romelio Ureta que se disparara un tiro en la sien, recibe de Gabriela Mistral, en ocasiones diferentes, «tres versiones distintas del suicidio cuyos motivos ella nunca logró entender».

En verdad, Romelio era un mozo absolutamente de provincia y sin mayor futuro. Su hermano Macario, que ocupaba un cargo de cierta autoridad, le consigue un mínimo puesto de guardaequipajes en la construcción del ferrocarril de trocha angosta Longitudinal Norte, que va desde La Calera hasta Iquique. Atraviesa todo el Norte Chico y gran parte del desierto del Tamarugal en un viaje pausado, fastidioso y polvoriento, que dura de tres a cuatro días.

A Gabriela le gustaban los hombres bien parecidos, de facciones finas, tal vez con algún rasgo femenino. Según ella, Romelio Ureta tenía bella la cabeza, rostro casi feo, muy blanco, de pelo negro, agradable, correctito, buena persona. En esos pueblos de Chile por aquel entonces se estimaba aristocrático ser bombero, apagar incendios ad honorem. Tal vez el hecho que fuera una actividad sin retribución pecuniaria le transmitía cierta desprendida elegancia. Como se sabe, él pertenecía a una buena familia. Las buenas familias deben emparentarse entre sí y él se puso de novio con la señorita Clementina Herrera, también de linaje conocido. El muchacho de la clase alta no tenía un céntimo, pero era amigo dispuesto. Un día Carlos Omar Barrios invocó la amistad para que le prestara 1.501 pesos con 11 centavos, sólo por tres días. Y el joven los sustrajo de la caja del ferrocarril a fin de ayudar al amigo, quien no los reembolsó. Era el deshonor. Se suicidó el 25 de noviembre de 1909.

Por aquellos días dicha muerte mereció algunas crónicas en los periódicos *El Coquimbo*, *El Trabajo* y *La Reforma* de La Serena. Describieron los funerales con detalle: los bomberos formaron filas con sus casacas y sus cascos metálicos; asistió mucha gente, casi todo Coquimbo, porque en esos pueblos los funerales de un joven «decente» que se mata son tan concurridos como los santos y las fiestas de cumpleaños. Se hicieron discursos laudatorios o lacrimógenos. No sabemos bien la actitud de la Iglesia. Como suicida debía ser excluido del Cielo.

Tras las exequias efectuadas a fines de noviembre debía venir el silencio. Y así fue.

Pero el suicida resucitó años después. Un lustro más tarde estalló, como una tempestad de relámpagos, la noticia que una poetisa de la región había ganado en Santiago, en 1914, los Juegos Florales con un poema titulado «Los sonetos de la muerte». No sabemos si ella o alguien levantó el velo misterioso y dijo que esos versos sobre un suicida se referían a Romelio Ureta. Desde aquel momento comenzó a desatarse la fabulación y el joven desfalcador, que de otro modo hubiese estado destinado a eterno olvido, salió de su tumba y comenzó a caminar por la imaginación de las muchedumbres.

El crítico Ricardo Latcham opina que «nunca el amor humano pudo llegar a tan grande intensidad». La fuerza del poema queda fuera de duda. ¿Pero ese amor humano es tan incomparable? La interpretación de los críticos se alimenta de la poesía. Espigan en el libro *Desolación* tratando de reconstruir el itinerario de la pasión desgraciada, porque ya no sólo son los Sonetos los dedicados al que decidió partir de un balazo, sino que se le convierte en personaje motivador de muchos otros poemas. «El encuentro», por ejemplo, cuando él la mira y a ella se le vuelve «grave el canto», se refiere, según estos exégetas, al descubrimiento del hombre amado. Es el asombro que deja a una «pobre mujer con su cara llena de lágrimas».

Casi todas las autodescripciones de su estado de espíritu son relacionadas con el estremecimiento de tal amor. Va del éxtasis a la mudez, a la sensación de tener escarcha en la boca. Le suplica que la quiera más con el alma que con las manos: el amor suyo es reacio al toque carnal. Para ella el amor es el viento de Dios. Más tarde escribirá: «Bendito mi vientre donde mi raza se acaba».

Y también es la poesía de los celos. Ya hemos visto roerla en su pasión adolescente por Alfredo Videla Pineda. Lo ve pasar con otra. Y todo esto es para ella «agua amarga como un sorbo de mares».

No es verdad que todos esos versos los haya inspirado aquel desdichado. Tal vez respondieron al estímulo de un sentimiento provocado por otros hombres, de los cuales en el momento en que los escribió se sentía enamorada.

¿Existe una verdad establecida? ¿Los versos sobre el suicida se refieren efectivamente a aquél que se pegó un tiro en la sien? Dentro de la creación poética no son raras las alusiones concretas que apuntan a rasgos de crónica, traspasada, desde luego, por las pasiones del alma: «Malas manos entraron trágicamente en él». ¿De quién eran esas malas manos? ¿De aquél que le pidió prestado el dinero, que él robó a la caja del Ferrocarril sin que lo reintegrara? ¿O de la mujer que se lo había arrebatado, la señorita Clementina? A juzgar no sólo por su poesía sino por ciertos párrafos de su correspondencia, la culpa más fuertemente a ella que al deudor insolvente, lo cual prueba que la rivalidad femenina, por no hablar de la masculina, puede alcanzar extrema virulencia.

Ese «Ruego» que suplica a Dios el perdón para aquél que era suyo —no porque lo fuera sino porque ella así lo sentía— incide en la motivación, al igual que otros poemas, donde el vínculo se muestra desnudo y tajante como un cuchillo. «Cómo quedan, Señor, durmiendo los suicidas». «Y volverlo a ver».

> ¡Y ser con él todas las primaveras
> y los inviernos, en un angustiado
> nudo, en torno a su cuello ensangrentado![29]

En cada espíritu creador la realidad se transmuta. Un hecho, una mirada, un sueño pueden desatar en el escritor un poema, una novela, un drama. La hebra objetiva, el suceso mismo se entreteje con las mil hebras que va hilando el temperamento en el telar de una imaginación desbordante.

Mirona a pesar de sí

Se dice que en los bolsillos del suicida se encontró una tarjeta con el nombre de Lucila Godoy. No es mucho pero fue la puntada inicial de la trama posterior. Era un tiempo poblado de postales, con palomas transmitiendo mensajes, corazones perforados por la flecha de Cupido. Reinaba el lenguaje de las flores. ¿Pero bastaba en este caso una postal para desatar un drama o el flujo de la fantasía? Por lo visto sí, aunque el asunto no le provocara una reacción poética inmediata.

Tres años después del suicidio de Romelio Ureta, es decir en 1912, cuando ella vivía en Coquimbito, cerca de Los Andes, escribió los «Sonetos de la muerte». Son desgarradores, pero el hecho que los origina representa un elemento del pasado, que una vez transfigurado en poesía adquiere la fuerza de un factor desencadenante.

Hay, sin embargo, un documento único, salido de su mano, que arroja luz mayor sobre esa relación. La mirada retrospectiva confía el secreto al poeta Manuel Magallanes Moure, en una carta que le escribe el 20 de mayo de 1915. Pinta una sola escena, con pulso firme, a lo Maupassant, pero está hablando de lo que ella dice vio por sus propios ojos. La lista de los personajes es clásicamente triangular. El, La otra, La que Está Mirando, o sea, Ella Misma, Gabriela voyerista.

Alojaba yo cuando iba a Coquimbo en una casa que era los altos de la que él ocupaba. Esta noche de que voy a hablarle salía la familia a la playa. Temiendo verlo allí, yo no quise ir. Yo sabía que él estaba de novio y evitaba el encuentro. Lo quería todavía y tenía el temor de que me leyera en los ojos (él que tanto sabía de ellos) ese amor que era una vergüenza […] Me puse a mirar hacia abajo. Había luna […] ¿Lo que vi y lo que escuché? La novia había venido a verlo […] Se acribillaban a besos […] Yo miraba todo eso, Manuel […] Una nube cubrió la luna, ya no vi más y esto fue lo más horrible. No pudiendo ver, imaginaba lo que pasaría allí, entre dos seres que se movían en un círculo de fuego […] No pude más. Había que hacer que supieran que alguien los veía desde arriba. ¿Gritar? No: habría sido una grosería. Despedacé flores de las macetas de arriba y se las eché desmenuzadas sobre lo que yo adivinaba que eran sus cuerpos. Un cuchicheo y, después, la huida precipitada. ¿Ha vivido usted, Manuel, unas dos horas de esa especie…?[30]

¿Descripción hija de la realidad o de la imaginación calenturienta? Da la impresión de que no se puede inventar una escena así. Transmite demasiado verismo.

Esa misma carta agrega otra escena, que despide una sensación de autenticidad dolorosa. Se embarca para La Serena, cuando se encuentra con él. Ella trata de escapar; él la sigue y le pide: —Lucila, por favor, óigame—. Ella, en medio de su turbación, tiene una mirada para observarlo con pupila crítica y comparativa:

> Tenía una mancha violeta alrededor de los ojos; yo otra un poco roja. La de él, pensé yo, es de lujuria; ¡la mía era del llanto de toda la noche! «Lucila —me dijo—, mi vida de hoy es algo tan sucio que usted si la conociera no le tendría ni compasión»[31]

Ella guarda silencio, no le pregunta nada. El agrega: «Lucila, le han dicho que me caso. Va usted a ver cómo va a ser mi casamiento; lo va a saber luego».

Ella entonces se pregunta: ¿qué le sucedía a ese hombre a punto de casarse y que hablaba así? Lucila o Gabriela se descarga con rencor contra su rival afortunada, juzgándola desde dos ángulos contradictorios: lo quería y lo explotaba hasta hacerlo robar. El continuó hablándole de su existencia deshecha y de cierta náusea, en relación tácita con esa noche de amor que ella presenció por lo menos en su primera fase desde el segundo piso. Su sentencia es de condenación a algo que la persiguió toda la vida: las infernales alianzas de la carne. El juicio es como la boca de Dante, un volcán que condena a los lujuriosos.

> A la carne confían el encargo de estrecharlos para siempre y la carne, que no puede sino disgregar, les echa lodo y los aparta llenos ambos de repugnancia invencible.[32]

Aquel monólogo era desesperado. Según esa carta siguió hablándole y prometiéndole que en su próximo viaje la esperaría en la estación. Luego escribe como si sintiera en sus oídos el pistoletazo: «no pudo ir; se mató 15 días después».

Si gente minuciosa sostiene que Romelio Ureta no logró reponer los 1.501,11 centavos que sustrajo a la Caja del Ferrocarril, Gabriela, con el tiempo, cambia algo o mucho la historia. A Lenka Franulic, cuatro décadas más tarde, le cuenta que:

> ... ella tenía poco más de catorce años. El debe haber tenido veinte o veintiuno. Nos pusimos de novios, pero él no tenía dinero para tener

mujer […]. Dejaron de verse […]. Una noche estaba sentada en el sofá, y de pronto tuve la extraña sensación de un peso que caía a mi lado y de ese ronquido típico de la agonía. Sólo al otro día, cuando llegó el periódico, me enteré de la noticia que Romelio se había suicidado.

Días después, de paso por Coquimbo, supe lo ocurrido. El suicida era la comidilla de todo Coquimbo, así me enteré de la historia de Romelio con aquella muchacha con la que se decía que iba a casarse. Como no podía seguir el tren de lujo en que se hallaba metido, se había dedicado a jugar. Un día tomó dinero de la Caja del Ferrocarril donde era empleado. Después, en un momento de desesperación, decidió quitarse la vida. Antes de suicidarse rompió todas las cartas de su novia. Después se vistió para la muerte y se disparó un tiro. Pero en un bolsillo se le encontró una postal mía. ¿Por qué estaba allí cuando hacía más de cuatro años que no nos escribíamos? A causa de aquella tarjeta, sin embargo, se asoció su nombre conmigo. Yo no tuve nada que ver con su suicidio.[33]

De toda la narración ella sacará conclusiones: tras esa noche de pesadilla está preparada para ver y oír todo. Nada puede sorprenderla. Pero además da por sentado que ella está predestinada a la desdicha.

Estoy hecha para esto, para que se quieran a mi vista, para que yo oiga el chasquido de sus besos y les derrame jazmines sobre sus abrazos de fuego.[34]

Así fue antes, así será después. No se crea que sólo está recordando; está hablando de su presente. Es una flecha que lanza a su corresponsal. Ella subraya que el sufrimiento no la enaltece. Por el contrario, la colma de ira. «Los seres buenos se hacen mejores con el dolor; los malos nos hacemos peores. Así yo».

Así decía que era ella, la tempestad en persona y también la capacidad de almacenar despecho. «No lo sé; hay algo en mi ser que engendra la amargura, hay una mano secreta que filtra hiel en mi corazón, aun cuando la alegría me rodee».

Ella será una tierra removida por la punta de hierro, por el arado de las más penetrantes pasiones, de los resentimientos absolutos y arrasadores, lindantes con el sentido de la muerte. Shakespeare le permite reconocerse en algunos de sus personajes. «Otelo anda por ahí. Yo lo conozco, y Hamlet, quién no lo ha visto ciertas noches en ciertas zonas del alma…»

Tal vez arrastraba un trauma desde la infancia que la marcó para siempre. Laura Rodig, como es sabido, subraya que a los siete años tuvo «un choque físico y moral que no es posible describir en pocas líneas...»

Así pasea por la nebulosa inasible el fantasma de Romelio Ureta. El suicida, conforme a estos datos, fue un momento en su vida. Un episodio infortunado que ella, con su capacidad poética de generar metamorfosis y trocar la realidad en verdad artística, convirtió en personaje literario.

Hay quienes afirman que él no fue nada para ella o apenas un pretexto para su creación. Otros sostienen que lo fue todo, el amor único, tan definitivo, total, trágico y sobrehumano, que agotó su capacidad de amar para siempre.

En vista de interpretaciones tan disímiles, tal vez no ande descaminado tratar de fijar, al menos, el sitio aproximado que ocupa hoy el joven suicida. Seguramente no volverá a su tumba de muerto desconocido, borrado por el tiempo y por su intrínseca insignificancia, sino que continuará andando por veredas legendarias. Pero no transitará solo por ellas, porque hubo otros hombres en la vida de aquella mujer.

Y estos otros, que vinieron después, así como hubo uno antes, ocupan en la vida de Gabriela, y más que nadie El Otro, un lugar mucho más importante y capital que el del malhadado portaequipajes o cajero del Tren Longitudinal.

Se le conocen a ella pocos alardes humorísticos. Los tuvo a menudo. Tal vez sea un chiste, pero alguien le atribuye posteriormente, riéndose, unas palabras muy desacralizadoras de la leyenda:

> Dicen que me enamoré del ferrocarrilero, ¡bah! El me pretendía. Se llamaba Rosamelio (sic). ¿Pero cómo creen que me pudiera enamorar de alguien que cargara con nombre tan ridículo?

¿Verdad? ¿Invención?

IV AUTODEFENSA

COMENCE A LEER a Gabriela Mistral en las clases que daba mi profesor de Castellano, rector del Liceo de Talca, Carlos Soto Ayala. Veinte años antes, en 1908, había publicado en La Serena un libro llamado *Literatura coquimbana*, donde se incluyen poemas de una joven poetisa de la zona, Lucila Godoy.

Como ella colaboraba en diarios de la región, el hecho le dio cierta nombradía local; pero hizo nacer envidias y hostilidades. Quiso entrar a la Escuela Normal de La Serena. Postuló y fue rechazada. Sucedió algo peor. En un principio se la dio por aceptada. Después se anuló su admisión. Lo anotó en la nómina de los desaires sin prescripción.

Algunos piensan que el rechazo, después de la aprobación, podría deberse a que ya publicaba en la prensa versos inflamados, donde se percibía la influencia indecorosa de un colombiano, al cual se estimaba loco delirante y obsceno, un verdadero aborto del infierno: Vargas Vila. Sus seudónimos de entonces trasuntan los sentimientos de una muchacha tímida, ansiosa de autoidentificación: «Alguien», «Soledad», «Alma».

Ella concluyó que se trataba de una conspiración atroz. Marchó de vuelta a la aldea. ¿Qué hacer? Sería maestra autodidacta.

Largo tiempo después, el primero de febrero de 1920, en carta enviada desde Punta Arenas a su protector Pedro Aguirre Cerda, rememora el asunto, a propósito de otros percances análogos que caracterizaron su carrera magis terial.

Mis estudios en la Normal de La Serena me los desbarató una intriga silenciosa con la que se buscó eliminarme por habérseme visto leyendo y haciendo leer algunas obras científicas que me facilitaba un estudioso de mi pueblo: Don Bernardo Ossandón, ex-director del Instituto Comercial de Coquimbo. Ya escribía yo algo en el diario radical *El Coquimbo* y solía descubrir con excesiva sinceridad mis ideas no antirreligiosas, sino religiosas en otro sentido que el corriente. Achaqué lo que me ocurría a muchas cosas, menos a la verdadera. Hace muy poco la ex-directora de la escuela, hoy mi amiga, me contaba que el profesor de religión del establecimiento fue quien pidió que se me eliminara como peligrosa. No salí expulsada; se me permitió rendir mis exámenes hasta finalizar mis estudios. Un amigo, viendo que era imposible que pudiera estudiar con provecho sin profesor, pidió a doña Ana Krusche, directora del Liceo, me diera una inspección, con la condición de permitirme la asistencia a algunas clases. Fui nombrada inspectora y secretaria. El profesor de la Normal, presbítero M. Munizaga, hacía también clases allí y tenía mucho ascendiente sobre la directora. Me hizo ella una observación dura respecto de mi "ateísmo" y a ésta siguió otra sobre mis tendencias socialistas. Me acusaba de lo último por haber procurado yo la incorporación de niñas de la clase humilde, cuyo talento conocía y para las que el liceo estaba cerrado. Con estos cargos, buscó ella un discreto modo de eliminarme: no me dio trabajo. Por delicadeza renuncié.[35]

Se dice que Brígida Walker, directora de la Escuela Normal Nº 1 de Santiago, le recomienda después que rinda examen de competencia en verso. Disertó sobre botánica, en forma rimada. En ese intento de poesía sobre las flores salió aprobada.

El personal de aquel liceo, excepción hecha de los profesores y de la señorita Fidelia Valdés, se hizo solidario de la injusticia de su jefe. Conocí, en pequeño, toda la maldad de los fanáticos, pues se me aisló.

Tres manchas tengo hasta hoy para esa gente que no ha evolucionado, porque, para mi tierra, la Colonia no pasa todavía: mi democracia, mi independencia religiosa y mis servicios en una escuela rural [...]

Dos palabras más sobre lo de mi pueblo.

Yo no soy antirreligiosa, ni siquiera arreligiosa. Creo casi con el fervor de los místicos, pero creo en el cristianismo primitivo, no enturbiado por la teología, no grotesco por la liturgia y no materializado y empequeñecido por un culto que ha hecho de él un paganismo sin belleza. En suma soy cristiana, pero no soy católica...[36]

Entre otras razones, no agradó que defendiera de sus ataques al historiador liberal Barros Arana. Después se estrelló con los dogmáticos. Solicitó al rector de la Universidad Católica, monseñor Carlos Casanueva, su juicio sobre unas páginas suyas referidas a la Virgen. El varón virtuoso «no las halló ajustadas a sana ortodoxia».

Tuvo siempre que defenderse del ataque y las intrigas de colegas y competidores. Lo hace con todo el ímpetu de su carácter.

Yo no soy la intrusa que decís en el mundo de los niños. Lo soy, según vosotros, porque enseño sin diploma, aunque enseñe con preparación, porque no estuve al lado de vosotros en un ilustre banco escolar de un ilustre instituto. No pude. Mi madre debía vivir del trabajo de mis manos cuando yo tenía quince años. Vosotros teníais padres o hermanos [...]. Yo, mujer sola, tan sola que puede injuriárseme sin temor por cualquier cobarde, no soy la intrusa en el mundo de los niños. Miro a mi conciencia y hablo delante de ella e iré tras de escribir estas palabras, tranquila, a mi clase cotidiana. No robo mi pan, no lo arrebato a ninguna que muestre mayor derecho. Dios me puso aquí. El me acompaña en mi amargura y me yergue en la protesta justa [...] Pero tal vez no me odiáis por eso. Mientras gané cincuenta pesos en una escuela rural, no me aborrecisteis.

Decoraba el campo con la hebra de agua de un cantar y no os hacía daño. Salí de allí un buen día porque mi madre y yo no comíamos con un solo y breve pan, y como sabía hacer eso mismo que vosotros hacéis: analizar gramaticalmente una frase y conjugar verbos, entré en una escuela mayor; entonces me mirasteis sin simpatía, porque sacaba mayor suma de un presupuesto que defendéis vigorosamente. Pero no tengo pensado ningún privilegio. Otras os restan lo mismo y no os parecen intrusas...[37]

Así fue funcionaria problemática de tercer orden en el Liceo de La Serena, donde la consideraron conflictiva y de ideas desatinadas. Salió de allí punto menos que a empujones.

Le llegó una hora de zarandeado peregrinaje por ciudades desconocidas. Más tarde trabajó dos meses en la Escuela de Barrancas, próxima a Santiago. Luego asumió un cargo extraño: fue designada «profesora de Higiene» en el Liceo de Traiguén. Ridículo sería el nombre del ramo, pero propicio a un ascenso. Pues por esa puerta falsa de la prédica y enseñanza de la limpieza —era en verdad algo más que revisar uñas, orejas, comprobar el lustre de los zapatos y el lavado de los delantales— ingresaría a la Educación Secundaria. (Fuimos alumnos de esa clase miscelánea: era un cajón de sastre, un híbrido pintoresco de muchas cosas útiles e inútiles, con pretensión de formar hábitos de aseo y urbanidad).

Bienvenido sea el control de las manos limpias si esto le permite ser nombrada después en el Liceo de Antofagasta, donde la acogió el mar, el desierto y el ala protectora de doña Fidelia Valdés Pereira. Gabriela será profesora de Historia e inspectora general.

El 11 de enero de 1911 llegó al puerto nortino en el vapor *Panamá*, que navegaba entre Valparaíso y Guayaquil. No era todavía mediodía cuando tuvo que saltar de la escalerilla del barco al cimbreante bote fletero. Lo único que no debía hacer, aunque resultaba posible, era caerse al agua. Al lado del muelle tenía que acometer otra operación de riesgo: saltar de la chalupa movediza a los peldaños mojados y resbaladizos. Lo hizo con cuidado y fortuna. Tal vez la ayudaran sus 21 ó 22 años. Allí la esperaba la directora del liceo, su amiga Fidelia. Echó una mirada circular a los cerros amarillentos. Sintió miedo. Eran las puertas del gran páramo.

Un periodista que la esperaba, Murillo Le-Fort, anduvo prendándose de ella. Su primera colaboración en *El Mercurio* de Antofagasta la saludó con un erratón. Nombre de autor: «Aníbal Godoy Alcayaga». Ella no era el conquistador cartaginés ni había participado en las guerras púnicas. Sus batallas eran otras.

Escogió sus amigos entre aquéllos que tenían trato con los libros. Gente de prensa, comerciantes aficionados a la lectura, poetas promisores, escritores medio inéditos o del todo ignorados, teósofos de la logia Destellos. La ciudad estaba dominada por un ambiente fenicio, ayuno de cultura. Se decía entonces que en Antofagasta había dos clases bien separadas: los extranjeros y los obreros.

En medio de una naturaleza yerma, de arenales despiadados, el salitre-rey constituía el motor de todo movimiento. Para ella significaba un destierro. Se puso a escribir con desesperación. Se sentía muy incomunicada, no obstante que recibía muestras formales de respeto y en algunos casos de obsecuencias que le erizaban la piel.

> Noto que no tengo condiciones para ganarme la cordialidad fácil de la gente que me rodea. O me profesan una veneración que no me agrada o me demuestran desconfianza o cierta dolorosa frialdad. Me resulta extraño pensar que no consigo esa relación humana espontánea y natural. Capaz que todo esto se deba a que todo en mi vida tiene un fondo intelectual. Primero soy eso y después, pero muy después, recién soy mujer sin mucha gracia humana y sin mucha comunicación.[38]

La razones de un nombre nuevo

Quería olvidar a la Lucila de María del Perpetuo Socorro y el Godoy Alcayaga, que sus padres le impusieron en una aldea perdida, como una sucesión de apelativos a modo de tributo místico, amén de reminiscencias eúskaras. Optaría por un nombre de su personal elección, que correspondiera a la magnitud de sus sueños y a la dirección poética precisa que quería dar a su vida.

Se dice que escogió el nombre feminizado de un arcángel y el apellido de un viento mediterráneo que sopla desde el norte de Africa hacia Francia.

Parece más lógico y más apegado a la realidad suponer que compuso su seudónimo inclinándose ante dos ídolos literarios suyos de entonces, que el tiempo fue poniendo en su sitio: Gabriele D'Annunzio y Federico Mistral.

El poeta italiano, gesticulante, pomposo y espectacular, el autor dramático de *Pescara*, el proclamado amante de la actriz Eleonora

Duse, el que hizo de su vida una actitud llamativa y una impúdica función de constante exhibicionismo, inspiró paradójicamente el nombre que reemplazó el bautismo de pila de la retraída, criollísima y casta Lucila.

Gabriele D'Annunzio le impresionó con su *Canto novo*, con el culto por lo «primitivo y salvaje», tan en contraste con sus afanes mundanos y sus aventuras galantes. Ese desenfado pagano no es para ella; sin embargo, la atrae la formación de estilo d'annunziano, la palabra voluptuosa, tan notoria en su novela *El placer*. En un comienzo le llama la atención por su estetismo: «La belleza ante todo». Pronto deja de interesarle dicho lado de la obra y comienza a chocarle su pose ampulosa de superhombre, la exaltación nacionalista y sus ínfulas aristocratizantes.

Pero en su juventud lee deslumbrada *La Virgen de las rocas, El fuego, La hija de Jorio*. Alguien definió a su autor como "un farsante más auténtico de lo que parece". De esta verdad Gabriela cayó en la cuenta más tarde.

Ella merecía ciertamente un apellido de viento mayor, como monzón o simún. Pero no se llamó Gabriela Monzón o Gabriela Simún, aunque era creatura de soledad, turbonadas y tormentas. Eligió el de un hombre que amaba, como ella, la placidez de su provincia, los mensajes de su flora, el crujido de los élitros, el rumoreo de los insectos en el huerto a la hora en que el sol se pone. Los emparentaba el amor por el lenguaje del pueblo y su inclinación al arcaísmo. El idioma dialectal del terruño conservaba para sus oídos una resonancia pura y fresca, parecida al agua que bajaba por las cuestas vecinas y se vaciaba, sin escándalo, en el lecho del río Elqui.

Se rindió al hechizo de la «leyenda prodigiosa de Federico Mistral». La explicó con vehemencia, porque en cierta forma ella la traducía al chileno y la compartía. Aconteció en una fase de su vida en que se sentía tolstoiana, reacia a la técnica avasalladora. Soñaba con un mundo imposible donde no reinara la máquina sino la poesía. Reeditaba el sueño de las edades de oro, aunque sabía que entrábamos a una época de hierro y de plástico.

Cuando la Provenza haya caído al fin en la trampa mecánica de la civilización, después de haberla esquivado mucho tiempo con defensas latinas; cuando la Camarga haya sido provista de agua de ingenierías y Salón se haya desvestido de su silencio y de su atmósfera listada de lavanda y de tomillo, el tiempo de Mistral, la costumbre de Mistral, la ideología de Mistral, se habrán mudado en leyenda pura, en el pulido colmillo de elefante que es la absoluta leyenda...[39]

Pero ella en cierto sentido le permanecerá fiel. Porque le gusta oír el tañido de la campana a la hora del angelus; la lengua de su madre, el idïoma nacional y los dichos de la patria chica. También la aproximan a su involuntario nombrador las lecturas del Libro. Ambos beben en las mismas fuentes de visionarios y vengadores.

> Entre los treinta y los sesenta años, en el tiempo mismo en que Fabre inventariaba los insectos provenzales, él acabó dando un diccionario cabal del dialecto a los provenzales. Les regalaba por los mismos años con una traducción del Génesis, dolido de que su gente tuviese que leer la creación del mundo en expresión forastera...[40]

Es la utopía del eterno retorno a los orígenes. Un día ella acabaría aceptando a regañadientes la evidencia sin apelación que el tiempo corre hacia un solo punto cardinal, el futuro impredecible.

El nombre Gabriela Mistral comenzaría a hacer su camino. El seudónimo se depuró gradualmente. Apareció primero en *El Mercurio* de Antofagasta. A diferencia de Neruda, que adopta su *nom de plume* casi en los mismos albores de su carrera literaria, ella había estado ya unos siete años publicando versos y prosa conforme a su inscripción parroquial. Los seudónimos aparecidos en 1905 en *La Voz de Elqui* de Vicuña reflejan el estado de ánimo de una autora de dieciséis años: «Nadie», «Soledad». Los títulos de sus artículos pertenecen al mismo linaje: «Página del alma», «De mis tristezas», «Ensoñaciones». Pero en adelante ya no se firmará como Lucila Godoy Alcayaga, salvo en la vida civil y funcionaria. Está consciente, por otra parte, que no será nada en ninguna cosa si no trabaja como una bestia o una condenada.

«Aquí, mi amigo, va en síntesis mi pobre vida, en la que yo encuentro una cosa extraordinaria: el esfuerzo». Lo señalaba en una carta a Isauro Santelices. Solía levantarse a las seis de la mañana y escribía antes del desayuno. Era una madrugadora ascética. Por la tarde revisaba los borradores. A menudo alargaba la jornada. Creía en la pertinacia del creador. La consumía la pasión febril de escribir. A ratos se sumía en la tarea torturada por las dudas y las preguntas. No sabía qué destino correrían sus originales; si su poesía llegaría a alguna parte. En instantes la negó como Pedro a Cristo, aunque no la traicionaría como el Iscariote. Tenía la dolorosa conciencia cabal que el hecho de escribir poesía se consideraba un pecado o una muestra de frivolidad y se sentía espiada por la sospecha que se dedicaba a ella quitando tiempo a sus obligaciones funcionarias. A propósito del asunto alguna vez oyó comentarios ruines: ¡No le pagaban por escribir versitos!

Se mentía a sí misma y trataba de persuadir a los demás que para ella lo principal era la enseñanza y que nunca, nunca la poesía podría competir en su actividad y espíritu con su labor de maestra. Antes que cantara el gallo volvió a negarla más de tres veces. Insistirá en su apostasía:

El magisterio ha sido y es, en mí, una cualidad innata. Todas mis energías y aptitudes las he entregado con toda el alma a la enseñanza. La literatura no es para mí sino un lejano entretenimiento y pasatiempo...[41]

Las murmuraciones y ataques asumen de pronto el carácter de odiosas campañas de desprestigio, abiertas o solapadas. Esto la amarga. Irrita su epidermis delicadísima, archisensible de púdica doncella.

Mientras fue profesora en Chile vivió respondiendo insidias, defendiéndose, justificándose, explicándose.

Permaneció año y medio en Antofagasta, consumida por un quehacer empecinado que realizó de modo casi obsesivo.

Cuando en 1912 Fidelia Valdés es nombrada directora del Liceo de Niñas de Los Andes, recién inaugurado, la convence para que se traslade a esa ciudad.

La carrera educacional parece ahora abrirle puertas y escaleras para subir al segundo piso. Hace cursillos; obtiene certificados. Pero nunca faltará quien le reproche que no es una maestra regular como aquéllas que han hecho sus estudios según los reglamentos.

Alega, replica. No es una ladrona, una usurpadora, una impostora. Se ha dado entera a su vocación educativa.

Con el tiempo, en Magallanes, reiterará su equívoca apología:

No tengo el remordimiento de haber robado nada a mi escuela. La literatura jamás fue un fin para mí. El colegio me ha bebido toda la juventud. Mi sensibilidad, mi pequeña cultura, mis grandes entusiasmos, todo lo he dado a la educación. Soy pobre; ese tesoro de juventud era mi único tesoro y se lo entregué de una manera absoluta.[42]

Un amigo y un pretendiente

Entre las escasas aleluyas que Gabriela pudo entonar figura la platónica y sólida amistad con un hombre bajo, moreno, de rostro aindiado, que descubrió en ella tempranamente el talento y decidió ayudarla en cuanto estuviera a su alcance. Su nombre era Pedro

Aguirre Cerda. La conoció en Los Andes y allí la vio a menudo, pálida, depresiva, agobiada por sórdidas dificultades administrativas o por problemas íntimos sobre los cuales jamás le preguntó nada. Con él ella rompía el mutismo y hablaba largo sobre temas determinados. A él le entretenía oír de su boca aforismos en cascada.

Amaba su trabajo de maestra y tenía el coraje de las opiniones dichas en voz alta. Por lo visto y oído, no seguía el consejo de Stendhal: ser una coleccionista de felicidades. Tal vez le gustaba un poco quejarse, como olvidada de una ironía de Bernard Shaw, ese irlandés terrible y hedonista que afirmaba: «el sufrimiento no constituye un mérito». A veces ella se refugiaba en una religiosidad muy personal. El amigo, en cambio, era agnóstico, volteriano, admirador de la Revolución Francesa, radical y masón, profesor de castellano y abogado, un político activo y cazurro. No tenía nada de orador encendido. Pero encendía —como ella— un cigarrillo en el otro y hablaba con lentitud y tranquilidad de sus proyectos de industrializar el país y de la cuestión agraria. Gabriela no conversaba a su diapasón, pese a lo cual se entendían. Tal vez los unía cierto sentido de la tierra. Ella rememoraba la suya con un dejo nostálgico, ahora que vivía a los pies de la cordillera, donde el aire era más frío. El se parecía a ese clima templado, con una pizca de hielo y su rostro campesino congeniaba con las propiedades que poseía cerca de Pocuro, una aldea en cuya escuelita enseñó durante su destierro Domingo Faustino Sarmiento.

El hombre cenceño, con ojillos y bigotes manchúes, escuchaba atento a su interlocutora, momentáneamente adusta, narrarle el curso accidentado de su vida. No estallaría en sollozos por los contratiempos de la mujer, porque nunca fue hombre de lágrimas; pero le dolían los sufrimientos que ella recordaba una y otra vez, modificando la versión según sus estados de ánimo y el vuelo que ese día tenía su imaginación.

Infancia media huérfana. En la escuela —le contaba— la calificaron de retardada mental. Vuelve a contar el cuento. El presbítero Manuel Ignacio Munizaga se opuso a su ingreso a la Escuela Normal. Causa: «ideas disolventes». Después le describía detalladamente su despido de la Inspección del Liceo de Niñas de La Serena. Sólo en 1910, tras rendir examen en la Escuela Normal Nº 2 de Santiago, obtuvo el título de profesora primaria. El hombre de tez oscura, medio cetrina y talla escasa, piensa que a ella, por su capacidad y conocimientos, deberían concederle no sólo el título de profesora de Estado sino todos los galardones. Tratará de hacer algo. Hablará en el Ministerio. Para él no es feo que ella escriba versos y colabore en los diarios, más bien lo estima un mérito digno de ser anotado en su hoja de servicios. Tenía sus ideas y había que respetárselas. Además, las clases de Castellano e Historia que impartía en el Liceo de Los Andes eran vivas, muy amenas; unos las calificaban de cautivantes. Ella podía contar con él. La palabra protector no le gustaba. Simplemente, un amigo.

Cuando se publicó su primer libro, *Desolación*, éste apareció impreso, en página aparte, con la siguiente dedicatoria: «Al señor don Pedro Aguirre Cerda y a la señora Juana A. de Aguirre, a quienes les debo la hora de paz en que vivo».

Pero en Los Andes no dejó ella de experimentar nuevos sinsabores. Había nacido para sufrir. Con expresión de observadora autocrítica subraya el

> ... trazo sombrío, el natural melancólico con que nací [...]Parece que no tuve ni el carácter alegre y fácil, ni la fisonomía que gana a las gentes. Debo haber llevado el aire distraído de los que guardan secreto, que tanto ofende a los demás...[43]

El aire guardador de secretos invita a desconfiar, a descubrirlos, a inventarlos, a sospechar algo. ¿Qué se esconde tras ese aire de reserva?

Tenía desaveniencias con el rector del Liceo de Hombres de Los Andes y Aguirre Cerda lo sabía. Este pensó que debía procurarle un nuevo destino.

Un almacenero italiano de Los Andes, Santiago Aste, observaba de reojo a esa mujer que le parece hermosa e imponente, una reina del pueblo, de la cual lo ignora todo, salvo que trabaja en el Liceo de Niñas. No se admiren, señores; ha habido comerciantes casados con profesoras. Es joven, pero ya está en edad de merecer. No ha cruzado con ella aún una palabra. Se le antoja, sin embargo, que cuando él simula no verla, ella le desliza una mirada a hurtadillas. El se sonroja detrás del mostrador como un chiquillo. Todos los días pasa Su Majestad por la vereda y él la admira. Cuando se dirige al Liceo se arregla para contemplarla alejarse.

Esa mujer tiene un imán, un no sé qué. No sabe que ella escriba algo más que cartas. Tampoco le importa demasiado, por no decir nada; siempre que no escriba cosas sucias, está bien. No se atreve a abordarla. Camina siempre tan distante. ¿Será inaccesible?

Dejó de pasar por la acera y la echó de menos. Averiguó su nombre. Supo que había sido trasladada muy lejos, a Punta Arenas. Le escribió a la Dirección del Liceo de Niñas. Cuando ella recibió la carta, no pudo establecer con claridad quién era su apasionado corresponsal. Pero quedó intrigada. Consiguió descifrar que pedía respuesta, pero no estuvo segura de su identidad. Era una rara carta de amor escrita en cocoliche. O en italñuolo. Una jerigonza como ésa que se solía escuchar en los boliches de La Boca en Buenos Aires o en las esquinas de los pueblos de Chile, donde los almacenes lucían unos cromos coloreados prendidos en el muro, con la figura enana de Víctor Manuel III de Saboya, circundado por los colores de la bandera italiana.

Recibió una segunda carta, escrita al parecer con asesoría letrada en un más correcto e inteligible castellano. Contenía una declaración de amor en regla y culminaba con una petición de mano. Gabriela tras leerla comentó a sus amigas de confianza:

> Después de todo, me gustaría conocer personalmente más a ese hombre. A lo mejor me caso con él. Es bonito que a uno la quieran por lo que es y no por lo que hace.

El encendido galán continuó su asedio epistolar. La partida de Gabriela Mistral a México interrumpió el flujo sentimental de esas misivas sin respuesta. Pero no nos engañemos: sigue pensando en el otro.

Se sentía responsable de la Historia. Le producía indignación la desidia con que se la miraba o se la ignoraba. Nadie se preocupaba, por ejemplo, de restaurar la escuelita en que enseñó Sarmiento. Su amigo don Pedro concibió un proyecto y lo discutió con ella. Ambos estuvieron de acuerdo en la idea. Se asociaron en el plan con fervor.

> Conservación de la reliquia. Don Pedro Aguirre Cerda, hacendado y profesor, que es dueño de la tierra de Sarmiento en Pocuro, hablaba una vez conmigo sobre esa reliquia americana que no hemos honrado con honra grande ni pequeña: ella no ha merecido ni unas horquetas que la mantengan en pie unos años. Hablamos de fundar allí una Escuela-Granja Sarmiento, excelente en una zona ruralísima, y si no pudiéramos ambos con la empresa, traspasar al gobierno la obligación, bastante imperiosa […] Mi amigo retiene su promesa, y yo creo que su libro reciente, *La cuestión agraria*, cuya edición destina a una escuela granja en que ambos guardaríamos la intervención entera, busca juntar buenos dineros con esa finalidad....[44]

Retoma el tema cuando en abril de 1929 recibe una comunicación de su amigo. Ambos están en cierto modo desterrados en Francia. El en París y ella en Avignon. Como devolviéndole la mano por *Desolación*, Aguirre Cerda comienza su carta con un «Permítame dedicarle este trabajo que usted ha inspirado». El libro se llama *El problema agrario* y acaba de editarse en Francia. Alude a antiguos coloquios: «Al hablar en Chile sobre la forma de levantarnos espiritual y económicamente, estuvimos conformes en que había que empezar la tarea por la clase agrícola, que tan abnegadamente desempeña la función matriz en el desenvolvimiento colectivo, y fundar la escuela rural. Y me agregó usted que si reuníamos los recursos necesarios dirigiría usted misma una escuela campesina que llevara el nombre de ese argentino, Domingo Faustino Sarmiento, que pagó tan generosamente nuestra hospitalidad que llegó hasta regentar una escuela rural en mi pueblo natal [Los Andes] y a dirigir la primera Escuela Normal de Maestros que se fundó en Suramérica (en Santiago de Chile)».

Laura

En sus paseos melancólicos o en medio de los desagrados menudos u horribles de la vida cotidiana, la incrédula de la amistad encontró en Los Andes una adolescente que le llamó la atención, empezando por sus manos. Ella a su lado encarnaría a la mujer fuerte. La muchacha era de una finura transparente, en apariencia tan frágil y traslúcida como el vidrio. También había pasado por años de silencio, mirándolo todo con sus ojos húmedos y oscuros, empapados en tímida dulzura. Pero sus manos... sus manos golpeaban la piedra como el rayo hasta darle la forma de sus sueños. No era Camille Claudel; pero sin conocerlo estaba, como ella, enamorada de un Rodin inaccesible.

En su pequeño taller esculpía sus penas y deseos, sus visiones y desilusiones, retratos y autorretratos. Era una solitaria en su rincón. Se le acercó sabiendo que no la tomaría en serio. Gabriela, que solía sentir el ácido placer de sus disgustos, esta vez percibía que entraba en su garganta una corriente de aire limpio. Usaba la niña el tiempo libre trabajando la materia. Había dejado no hace mucho la infancia y atravesaba el puente que la conducía a una juventud que ella quería dedicar por completo al arte. Gabriela no le hizo misterio de sus infortunios. Le mostró originales de sus versos. Se confiaron recíprocamente sus delirios. Confidenciarse los sueños es también una cura del alma. Gabriela sintió que vivía no sólo una terapia, sino un momento de gracia, a sabiendas que el tiempo mueve sus fronteras a cada instante.

Anotó que esta joven, llamada Laura Rodig, a los 17 años ganó en un Salón Oficial «la segunda medalla de escultura, que otros obtienen en plena madurez».

Fuimos amigos de Laura. Colegimos que ella podía ser para Gabriela un sostén tierno y vigilante, porque su alma era intensa y bondadosa. La discípula veló por la maestra con solicitud discreta. Había una suerte de sentido maternal en esta muchacha que quería ver feliz a la mujer poeta, tan necesitada de amparo y alegría. La asistía, entre otras razones, porque la admiraba. Gabriela no pudo dejar de captarlo. ¿Qué sensación le causaba esa joven?

Para mí, una de las cosas que revelan la calidad de un espíritu es la capacidad de admirar, el encendimiento continuo ante la belleza pequeña y la grande y ante sus diversas y a veces encontradas fases. Laura Rodig es un alma hecha para admirar. Ningún veneno en sus juicios; una alegría muy verdadera para el triunfo del compañero. Y el culto de los maestros hondo y ardiente, los nombres de Rodin y Mestrovic siempre enlazados con sus impresiones y su credo artístico. Los dos: el latino y el eslavo, aquél con un rayo de Grecia todavía en su frente y el otro con una visión enloquecida del alma contemporánea...[45]

Así ve a la frágil con el cincel fuerte en la mano, sintiendo el llamado de dar forma a la piedra.

Por su parte, ¿qué desencadena en ella la palabra prisionera y sin forma? ¿Qué le produce el retintín de un verso que pugna por salir? ¿Cómo vino la poesía a la vida de Gabriela? Semejante al caso cantado por Atahualpa Yupanqui: por el chirrido de los ejes no engrasados de la carreta. Así, por lo menos, se lo cuenta a Lenka Franulic. Pasaba la carreta cargada de heno frente a su casa, con un ritmo que no le pareció rechinante sino más bien embrujador. Le sugirió algo, le despertó una asociación recurrente. Porque ésa es la diferencia del poeta, del artista. «Entonces yo comprendí que en poesía el ritmo es todo». No dijo «De la musique avant toute chose». El ritmo puede nacer del toque del tambor, de las ruedas de un tren en marcha, de cualquier sonido, siempre que exista un oído que comunique el mensaje a las neuronas del cerebro.

En algunas ocasiones he escrito siguiendo un ritmo recogido en un caño que iba por la calle lado a lado conmigo, o siguiendo los ruidos de la naturaleza, que todos ellos se me funden en una especie de canción de cuna.

V EL AMOR LOCO

S E ARRELLANAN SENTADOS en el proscenio muchos sin
derecho real a ocupar allí ninguna silla. No está quien debía
figurar en primer término: el autor premiado de un poema que nada
tenía que ver con la atmósfera festiva del acto. El título mismo suena
como disparo en una boda. ¡Resulta en ese recinto tan incongruente!
Tiene por equivalencia trasladar el cementerio a una sala de baile: se
llama «Los sonetos de la muerte».

En verdad está presente, pero no en el escenario, ni en la platea,
ni en el balcón, sino anónima y perdida en la pululante galería, en el
gallinero ruidoso atestado de juventud. Nadie repara en aquella mujer
de 25 años, de cara ancha y ojos verde agua donde antes se miraban
los árboles natales, que observaba con temor, como al desgaire, esta
ceremonia que le resultaba extraña, aunque no ajena.

¿Por qué ese retraimiento? Rehúsa al público. Pertenecía a la
sombra por timidez, por disgusto, por escepticismo, por filosofía de
vida o por conducta taciturna, a pesar que su temperamento correspondía al reino del fuego. Buscaba acortar la distancia que la separaba
de la luz, a sabiendas que ésta debía ser para ella no un reflector de
escenarios sino un elemento del mundo interior.

Después de aquella noche su existencia sufrió un trastorno. Fue
otra. O tal vez fue ella más que nunca. Mallarmé, en su poema
dedicado a la muerte de Edgar Allan Poe, decía que la eternidad lo
cambió por sí mismo. A ella esa noche la cambió en sí misma, no
porque fuera la muerte ni la eternidad ni el triunfo ni la poesía… Se
debía a algo peor: al amor.

La noche de la consagración, cuando le disciernen la Flor Natural,
es otro quien lee sus versos. Quizás nadie sepa que la autora se
encuentra en el recinto. Ella misma escribe que no fue al teatro para
escuchar las trompetas de los heraldos anunciando su gloria, sino para
verlo a él.

> Fui sólo por oírlo. No por oír mis versos (los había escuchado leer), no
> por aquello de los aplausos de una multitud (unos momentos sola entre
> la multitud me hacen daño); por oírlo a usted, por eso fui.[46]

Así le escribirá después a Manuel Magallanes Moure en la carta
fechada el 23 de diciembre de 1914.

Extraño en un escritor o escritora con tanto fervor literario. Al parecer, en este caso dicha obsesión es sobrepasada por el sentimiento amoroso, por la necesidad avasallante de verlo y de oírlo. Le va pesando cada palabra, contentándose quizás por un instante con una frase. O más bien doliéndose de ella, interpretándola negativamente, porque tiene predisposición al padecimiento.

> No saqué de esa noche sino que una frase de usted sobre mis Sonetos me abriera de nuevo la llaga central de mi corazón. Nada más.[47]

No es cosa trivial. Pero, ¿eso es todo?

Escribe la carta al día siguiente de aquella velada. Allí, un poeta extrovertido, de moda, que había escrito textos eminentemente recitables que van desde la arenga patriótica versificada —que todos cuando niños aprendimos en la escuela y tuvimos que declamar con estridente acento («Al pie de la bandera»)— o que, como diputado populista por el Norte Grande, enardecía a los obreros con las fanfarrias de «La nueva Marsellesa», da lectura al poema premiado. Alto, corpulento, de dicción confusa, exuberante Víctor Domingo Silva no parecía —imaginándolo con una mirada o un oído retrospectivos— el lector más indicado para una poesía claramente trágica, que era a la vez un sólido cristalino, literariamente hablando. Sin embargo, ella no comenta en la carta para nada el estilo del recitador. Seguramente no le interesa: le importa un hombre, nada más que un hombre, ése al cual escribe.

Los entretelones de los Juegos Florales, en los cuales había concursado, no le interesaban mucho. Ella no tenía por qué pensar que recibiría el premio. El jurado estaba compuesto por tres personas. Las preferencias se dividieron. Miguel Luis Rocuant votó por Julio Munizaga Ossandón, un poeta de su tierra coquimbana. Armando Donoso votó por Gabriela Mistral. El presidente de la Asociación de Artistas y Escritores de Chile inclinó con el tercer voto la balanza premiando a la mujer. ¿Su nombre? Manuel Magallanes Moure, casado con su prima, Amalia Vila.

A él es a quien le manda la carta al día siguiente. No para agradecerle que haya decidido el veredicto a su favor. No. Allí le cuenta que estuvo en la galería del teatro Santiago no para escuchar sus versos sino para oírlo, para verlo a él.

Hacía un año que le escribía. La correspondencia se prolongó por nueve años. De 1913 a 1922. Sumó centenares de cartas. Se mantuvieron secretas hasta 1978. Un obsesionado por los epistolarios ocultos de poetas, Sergio Fernández Larraín, consiguió 38, para publicarlas 65 años después de escrita la primera carta y 56 después de despachada la última.

Que ella reciba ese premio (Flor natural, medalla de oro y corona de laurel) resulta secundario. Lo primordial para ella es el amor.

> Un grande amor es una cumbre ardida de sol; las esencias más intensas y terribles de la vida se beben en él. El que quiso así, no pasó en vano por el camino de los hombres.[48]

Esta correspondencia enviada a Eugenio Labarca no sólo deja constancia de su amor; no sólo es la prueba escrita de una pasión escondida. Sobre todo vale como autorretrato sicológico, como una confesión íntima que echa abajo a cañonazos la imagen de una personalidad que en nuestros días de colegio se nos presentó como matrona augusta, poeta y madre de todos los niños, mujer de paz, transida de dulzura. Exterior engañoso.

Su amiga Laura Rodig habla de su aspecto tranquilo, que infundía respeto. Describe a Gabriela «con aire de quietud y de majestad, entre campesina montañesa, hermosa india boroa de ojos verdes o cariátide en movimiento». Todo eso lo tenía, todo eso era y no era. Porque ella llevaba adentro la tempestad, la exigencia imperativa y total.

Ese hombre que vuelca el premio para ella posiblemente tiene miedo de un temperamento tremendo. Ella sabe que la rehúye. La noche anterior no hubo ningún signo de inteligencia. ¿No la vio? Se pregunta a sí misma si anda tras una mirada fugitiva. ¿Remedio para la amargura? Le pide que le conteste con una carta sin hipocresías. Todo esto sucede en una noche posterior a la del triunfo. Otra estaría radiante. Ella se siente amarga. «¡Estoy esta noche tan extraña! No me reconozco».

La carta de respuesta llega al día siguiente, pero no remedia nada; empeora todo. «Me dejó sin voz, sin acción, hasta sin pensamiento. ¡A qué hondor, Dios mío, había llegado esto!». No porque la carta fuera ruda. Era cariñosa, pero a ella le resultaba mezquina, hasta hiriente.

Sobran en la vida, los ha habido también en la literatura, casos en que el amor es puro desencuentro. El hombre que ella escoge no está hecho para inviernos que duran el año entero ni para vivir de la mañana a la noche entre tempestades y amarguras.

El paralelismo de la mala y el bueno

Como Alfredo, como Romelio, también Manuel pertenece a la categoría de los hombres finos, delicados y un poco tristes. Al igual que ella ha nacido en el Norte Chico, exactamente en La Serena. La lleva por un año. Como ella fue niño sin padre. Si el de Lucila las abandonó temprano, aquí es la muerte quien lo hace partir a primera hora, cuando el niño tiene cuatro años. Ambos se crían pegados a la pretina de la madre. El estudia Bellas Artes, dibuja y pinta... y escribe versos. Los versos son como él; sutiles, leves, delgados de espesor, ligeramente tiernos. Hombre afable, con recursos económicos, oficia a veces como mecenas de escritores, artistas, soñadores indigentes que un día deciden instalar una colonia tolstoiana en una parcela sanbernardina que el poeta les presta.

Fernando Santiván lo evoca en sus *Memorias de un tolstoyano:* «Encanto, distinción indefinible, propia de las familias de fortuna y abolengo». Manuel Magallanes no es, como en el caso de Videla, un diletante, sino un poeta, de tono medio, es cierto, pero enamorado del arte. Comenta estrenos teatrales; opina en los periódicos sobre muy diversos asuntos y participa de la política local de San Bernardo, pueblito entonces sedante, como una especie de patriarca.

Según como nos lo describe la historia y el recuerdo, Manuel Magallanes Moure era un hombre suave, querido por sus amigos y que gozaba de aceptación general. Tenía un trato de innata cortesía. Hasta en los nombres de sus libros de poesía, *Facetas, Matices,* se refleja una personalidad mansa y acogedora, enemiga de las aristas. A la poesía global prefiere el detalle. Odia las desarmonías y los conflictos agudos, tanto en el arte como en la vida. Rechaza el grito. Su lenguaje es el del murmullo. Escribe obras de teatro, *El pecado bendito, La batalla, Lluvia de primavera.* De sus poemas, tal vez el más conocido, el que más retiene la memoria, es su «Apaisement», apaciguamiento de las pasiones, de la naturaleza, en ese hombre que desde su juventud se dejó crecer la barba y anduvo siempre vestido de luto, como un personaje de Chéjov. Usaba el atuendo de los artistas, la corbata flotante. En su rostro pálido se esbozaba una sonrisa amistosa. Santiván, quien sabía de mujeres, habla de «la severa gracia de su estampa».

Gabriela Mistral, a los 24 años, se enamora perdidamente de él. Ella trazará el dibujo de estas dos almas opuestas, comparándolas entre sí: ella es la mala, él es el bueno. El sentimiento bondadoso vive en él mucho más que en ella. En ese hombre es cosa natural, «estado cotidiano». En ella sólo aparece cuando, tras duro duelo, consigue derrotar a su «ángel malo».

En carta del 26 de enero de 1915, resalta en él su «alma no viril», característica del arquetipo masculino de Gabriela Mistral, la que luego aclara el sentido de la expresión, dándole una interpretación restrictiva que la libere de equívocos: «por virilidad entienden casi todos la rudeza», mas él condensa la delicadeza. Su sangre no corre espesa. Está lejos de los celos y los rencores. Ella se representa a sí misma como todo lo contrario.

> ¡El caso mío es tan diverso! Yo nací mala, dura de carácter, egoísta enormemente y la vida exacerbó esos vicios y me hizo diez veces dura y cruel.[49]

Su interior es para ella un perpetuo campo de combate. Se observa a sí misma con desagrado. Está lejos de la paz y la perfección que ansía. Su autoexamen la lleva al desgarramiento. Se traduce en un descontento íntimo permanente. Para contrapesar esta imagen recurre a la fe. Se dejará envolver por lo único que puede darle una sensación de beatitud, lo que ella llama un «estado de simpatía», algo remotamente parecido a la felicidad. Por ese camino consigue raros momentos de éxtasis, como Santa Teresa de Jesús: un amor donde el hombre es Dios y, por lo tanto, ha de ser el suyo un amor platónico, que en su caso puede colmarla entera.

> Santa Teresa y los místicos conocieron dentro de la exaltación espiritual el estado del amor como el más apasionado de los mortales; no les quedó ignorado ese estado; tal cosa no fue una inferioridad; lo conocieron enorme y arrebatador en su éxtasis.[50]

Estos sentimientos parecen ser verdaderos en ella, y no una pose o apariencia literaria. Es una imaginadora que en su idealización del amado pasa de la dicha al desconsuelo, del minuto eufórico a las horas y los días terriblemente depresivos. Su voz nos recuerda a la mujer de Avila.

> Y tanto como oí de luz cegadora veo después de entraña negra; ¡caigo tan alto como subí!, un hastío me roe el corazón, que un día antes fue una apoteosis y suelo llegar hasta la desesperación. No dudo de Dios, no; dudo de mí; veo todas mis lepras con una atroz claridad; me veo tan pequeña como los demás, escurriendo mis aguas fétidas de miseria por un mundo que es una carroña fofa. Sufro horriblemente.[51]

Estas palabras son escritas cuando estallan en Europa los ismos de las dos primeras décadas del siglo. A ella, estas manifestaciones artísticas le parecen febriles y convulsas. A lo que llaman «arte», a ella se le entoja «locura lamentable».

Como persona de resoluciones extremas y drásticas, decide desconocerlas. Se refugiará en una disciplina aburrida.

Yo no soy una artista, pero el ver estas cosas aun de lejos daña. A mí me ha salvado la enseñanza. ¡Es tan vulgar y tan seca![52]

Toda esta visión desfavorable de sí misma se la cuenta al hombre que quiere. ¿Por qué se clava ella el cilicio? ¿Por qué se maltrata? ¿Por qué se describe tan acerbamente? Tal vez por dos razones. Primero, por terca honestidad. No aparentará una ternura falsa ante él. Y segundo —acaso lo más importante—, porque quiere plantearse el modelo del hombre naturalmente bondadoso en contraste con la mujer ácida de sustancia.

Cada vez veo más claramente las diferencias dolorosas que hay entre usted —luna, jazmines, rosas— y yo, una cuchilla repleta de sombra abierta a una tierra agria...[53]

Si alguna vez le ve un gesto grato, que él no se equivoque. No le aflora espontáneo. Sale con fórceps. Es un producto del cansancio, una expresión de sufrimiento. En el mejor de los casos un gesto que ha asomado de repente, violentado, postizo.

«Es loca de imaginación y andariega como su padre». Doña Petronila definía así a su hija.

Una grafóloga, Lalya Shoedar, estudió su letra y dedujo todo un cuadro clínico de su personalidad: temperamento atormentado, mal funcionamiento endocrino, posiblemente de las tiroides; tendencia a la neurosis, a engordar, sensibilidad a colores y perfumes. Influida por mujeres (madre, abuela, hermana), buscadora de libertades, angustiada, contenida, dura consigo misma, tierna vergonzosa. No dará indicios de flaquezas, aunque la lucha interna la desborde. La estudiosa de la letra descubre en la zona baja el erotismo contenido, «la complicación de vivir entre la agonía y el éxtasis».

Hay gente que no se autocritica nunca. Hay otra que se autocritica siempre. Gabriela Mistral es de estas últimas. A propósito de su obra *Desolación*, cuando otros la aclaman como su obra cumbre, ella discrepa, implacable, con su creatura. Escribe a Eduardo Barrios:

Mi libro me tortura, sobre todo porque debiera contenerme y no me contiene, porque, como le decía, algunos grandes motivos, como ése de la pasión, están disminuidos y es una caricatura. Lo único dicho es el dolor de la muerte.[54]

Si Santa Teresa de Jesús estaba enamorada de Dios y de Cristo, Gabriela lo estaba de Manuel, sugestivamente uno de los nombres del

Elegido. El cuadro sicológico es el mismo. El es infinitamente perfecto. Ella, en cambio, está cubierta de manchas, pero con su escoria negra puede a ratos fabricar una estrella. Lo consigue como la iluminada de Avila, cuando penetra en el divino estado. La evocación o la contemplación de su amor, igualmente espiritual, responde a un resorte análogo. Pero un amor así puede resultar insoportable para la persona que lo recibe.

En los días del premio de los Juegos Florales, recibe un anónimo en el que se la llama «farsante»; esto la hiere más que cualquier otro epíteto, porque dice que se ha cuidado mucho de ser vanidosa. Manuel le propone publicar el poema laureado. Ella se niega «por razones morales largas de contar»; lo que en realidad sucede es que alguien lo ha sustraído de sus papeles y lo ha enviado a un periódico sin su autorización.

Manuel le pide que le dé un poco de dulzura. ¿Cómo se puede dar lo que no se tiene? No es posible, porque ella lleva dentro de sí al demonio, un demonio que le ulcera el alma. Ella es una poseída que se atormenta, que se odia.

Su corresponsal se asusta. Ella no está hecha para su temperamento apacible. Tiene una fuerza destructora de cíclope dolorido. El le contesta cariñosamente, tratando de apagar el volcán. Espera de vuelta una carta que contenga menos fuego, menos violencia, sin cenizas de muerte ni derramando lava abrasadora. Esta llegará el 10 de febrero y comienza con algunos datos burocráticos aparentemente neutros:

> Tengo una ambición única que me ayuda a vivir. Alimento 10 años de servicios, casi para 11. Espero conseguir que me abonen 4 años más. Yo vivo con poco. No como lo más caro: las carnes; me visto pobremente. Procuraré tener de aquí a cuatro años un pedazo de tierra con árboles y me iré a vivir lejos de toda ciudad, con mi madre, si aún vive; si no, con mi hermana o con un niño que deseo criar. Tengo un ansia muy grande de descanso. Quiero leer mucho, estar sin la gente y sembrar y regar árboles...[55]

Algo hay en ella que la lleva a marginarse de la sociedad. Confiesa que es un deseo persistente y anhela realizarlo lo antes posible. No le gusta estar con los poetas. Se refugia en la enseñanza; pero también quiere liberarse de ella cuando pueda. «La enseñanza es mecánica y amarga». Se siente prematuramente fatigada. Saca las cuentas de cuán difícil le ha resultado ganarse el pan. Trabaja desde los 15 años. Pero no es ésa su más grave aflicción. Hay un resorte íntimo que se ha quebrado. Seguramente la pobreza la marcó a hierro.

Los que conocen la fea faz del pauperismo y tuvieron infancias famélicas, difícilmente serán adultos felices. Tal es su conclusión. Reclama porque no exista una ley diferencial destinada a juzgar a «los que nos hemos peleado cara a cara con la miseria para que la miseria no nos entierre en el lodo».

Subraya lo que denomina sus «eclipses morales». Pero sus jueces más severos deberían perdonarle que mande todo al diablo y proclame su derecho a cortar una rosa en el camino. En su vida cuesta arriba tiene tal vez derecho a beber de la fuente más pura que la había enamorado. Esa que estaba «bordeada de helechos más finos, la que daba su canción más dulce, la que prometía más fresca a los labios resecos». Esa fuente no le pertenecía. Esa fuente era él. Tomará de ella sorbos a escondidas. Pero esa fuente tampoco debía eludir su responsabilidad, pues le había dicho «¡Bébeme!».

Para ella los hombres son viejos fiscales impenitentes, redomados lapidadores. Tal vez su Dios la perdone. Manuel es su Dios. ¿Puede acusarla? Ella no lo acusa a él, porque ambos han tenido arte y parte en el desliz.

> Abracémonos renegando del error fatal de la vida, pero amándonos mucho, porque este dolor de ser culpable, sólo puede ahogarse con mucho, con mucho amor.[56]

Sentimiento de culpa compartida y también razones para ser perdonada. Ella saca de la Biblia algo de esa forma de decir.

Se mira como si fuera un personaje de Semana Santa. El es el Nazareno. Por su barba y por su mirada, por el rostro pálido y demacrado. Posee una imagen parecida en su casa.

> Tengo un Cristo único con unos ojos que en vano busqué en otro. Más tarde te mandaré una copia de él. Cuando vuelvo a mi cuarto tras larga ausencia, tiene un modo especial de mirarme y de interrogarme. ¿Qué te hicieron? ¿Por qué vienes tan triste?[57]

Pero lo que la desconsuela es que ese hombre, que personifica para ella el mensaje del Cielo, con su cuerpo le ocultaba a la mujer que llevaba de la otra mano. Y ella eso no puede aceptarlo, definiéndose como «esos pobres soberbios, que no admiten poner la boca para recoger las migajas del banquete...»

Gabriela tenía dudas mordientes respecto de sí y de gran parte de su obra. Muchos la escucharon renegar en forma despectiva de su poesía para niños. Con el tiempo le supo a almíbar servido en fiesta de cumpleaños. Demasiado dulzona y empalagosa. Decía preferir las palabras sin arrumacos, que surgían compactas, hasta filosas. Solía atribuir su cierta rudeza de lenguaje, a trechos vitriólico y cortado con sierra, a causas antropológicas. Las explicaba según una ley atávica: ella provenía del acoplamiento salvaje, producto de mezclas sanguíneas bruscas. Sí. Era como era porque había sido engendrada, amasada por muchos siglos de violencia. Encarnaba el resultado turbio de una amalgama de elementos contradictorios, que se funden sólo al fuego vivo, dejando en la aleación y en su idioma un jadeo parlante, un ladeamiento escribiente que es indeleble vestigio del conflicto.

> Una vez más yo cargo aquí, a sabiendas, con las tareas del mestizaje verbal [...]. Pertenezco al grupo de los malaventurados que nacieron sin edad patriarcal y sin Edad Media; soy de los que llevan entrañas, rostro y expresión *conturbados* e *irregulares* a causa del injerto; me cuento entre los hijos de esa cosa torcida que se llama una experiencia racial, mejor dicho, una *violencia racial*.[58]

La carne un poco muda al grito sensual

¿El, para qué la quiere? ¿Para olvidar alguna molestia o porque su charla lo divierte? ¿Pero ella acaso está para llenar los momentos de fastidio? No se anda con secretos; le recuerda que no tiene «pasta de amante entretenida».

Además, él sabe una cosa más seria, más grave, que arrastrará a través de toda su vida; el dolor le ha puesto «la carne un poco muda al grito sensual». Para querer, a ella le basta con lo que denomina fuego del espíritu. No le exige a él el cuerpo, que puede darlo a otras; ni siquiera le pide declaraciones apasionadas, las que ya ha dicho a muchas.

La demanda a Dios es difícil que sea entendida por el hombre. Ella tiene 27 años y dice querer un amor que nada pida como contacto corporal.

Pero ese desinterés por el cuerpo, ese no importarle que el hombre se dé a las demás y les diga palabras hermosas, no parece ser tan absoluto, pues allí están martirizándola los celos. Pide al Altísimo: «Yo querría que Tú me arrancaras este celar canalla». Siente que ese amor se le ha desparramado por la carne y anda por cada célula de su cuerpo, pero como alegría de vivir y triunfo del espíritu. ¿Qué contesta el Hombre-Cristo a esta petición? Le responderá después, por carta certificada bajo su nombre.

En la carta del día siguiente ella se disculpa. Había escapado a la

órbita del equilibrio. Ahora siente que vuelve a su centro. Trata de
excusarse, de explicar el por qué de sus desvaríos. ¡Le han hecho tanto
mal en la vida! Además, se cree definitivamente condenada al
desamor. Está convencida de que nadie la quiso nunca y morirá sin
que nadie la quiera «ni por un día».

El tiene una salud precaria. Eso la entristece. Sobre todo porque
su familia lo absorberá y lo aislará y ella no podrá verlo. Ella pondrá
en la letra fuerte todos sus tormentos.

Enfermo y todo él le insiste que es un error separar la carne del
alma. Ella le responde que no quiere discutir la manera de quererse.
Finalmente, cede por un segundo:

> Querré como usted desea que quiera. Pero no me engañe, Manuel, no me
> dé una mano reservando la otra para retener quién sabe a qué fugitiva.
> Yo no estoy jugando a «querer poetas»; esto no me sirve de entretención,
> como un bordado o un verso; esto me está llenando la vida, colmándomela,
> rebasando el infinito.[59]

Le da consejos maternales. Le pide que no haga desarreglos, que se
abrigue bien, que no camine demasiado, que se levante tarde, que
coma en abundancia. Pero sobre todo le pide que no se exalte y que
no juegue con su «guiñapo de corazón». Porque no es tanto a la fiebre
a la que le teme, sino al ardor del corazón por mujeres ajenas. Lo
quiere para ella. Y aspira a un día de felicidad. A veces escribe cartas
muy largas, que juntan trozos escritos en distintas jornadas.

Gabriela le concede a Magallanes Moure cierta condición de
maestro en materia literaria. Ella es una principiante; él, un poeta de
trayectoria. Le solicita consejos. Le manda unos versos de su «librejo»
(Lecturas infantiles) y le asegura que eliminará lo que él diga, porque
está muy desorientada respecto a lo que escribe. Sin embargo, la
historia literaria ha dejado a Magallanes como un poeta secundario,
un pequeño promontorio en el paisaje literario. Ella es la gran
montaña.

No cabe duda que es sincera en su autocrítica. Su prosa le parece
amanerada, «con algo de las muchachas siúticas». Reconoce que en
el verso suele conseguir más sencillez. Le suplica que le diga la
verdad, para salvarla del ridículo, el cual, en el caso de una maestra,
es ridículo por partida doble. Le aclara que entre esos dos demonios
o ángeles de la poesía que luchan entre sí, la forma y la idea, prefiere
la victoria de esta última. La verdad le es más cara que el verso lindo.
Y lo piensa así porque está escribiendo para la infancia. Toma muy
en cuenta que «el niño arroja todo el encaje de la frase y coge
vigorosamente el pensamiento».

Cuando su madre parte y ya no hay nadie que la quiera, ella tendrá que encontrar una nueva razón para vivir y escribir. Así se lo pide a su Cristo que la ve inclinada sobre el papel. En especial se lo implora durante los días en que «el llamado de las tumbas es demasiado vigoroso para no oírlo». De vez en cuando vuelve uno que otro día sereno, como los de antes. Cree que en días así podrían venir a contarle todas las infidelidades del hombre que quiere, hundirle mil lancetas y no le sacarían una gota de sangre. Extraños, escasos días plácidos.

Le cuenta cómo los llena:

> He preparado mis clases, hice cuatro estrofas, contesté siete cartas y dos oficios, me he cansado, pero no de ese cansancio que hace sufrir. El corazón no me ha dolido. En suma: un hechizo, pero un buen hechizo. Cristo mío que me miras escribir, dame muchos días así...[60]

Confiesa que quiere hacerle remedios. El tiene tos y dolor de espalda. Ella es creyente y reza todas la noches antes de dormirse. Se ha contratado un ángel guardián, que está tomando peligrosamente las facciones de Manuel.

Pareciera que el hombre también siente el placer del sollozo. Al menos así se lo manifiesta en algunas cartas. Ella le contesta que no tiene derecho a llorar lejos de su pecho. Nada suyo debe perderse en otras manos, ni siquiera la sal de sus lágrimas. El epistolario es un atado menudo de información y una masa sensible de análisis de sentimientos. Desconfía. Suele levantarse adolorida, con ganas de preguntar quién le ha pegado. ¿Nadie interceptará esta correspondencia? Teme que en el correo dos muchachos curiosos metan la nariz en lo que no deben. La tortura su silencio. ¿Está enfermo? ¿Por qué no le escribe? Ella no puede averiguar por su salud sino preguntándoselo directamente a él. Le desmenuzará las razones de su mutismo. Está muy extrañada e inquieta. Declara que nunca fue mejor respecto de ningún hombre que con él. ¿Por qué entonces se mantiene mudo? Un día viernes, fatídico, sintió que él ya no le escribiría más. Y si ella lo hace es solamente para saber de su salud. Que conteste dos líneas; con eso basta. ¿Sana o empeora? Le suplica dos palabras. Ella misma se las dicta: «Estoy alentado» o «Estoy enfermo». Eso es todo. Se siente sola en el desierto. Esa carta la escribe un 2 de abril a las dos de la mañana.

Ella siempre, pese a su facha de campesina lozana, se sintió asediada por las enfermedades. Si él le comunica algún dolor al pecho, ella lo sentirá enseguida, recorriéndole el esternón. No la deja dormir. Si no puede conciliar el sueño, conversará con las estrellas.

Conserva las costumbres de su tierra. Le da consejos de meica. Tome mate, sueñe, desconfíe del aire.

> Mira, empiezan a hacer fríos. Abrígate mucho el pecho; tápate bien en las noches; no andes por suelo húmedo, como me cuentas que lo haces. Me sienta, eso sí, dar consejos. Y si me vieras en este rato, verías que me sienta más. Estoy tomando mate, con los pies sobre las brasas y contándole cuentos para que no se me aburra el mozo que me sirve. El pobre tiene prenda y en la noche la espera en la puerta; ahora por darme mate no le va a decir su galanteo al pasar. Me siento abuela. Deseo tener junto a mí a un niño rubio y rosado que fuera mío y que me repitiera estos cuentos. El mozo cree muy ordinario esto de tomar mate. Vinieron recién a buscarme y como yo dije que estaba ocupada, él halló «inconveniente» contar que no salía al aire por lo del mate...[61]

Como toreándolo, le dice al muchacho:

> Deja en paz a la muchacha que no te va a hacer caso. El amor no quiere nada con los feos. Ya lo ves en mí.[62]

El joven le contesta con áspera convicción: «Lo feo es lo de menos, patrona; es lo de pobre lo peor».

Según ella, comienzan a leerle la correspondencia. Teme que abran una carta suya. O las que recibe de él. Le recomienda que no ponga todas las iniciales. Odia el chisme y se siente cercada por un clima de espionaje. Se ha vuelto muy suspicaz; tal vez sospechan de ella. Les intriga su modo de vida. Siente a su alrededor una atmósfera de sospecha. Quieren saber qué hay debajo o detrás.

Un día cierto joven hacendado la vino a ver, so pretexto de libros. Le declaró su amor y luego le propuso matrimonio. Ella no creyó nada. Le pareció una forma de fisgonear en su existencia. Acaso para él resultaba una mujer enigmática, rara. Le contestó que tenía trazada su línea de vida y él, al parecer, quedó muy sorprendido, porque era un rico hidalgo campesino. Ella se pregunta si vino impulsado por un sentimiento verdadero o si otros lo mandaron a espiarla; luego se arrepintió por su negativa tan rotunda, porque eliminó toda posibilidad de descubrir más a fondo el móvil real de esas visitas y asedios. Se quedó cavilando, preguntándose si no había cometido un error. Tal vez hubiera sido preferible que los ojos de los demás se fijaran en él para que nunca descubrieran al hombre que realmente le interesaba. Después se tranquilizó diciendo que ese proceder hubiera sido torcido y, además, ella desconfiaba de la gente adinerada. Y mucho más si el opulento es hombre.

En todo hombre rico hay siempre un bribón para una mujer pobre. Y soy demasiado altiva para tolerar siquiera la sospecha de que miro a lo alto con deseos de trepar.[63]

No le da esperanzas al joven hacendado ni se las da a sí misma respecto de Manuel. La sentencia final la condenará.

Cuando en tu vida —y esto pasará tarde o temprano— se resuelvan conflictos que no pueden ser eternos, yo debo ser eliminada en absoluto .[64]

Que no la toque

Es invierno: llueve. Se levanta a las tres de la tarde. Comienza a trabajar. A las diez de la noche empieza su carta. El poeta enfermo le pide que le dé dicha. El que pide, en cambio, no se la da. La requerida siente que no podrá concedérsela, porque si la otorgara, ¿de qué serviría si él no puede quererla? El se diluye en evasivas. Insiste en temas que distraen a fin de eludir «lo único que importa. Tú no serás capaz (interrógate a ti mismo) de querer a una mujer fea».

Ella piensa en un futuro encuentro. Y tiene miedo. Está segura de que será un fracaso. Tal vez él le hablará con cariño, hasta la besará. Más que para engañarla a ella, será para engañarse a sí mismo, creyéndose enamorado. Ella no es un «mal aguardiente», de los que aturden y sirven para olvidar.

Está ansiosa de evitar ese encuentro y a la vez lo desea. Parece que no hay alternativa. Ambos sangrarán. Quizás todo eso sea un malentendido y un absurdo. Pero es un absurdo que crece, que lo llena todo e infunde miedo. Es un absurdo que apaga lo demás, que borra el resto del mundo. Ha estado tres meses esperando, alimentando en la cabeza esa quimera. Esto ya no tiene nada de juego. Es un peligro de incendio. Algo más; es una locura. Y allí está la loca de la casa, la imaginación, haciendo su labor. Cuando ese hombre rico se le declaró lo escuchaba con rabia, porque todo se lo llenaba el otro. Lo insta a sentir miedo del encuentro. En último término, le suplica que no la toque.

Pues tras el toque viene el desengaño. Teme el contacto. El vuelve a la carga. Le recuerda que conoce el efecto que causará en esa mujer atemorizada. En ella el rechazo no es por coquetería. No es tampoco por miedo a que el hombre, habiendo conseguido lo que desea, la abandone. Obedece a un móvil más profundo. Ella tiene un modo distinto de amar, que no pasa necesariamente por esa experiencia.

Vuelve a decirle que no se trata de discutir las formas del amor. Duda de sí misma y a ratos se siente intolerable para los demás. Muchos la encontraban hermosa y ella se sabía nada agraciada. «Tú, ¿me querrás fea?» Se sabe difícil. Lo interroga: «Tú, ¿me querrás antipática?» En fin, ¿la querrá cómo es? Ella está segura que el hombre no quiere contestarle la verdad.

A ratos entra en escena Electra. El es su hijo. Lo llama «mi niño»:

Como un niño me hablas, con toda la ingenuidad de un niño, y me dirás: sí. Te siento niño en muchas cosas y esto me acrece más la ternura.[65]

¿Aquel niño un poco mayor que ella desempeñará el papel de Edipo? Ese niño le está pidiendo la prueba de fuego. Ella siente como un amor maternal. Si el amor de él es más pasional y allí desempeña un papel decisivo la imaginación sensual, ella sólo tiene «palabras doloridas y tiernas, desviadas un poco del ardor carnal». Ella prefiere su mirada a su abrazo y a su beso. Los ojos la conmueven más que las caricias más directas. Se disculpa ante su niño. Su «niño». Quizás sus manos nunca supieron acariciar. Lo que siente no lo transforma en algo físico. Pero lo mirará hasta morirse de amor, porque lo mira con la imaginación.

Experimenta pánico por lo que pase ese día. Sabe que va a sufrir mucho y adelanta una proposición en forma de ruego y pregunta: «¿No será preferible evitarlo, Manuel?» El insiste. Irá a la cita, porque es necesario. Procurará que estén solos, como él se lo solicita. Esa carta en que se lo pide le ha resultado a ella singularmente crítica. Considera que la situación es terrible. ¿El la querrá después del encuentro? Tal vez por heroísmo. Pero ella no aceptaría ese tipo de heroísmo.

Dicha pasión, que se vacía en las cartas, hace que el recado siguiente disculpe a menudo el anterior. Le preocupa lo que escribió la víspera. ¿Se ha sentido molesto, herido? No son inquietudes que puedan producirle su conducta respecto de los demás. Esto la tendría sin cuidado. Y vuelve al autorretrato de la mujer dura:

Yo no soy un buen corazón. Cuando he hecho un daño suelo decirme con un egoísmo brutal: «Más me han hecho otras gentes a mí».[66]

Pero con él es todo lo contrario. Por él cumpliría todas las peniten-cias, se sometería a las más largas peregrinaciones, seguiría el vía crucis. «Por ahorrarte una lágrima andaría un camino de rodillas». La expresión es de tono religioso, al parecer anacrónica, aunque ella ha visto en Andacollo, cerca de su tierra, a romeros chinos y chunchos de la Virgen hacer el camino con las rodillas sangrantes. Por si él no lo creyera, ella le repite: «De rodillas: ésa es mi actitud de humildad para ti y de amor...» De nuevo subraya la excepción. Sólo para él.

Porque ella nunca ha sido humilde, aunque la gente le encuentre cara de «monja pacífica». Es como una monja posesa.

Tenía frío, tomó café y realizó el experimento acostumbrado: cerró los ojos para contemplar la imagen divina. Llegó el goce. Hubiera querido prolongarlo. Goce mezclado con sufrimiento o seguido inmediatamente por él. Incluso quiere besarlo. Pero no desea ir a Santiago ni quiere obligarlo a que la bese con repugnancia. Le hace seriamente la proposición: ella no quiere ir. Que él no le diga que vaya.

No aceptará pobres consuelos, ninguna mentira piadosa. Después de la desilusión, no querrá que él mate «el momento con una conversación banal». Y cuando ella se quede sola, su soledad no tendrá remedio. Entonces se rebelará contra todo, «hasta contra Dios».

El Cielo no le había dado ninguna recompensa. Ella ha estado quince años sembrando en niños que no son sus hijos. ¿Acaso no merece que se le pague con un poco de dicha? «¿No ha de ser esto la moneda de diamante en que Dios me pague lo que vale una vida entera agotada en seres extraños?». Pero ella participa en su propio juicio y se convierte en testigo acusador. Fue a buscar amor por sendas vedadas. Es una forma de pecado. Ella no conocerá la paz después de ese encuentro que teme como a la muerte. No. No irá. Le implora que no la llame. Prefiere seguir soñando que él la besará y no que ese beso se haga efectivo. Se arrepiente de haberle prometido ir pensando que sería la felicidad misma llorar entre sus brazos. Estaba loca cuando lo prometió. Lo ama demasiado para que ese amor se consuma en la carne. No dormirán juntos los cuerpos. Pero ella le propone a modo de despedida: «Acuéstate sobre mi corazón».

Una carta así, naturalmente no entusiasmó al destinatario. La contestación fue fría. Ella lo castigará. Le dice que no la leyó entera. Le resultaba imposible ese hielo en el trato. No encontró una palabra aceptable, nada que suavizara «lo odioso del conjunto». No volverá a tomarla en sus manos. Comenzó a leer con angustia. Ahora está calmada, con esa quietud del que no se siente totalmente culpable, tal vez resignada a que la arrojen lejos. Ella no se mueve a engaño. No es la primera vez que lo hace. «Tú me has arrojado de tu lado sin un motivo, como el otro». Como Job, dirá su acción de gracias. «¡Gracias, Manuel, por este castigo, por esta humillación amarga que por tu mano tan amada me dan otras manos!»

Pero le confiesa que jamás esperó de él un golpe así. La ha

condenado a la soledad. Que no tenga remordimiento ni compasión. Fue ella la que se aferró la primera vez que él la arrancó de su cuello. Desde entonces él no tiene responsabilidad en el desamor.

Manuel alguna vez hizo una pregunta sin fe: «¿Y es este Dios el buen Dios, éste que manda unos tras otros los dolores sobre sus seres?» Se lo decía en una carta el 5 de marzo, en que él le avisaba que una hermana suya, «su segunda madre», estaba gravemente enferma. Viviría de dos a diez días más. El le cuenta que quisiera llorar a gritos, pero que debe reprimirse, aún más ante ella. Y allí viene la frase sacrílega: «¿Y es un Dios justo el que ordena así las cosas?». Para ella Dios es el buen Dios y el hombre es el injusto.

> Yo te pregunto ahora con ese mismo reproche: ¿Y éstas son las almas mejores que alientan, éstas que tiran como un trapo miserable, un amor, una vida, un ser que se dio a ellos? [67]

Allí está la «desdeñada» mordiendo su ira. Es orgullosa y contestará pintando un cuadro al revés. «Estoy serena, estoy muy tranquila porque me han arrojado». Serena por un momento, iracunda después. Como ella nunca creyó en el amor del hombre, cuando parta no extenderá la mano tratando de retenerlo. Al fin y al cabo nunca fue suyo, aunque en una carta, tras una reconciliación, le escribiera palabras que muchas veces se han dicho: «Nada ni nadie me separará ya de ti».

Posiblemente ella nunca estuvo en verdad tranquila. Se sentía tan furiosa que hizo pedazos la carta. Después lo lamentó. Entre otras cosas porque había pensado guardar las dos cartas —por eso le pidió de vuelta la suya— con el propósito de tener una prueba de cómo se habían portado con ella «aquí abajo», en la tierra, con el objeto de que cotejen lo que ella ha dado y lo que ha recibido, a fin de que establezca casi notarialmente cuáles fueron sus palabras y cómo en respuesta recibió una esponja seca, quizás para enjugar sus lágrimas.

El la tildará de dura sólo porque es sincera. Si él le pidió que no le escondiera su pensamiento, ella le contó su temor a conceder lo que él quería. A fin de cuentas, se confiesa una ingenua. Vuelve a las imágenes de la Biblia: «no soy digna de atar las correas de tu calzado. Soy una pobre mujer». No quiere que él saque mal las cuentas y crea que sus palabras son exageradas. Que escarbe en su memoria y se pregunte si alguna vez rechazó tan claramente a alguien como a ella. Y que no nombre la palabra amor, porque eso es una cosa del pretérito.

En medio de su rabia, ella usa nuevamente, con cierta ironía punzante, la palabra «gracias». «Gracias por no haber puesto en tu carta una humedad de lágrimas, ni siquiera un estremecimiento de piedad. Gracias por haberte alejado como el otro». Escribiéndola apretará el pulso para que no se advierta la más mínima arritmia. El debe saber que ella está tranquila. «Puedes verlo en la placidez de la letra».

El ridículo llanto en cataratas

Siente que sus ojos se deleitan contemplándolo. Ella lo lleva desde el dormitar superficial a la ensoñación. El la visita en el sueño profundo varias veces cada noche. Durante la ensoñación lo siente. El corazón acelera su ritmo. De día, sobre todo cuando le escribe, ella trata de explorar su cerebro.

Llevará su castigo a los sueños. Nadie se comportó peor que él.

Anoche en sueños (tú te reirás, lo sé) el otro habló conmigo. Y le dije entre otras cosas que él fue menos cruel para mí. Y es la verdad. La última vez que estreché su mano hubo en ella presiones amorosas para la mía y algún temblor en la voz.[68]

La carta siguiente es la de una mujer que ha sangrado, perdiendo fuerzas. De nuevo recurre a la imagen de la Semana Santa.

Ha sido ésta una verdadera semana de Pasión (de Calvario) mía. Desperté esta mañana tan sin fuerzas físicas y morales, que me levanté a las dos de la tarde.[69]

Cuando recibe una nueva carta de él, confiesa que las manos se le sacudían como las de un epiléptico. «No podía sostener el papel inmóvil ni leerlo, porque los ojos no veían...». Dejó pasar un momento. Respiró hondo para tranquilizarse y se tendió sobre un sillón sintiendo que algo la mataba. Ella misma reconoce que un viento de locura la envolvía. No es un amor sano. Gira en el desequilibrio. Vive en el vértigo y, burlándose de sí misma, subraya la contradicción con su aspecto inofensivo, con su «cara beatífica» y su «serenidad de abadesa».

Al parecer se olvida de la carta anterior. Deja en nada la ruptura. Se rinde a la dulzura de las palabras, cede, se somete por un momento a la tiranía. Se le entrega entera, salvo que, incluso en ese momento de reconciliación, va a repetirle con todas sus letras que «tengo de la unión física de los seres imágenes brutales en la mente que me la hacen aborrecible». Ella imagina que el hombre llamará a esto una aberración suya. Pero confía por un instante que el hombre que quiere, con su poder maravilloso para poner belleza donde no la hay, será capaz de borrarle del espíritu este concepto brutal. Tiene la ilusión que él podrá eliminar «las imágenes innobles que me hacen el amor sensual cosa canalla y salvaje». Le recuerda que le ha prometido «eliminar toda violencia, todo apresuramiento odioso en el curso de este amor». Se lo agradece. Y lo quiere más por esa promesa. Ella, en compensación, se volverá generosa y dócil. Se exalta hasta el llanto.

> ¡Tuya del más hondo y más perfecto modo, Manuel, tuya como nunca lo fui de nadie; tuya, tuya! Lo repito para prolongar el gozo en mí [...]. Dices tú: «Esta plenitud de vigor (de amor) casi me es dolorosa. ¿Dejarás tú que mi linfa se la beba la tierra y no querrás beberla?» No, Manuel. Una loca sería.
>
> Primero, si el amor se te hace doloroso, yo no amaría bien si prolongara tu dolor sacrificándote a mi concepto absurdo de la unión de los seres. Segundo, si tú me aseguras que esa unión agrega algo a la seguridad del amor y aprieta más la trabazón espiritual; si me convences, sobre todo, de que el hastío no sigue inmediatamente al abrazo estrecho, si me convences de que tú no serás mío en absoluto sino cuando ese abrazo se haya consumado, entonces, Manuel, yo no podré negar la parte mía necesaria a ese que tú crees afianzamiento y, más que otra cosa, no podré tolerar que haya una porción de emoción en ti que me haya quedado ajena por esta negación mía a darme del todo.[70]

Se declara deseosa de beber toda su linfa. Sería una torpeza suya negarse para que él vaya a vaciarla a otra parte. Es un raciocinio del hombre. Y ella lo admite. Aún más, le suplica que no le arrebate nada, que le dé todo lo suyo.

Cuando ella en la carta anterior lo despide para siempre, parecía que esperaba el milagro. Y él, mudo, guardando un silencio mortal.

Aun así le recomienda que aprenda a esperar. Además la asalta un temor, que no es nuevo, pero del cual ha hablado poco en voz alta, aunque lo ha tenido siempre. Es el temor propio de su caso, pero también de su condición de escritora de apasionadas cartas de amor, que teme el contraste entre la elocuencia del texto con la torpeza del enfrentamiento directo hombre-mujer. «Yo no sé si en nuestro primer encuentro yo sea para ti como en mis cartas».

Tiene miedo de que la palabra no la defienda de los hechos. Y teme también el arrebato de la parte contraria. Le sugiere una conducta. Quiere que él se comporte como un niño, «que me hables así como un niño a la madre, desde la tibieza de mi regazo...». Comenzar al menos con esa escena edipiana. Luego, ella comprende que el niño pasará de las palabras infantiles a la conducta del hombre. Lo prevé. «Sé que me desvanecerá el goce intenso; sé que la embriaguez más intensa que me haya recorrido las venas la sacaré de tu boca amada». Está dispuesta a todo. Incluso a hacerse una prolongación de la carne del hombre.

Yo espero vivir contigo un momento supremo que pueda yo revivir en el recuerdo por cien años más de vida, sacando de esa visión divinizada dicha para todo el resto del camino.[71]

Pero ella revocará esa decisión de entrega. Sobrevendrá una nueva ruptura. Esta vez más prolongada.

Pasan días, meses, un año, dos, y una tarde, después de tanto tiempo, ella recibe de nuevo una carta. La contesta sin ocultar su asombro. Dos años sin una palabra era el olvido total. La carta que precedió a la ruptura equivalía a una lápida. ¿Para qué volver a lo antiguo? Pero ella debe rectificarlo. No entiende que puedan hacer un pacto de alianza ese olvido con la ternura que él afirma sigue sintiendo por ella, por quien se autocalifica como mujer desterrada y dolorida. Es una relegada, un ser marginado. Ha sido enviada al exilio. Todo esto fue una sentencia condenatoria dictada por él. ¿Por qué se enojó de ese modo? ¿Porque ella dio una opinión desfavorable sobre una mujer que él había querido? No era para irritarse tanto. Probablemente fue un pretexto.

Y ahora le viene esta carta inesperada contándole otra historia conmovedora: su vida es triste. No, que no le venga con esos cuentos. Ella, tras la ruptura, siguió inquiriendo sobre sus aventuras y devaneos. Y siempre las noticias coincidieron. Andaba segando por los campos del amor. Volvió a las pasiones de antaño y encontró yemas nuevas en cada primavera. Ella lo sabía todo y callaba. Al principio sintió que lo que llegaba a sus oídos era un fierro que la pulverizaba por dentro. Después percibió que la herida sangraba menos. En una tercera etapa no sintió ya nada.

El ingrato, como sabemos, además de poeta era pintor. Y le pintará su vida como tragedia. A otro perro con ese hueso. Tal vez él se autocontempla de tal forma y siente infinita lástima por sí mismo. Pero ese cuadro no guarda relación con la crónica de su vida. Don Juan se siente pesaroso, Tenorio tiene una sensación de soledad. La gente estima que eso es él. Ella no lo abarata tanto. No es que sea el Burlador de Sevilla trasladado a San Bernardo o a Santiago. Más bien es el deslumbrado ante cada instante y cada mujer que pasa. Lo compara con un paisajista que pinta una tela cada día, gozando con su creación, dedicándose a pintar otra al día siguiente. Pero que no se pinte como un desgraciado, porque no lo es. Desgraciado es aquél que no tiene a quién entregar su alma y peor está el que ya la entregó y no puede recuperarla. Ninguno de esos casos es el suyo. Ella sí es el segundo.

Es una enferma de amor y él es un enfermo de irresponsabilidad, que va sembrando dolores, despertando sueños que luego despedaza. Y si está triste no es por falta de amor, sino de vitalidad, le dice.

El tiene el gesto cortés de preguntar lo que todos preguntan: «¿Cómo está usted?» Y ella le responderá con dos palabras: «No sufro». Lo explica: «Se me ha derrumbado todo y estoy tranquila, y tranquila sin estoicismo». Así como el pensamiento la enloqueció, el pensamiento la sanó. Después de tanto sufrir, un día amanece la luz opaca de la lógica fría. Comprueba cuán peligrosa resulta cierta hermosura, aquélla que no es sino insensatez pasional. El tratamiento ha sido enérgico. La medicina se la ha dado la maldad. «Un bueno no me hubiera hecho tanto bien, Manuel».

Sorbió el veneno de la verdad. Le hizo el efecto de un remedio. Dice que no odia; simplemente ve más claro. Se ha hecho en cierto sentido más sabia. Algunos seres se le han vuelto más transparentes, como si sus ojos tuvieran la propiedad de traspasarlo todo. Pueden ver cómo se gestan las traiciones, de dónde nacen las acciones horribles. Y ha llegado a la conclusión de que «son naturales y simples». Esta nueva capacidad suya de observar el proceso formativo de la deslealtad y la canallada la alegra. «Es una maravilla que gozo día a día». La operación en frío de su idealismo enfermizo, de su embriaguez sentimental, le abrió los ojos de la conciencia a la realidad. Y nadie crea que la conciencia que mira elimina la comprensión hacia la conducta de los hombres. Por el contrario, la pupila abierta comprende más porque ve más. Lo que se acaba es el desatino, el exceso. Se termina con el ridículo llanto en cataratas. Y se es capaz de decir adiós oportunamente.

¿Ha sido clara? Ahora que tiene un corazón nuevo, sabe hablar con la elocuencia convincente y encendida del corazón viejo.

Le retira el tú. Lo llamará usted. El tuteo le salía de su alma antigua. De la nueva no le brota.

VI LA FUGA: DE MAGALLANES A MAGALLANES

E L PRESIDENTE Juan Luis Sanfuentes se resistía a nombrar
directora del Liceo de Niñas de Punta Arenas a Lucila Godoy
porque según su información el cargo estaba ya prometido a Gabriela
Mistral.

El ministro de Instrucción Pública, Pedro Aguirre Cerda, insistía
y aclaraba: ambas son una misma persona. Su hermano Luis, que era
médico, vivía en Magallanes. Por él sabía que el establecimiento
estaba en crisis. Por fin salió la designación:

> Nómbrase Director del Liceo de Niñas de Punta Arenas a la profesora
> de Castellano del Liceo de Niñas de Los Andes, doña Lucila Godoy.
> Autorízase a la nombrada para proponer al Gobierno los cambios en el
> personal y demás medidas de orden interno que estime convenientes
> para asegurar la buena marcha del establecimiento. Tómese razón y
> comuníquese. Sanfuentes. P. Aguirre Cerda.

Le encomendaron a la nueva directora dos misiones principales:
reorganizar el liceo y contribuir a la «chilenización» del territorio.

Era un decreto y una fuga.

Parte a Magallanes escapando de Magallanes.

Pone entre ambos dos mil kilómetros de separación. Ha pasado
del sol al hielo. Sin embargo, no se librará de los tormentos de la
memoria. No lo confesará a nadie, salvo a su poesía. La lejanía no le
borra el sabor de la derrota. Necesita hacer el aprendizaje de la vida
sin él, intentar la recuperación de su yo, asegurar el triunfo de la
ausencia sobre el delirio. ¿La distancia aplacará su duelo? No lo
conseguirá sin caer a trechos en la desesperación maldiciente, que
forma simbiosis en su personalidad.

La charla cotidiana puede ser casi familiar; pero su poesía patética
la delatará. No está hecha para la amnesia sentimental ni para escribir
crípticamente hasta lo inescrutable. El silencio de la nieve larga no
acallará en ella su pasado aún latente. En el orden de la relación mujer-
hombre lo considera todo perdido. Velará su desgracia donde él no la
vea. En tal sentido, su etapa magallánica es la elección deliberada de
un exilio y el intento de cicatrizar algo más que una desgarradura del
corazón.

El sentido de huida se traslucirá más tarde —claramente— en el
prólogo que Gabriela Mistral escribe para un libro de Roque Esteban

Scarpa, *La desterrada en su patria*. Allí insinúa que ella es una deportada en su propio país, pero no confiesa que ha escogido por sí misma el exilio buscando en el territorio de Magallanes el alejamiento del hombre Magallanes.

Se introspecciona. Se acusa de no haberse preguntado por qué hizo suya la expresión *expatriada,* como si viajase a una nación extranjera. Pero con sinceridad, aunque no aclare los móviles profundos que se reserva bajo llave, reconoce que viajó al extremo sur obsesionada por la idea del extrañamiento. Se autodesterraba. Se apartaba voluntariamente de su tierra, se alejaba de sus raíces por decisión personal. Un hombre Magallanes la había herido y a una tierra llamada Magallanes, fin del mundo, partía para cerrar esa herida. Porque el Magallanes geográfico tenía que salvarla del Magallanes humano o inhumano. No oculta que investigó todas las acepciones de la palabra destierro, que hurgó en su etimología hasta lo indecible, para llegar a identificarla con su situación. Recurrió inclusive a los más arcaicos y modernos diccionarios a fin de conocer en propiedad el significado antiguo y nuevo, pero invariablemente taladrante de la palabra destierro: «Desenterrar, sacar lo que estaba debajo de la tierra, en suma, ir haciendo luz en la propia tiniebla».

Porque, en verdad, ella no marchaba al destierro austral por decisión administrativa. Venía autodeportada del norte. Quería dar un corte a un drama interior, «asolar lo vivido, aunque tuviera que angustiarse hasta el extremo. Poner fuera del celemín mis actos y mis sentimientos». Ella misma esclarece. Algunos se engañaron pensando que *Desolación* representaba una experiencia nacida en el ámbito magallánico. No, ese hielo lo ha traído de las regiones soleadas, que para su corazón fueron tierras glaciales. Lo tiene tan presente como si por dentro le ardiera un fuego frío… «Pero yo soy de aquéllas que, como nunca olvidan, se me viene el mundo pasado al canto muchas veces».

Magallanes puede compararse con un témpano, mas el espíritu ardido de Gabriela es también, al menos, la punta de un iceberg, no en el sentido helado, sino en cuanto tapa una montaña secreta que permanece cubierta por el agua. El agua es el silencio. El confesionario es su poesía. Los ojos ajenos pueden percibir una ínfima parte del cuerpo sumergido, divisar apenas su cara superior emergente. Sólo una mínima fracción asoma a la superficie. Pero ella sabe lo que hay debajo. Por lo tanto no desprecia el témpano, no le horroriza el iceberg. Ambas palabras le gustan no sólo como imágenes literarias sino como celosas guardadoras de su mundo interior. Pero ella no se resiste a sugerirlo y a personalizarlo. Sus poemas de entonces, reunidos casi todos en la primera parte de *Desolación,* interpretan «lo entrañable de mi ser en este instante y, quizás como el témpano, la misma parte visible, de su real masa de diamante-hielo». Ese libro será como el diván del siquiatra y el estallido de su desahogo, el intento de exorcizar al demonio de tridente escarchado que la somete a tormento. En algún momento levantará el borde del velo. Refiriéndose a su ostracismo austral, puntualiza:

> No olvide que fue el principio de mi catarsis, despojada de mi mundo habitual, extrañada, donde esa desolación termina solicitando a aquéllos el perdón de su amargura.[72]

Si el amor la condena al exilio en su propia patria, el segundo exilio, por lo menos en los primeros momentos, está dictado por la naturaleza.

Cuando silba el viento que procede de la Antártica, echa de menos, más que nada, los aires suaves que la acariciaban siendo niña. Se deja llevar —y ésta será una constante suya de toda la vida— por

> ... el recuerdo de una casa con álamos que miraba a la montaña y al río, y cuyo campo me la ceñía con un cerco de fragancias.

¿A dónde había arribado Gabriela en su afán de escapar de sí misma? Al fin del mundo.

Un siglo antes de llegar, aquélla era una enorme tierra virgen de inviernos congelados. El fin del mundo no tenía dueño, salvo los patagones que divisó Magallanes desde el mar en 1520, durante la primera navegación alrededor del globo. Las hogueras que encendían los indios onas o alacalufes sugirieron el nombre de Tierra del Fuego, así como el navegante portugués al servicio del Rey de España dio, sin quererlo, su apellido a ese territorio donde el planeta terminaba por el extremo meridional.

Conforme a una concepción estratégica global preventiva, la corona española pensaba que había que tomar posesión inmediata del estrecho descubierto por Hernando de Magallanes el primero de noviembre de 1520, para que no se apoderaran de los confines australes de la tierra los competidores de la época: portugueses, ingleses, holandeses, desde donde podían intentar desmoronar por los pies todo su edificio colonial en América.

Por eso el Gobernador de Chile García Hurtado de Mendoza envió la expedición de Ladrillero, la que tomó posesión formal del territorio el 9 de agosto de 1558, invocando en orden correlativo los nombres del Rey de España, del Virrey del Perú y de su hijo, el Gobernador de Chile. Pero esta posesión no se concretó durante trescientos años. La colonización llegó hasta Chiloé. Allí se paró la espada y la poesía con Alonso de Ercilla. Allí Cristo se detuvo más tarde con los jesuitas. La Patagonia permaneció ignota por siglos. Era tierra de nadie, salvo de los aborígenes, los altos patagones, de pies grandes, que no tenían sentido de la propiedad privada.

Se hicieron esfuerzos esporádicos durante la Colonia por consolidar el dominio hispánico sobre esas comarcas terminales. El nombre de Simón de Alcazaba, quien pretendió en el siglo XVI establecer una colonia judía en esa zona; los de Ladrillero, Ulloa, Cortés, Ojeda, García Jofré de Loayza, Sarmiento de Gamboa, las fundaciones imposibles, en un clima barrido por el viento polar como el de Alaska o Yakutia; los intentos de los hermanos Nodal, de Pizarro, Aguirre, Mandujano, Córdova y Malespina a fines del XVIII, suman una larga cadena de fracasos temerarios emprendidos por colonizadores sin fortuna.

El gobierno de la República también temía que potencias extranjeras se apoderaran de ese territorio. Por ello, en 1843 despachó una expedición a fundar el puerto de San Felipe, que luego tomó el nombre informal y sugestivo de Puerto del Hambre. Abandonado seis años después, se estableció la colonia de Punta Arenas, conforme a una ley del 2 de junio de 1852.

Byron, el navegante, pariente del poeta, y Carlos Darwin, las llamaron «tierras malditas». Alguna vez estuvimos en Fuerte Bulnes, cuando Fidel Castro visitó esa zona. Fuerte Bulnes fue una tentativa para consolidar el dominio chileno en esa zona. Los elementos desencadenados de una naturaleza inhóspita, los vientos antárticos, impidieron por centurias que allí crecieran ciudades.

Todo alrededor, varios millones de hectáreas, eran tierras mostrencas. En la segunda mitad del siglo XIX comenzaron a llegar los colonizadores que se apoderarían de esas extensiones solitarias a sangre y fuego.

Un cuarto de siglo después de su residencia en Punta Arenas, Gabriela Mistral, con una perspectiva más tranquila, da una explicación poético-didáctica sobre la tierra donde llegó huyendo del hombre Magallanes.

Chile dio el nombre de Magallanes a la franja chilena de su hazaña, como quien devuelve sus derechos al voceador de aquellas postrimerías australes. En una extensión que es la de un pequeño país europeo, o sea en la Patagonia nuestra, llevan sobre sí la gracia de su apelativo y le pertenecen, por lo tanto, desde el pastal dulce en que sus marineros se tendieron felices de ver y tocar hierba, hasta la población cosmopolita de Punta Arenas. Y suya es la oveja que en el mercado inglés se llama patagónica, y suyo el lobo de dos pelos y la nutria sombría. Y hasta los

poemas que hacemos allá, en la pradera volteada de viento, llevan sobre
su bulto de aire la marca del luso mayor.[73]

Santiago prestó el apoyo del Ejército para la empresa privatizadora.
La apartada región se convirtió en zona de traspasos brujos. A uno
de los afortunados, José Nogueira, se le concedieron, al norte del
paralelo 53, 370 mil hectáreas. Con la venia del gobierno las
transfirió, por arte de magia financiera, a una sociedad inglesa,
Tierra del Fuego Sheep Farming and Company. En seguida, en la
vecindad de esa concesión, al señor Nogueira se le entregaron otras
1.009.000 hectáreas. Ni corto ni perezoso, consiguió en un santiamén
permiso para transferirlas a la Sociedad Explotadora de Tierra del
Fuego.

Los remates fiscales de tierras permitían adquirir interminables
estancias, cuyo recorrido de límite a límite exigía viajes a caballo de
varios días. Solían venderlas diez años después veinte veces más
caro. Dichos propietarios territoriales estaban eximidos de todo
gravamen fiscal. Unos pocos se hicieron de las fortunas más colosales
del país. Se transformaron en los latifundistas con las propiedades
particulares más extensas del globo terretre. Su divisa fue acaparar.
En su fiebre de posesión aplastaron a los pequeños, obligándoles a
venderles su tierra y sus reducidos ganados. Pretextando un deber
«civilizador», modernizante y un evangelio de higiene social, sostenían
que debían «limpiar» el terreno. Y para eso había que terminar con los
pobladores aborígenes de la manera más directa, por ejemplo, con un
tiro certero de carabina. Fue proverbial en la zona escuchar que se
pagaba una libra esterlina por oreja de indio.

Por ello el surgimiento de la organización de los trabajadores, la
Federación Obrera, respondió a una necesidad de supervivencia en
ese medio natural y social hostil. Los peones de los campos y los
contratados en los frigoríficos tenían que defenderse de la explota-
ción de esa nueva oligarquía, de los capitalistas de siete cifras recién
enriquecidos, que casaban a sus hijos entre sí, adoptando aires y
modales copiados a las viejas dinastías.

De allí derivaban a otras empresas. Los mismos se erigían en
armadores que monopolizaban el cabotaje en las costas. Establecían
un imperio que cubría tanto la Patagonia chilena como la argentina.
Todo lo sometían a su dominio y especulación.

Una escritora del gran mundo, Mariana Cox-Stuven, que firma
con el seudónimo Shade, hace preguntar a uno de sus personajes
femeninos: «¿Pero aquí, en este país nuevo, tan rico y tan extenso, los
obreros se despiertan también?»

«Se despiertan tanto más, señora, cuanto que al venir a la vida, respiran en la atmósfera socialista creada por otros y que pesa sobre el Viejo Mundo...»

Ella anota que «hay quienes viven como príncipes en sus estancias». Estos son los ingleses. Describe la residencia de mister Crawford, quien posee una propiedad de 300.000 hectáreas. Tiene «junto al Tennis Lawn invernaderos donde las orquídeas de la India viven como en su casa». Sus empleados y domésticos son súbditos británicos. «Vivimos en una pequeña Inglaterra y una vez al año vamos al *home*». Se visten de etiqueta para las comidas.

Joaquín Edwards Bello pone en boca de un personaje suyo —sacado de la realidad— un resumen de la situación: «De Santiago llueve chilenidad en forma de papel sellado. Reparten tierras en la calle Morandé, para premiar a parientes y servidores electorales. Los favorecidos venden las tierras en calle Bandera. Se hacen ricos sin conocer Magallanes».

Magallanes es un lugar de relegación política. El autor de *El roto* habla de los detenidos con las manos cubiertas por las mantas «para que no viéramos las esposas».

En la grada inferior de la escala social vegetan los trabajadores con sus familias.

Cuando Gabriela Mistral llega a Punta Arenas no puede menos que escandalizarse por la magnitud de las diferencias entre las clases. Ese espectáculo la marcó para siempre.

Dentro de tal realidad no podía dejar de existir y desarrollarse vigorosamente una organización como la Federación Obrera de Magallanes, que tenía diario propio, *El Trabajo*; mantenía escuelas diurnas y nocturnas, servicio médico y jurídico; se preocupaba por erradicar el analfabetismo y el alcoholismo. Su estructura se extendió a la Patagonia argentina.

El asedio y la persecución de las autoridades al servicio de la nueva plutocracia contra la Federación Obrera era incesante y cruel. La prensa de los estancieros disparaba a diario sus ripios de siempre contra los desquiciadores del orden. Pedía la represión de los revoltosos y el reforzamiento de la «guarnición militar con tropas regulares, debidamente disciplinadas y conocedoras del deber sagrado que inviste al soldado...» Son palabras del capitán Arturo Fuentes Rabé.

El gastado lenguaje condenatorio que usa para referirse a los dirigentes de la Federación Obrera ya entonces era añejo, pero se sigue repitiendo hoy: «Parásitos, pulpos, ex presidiarios, aventureros, falsos redentores». Una joya literaria. «La hidra del desorden sentó sus reales en Punta Arenas y extendió su babosa ponzoña por todos los campos por donde había actividad y vida. Las huelgas comenzaron a dejarse sentir».

La recién llegada pronto se dio cuenta del estado de cosas imperante. No dejó de impresionarla. ¿Qué haría? ¿Ponerse algodones en los oídos, taparse los ojos, encerrarse en el liceo? ¿Qué papel le tocaba a ella en este drama?

Muchos años después le escribió a Roque Esteban Scarpa que

... su gente me recibió bien y me despidió, diría yo, subrepticiamente. Denomino su gente lo que, en las ciudades, se llama «lo representativo». Y yo para ellos era, de inicio, una representación más que una realidad. Quizás ni con el poeta estaban de acuerdo en su fuero íntimo los grandes señores respetables, si es que conocían mis versos algo más que de oídas. Encontraban en mí, en una mujer de 1918, que fumaba con alguna desconsideración, demasiado desgarramiento y tragedia, vocablos tremendos en boca de dama, y quizás por algunos de los míos, de Llanquihue arriba, en su fibra prejuiciosa, se me calificaba en el rango social de simple preceptora. El oro de la flor natural no era suficientemente aurífero para darme la distinción que otorgaba la libra esterlina de oro en que se transaban corderos con capa de escarcha, más vestidos que los niños, y los vellones trasquilados, cuyos cuerpos seguían pastando resignadamente. Me precedía una fama de huraña y distante [...]. Pero tras mi realidad, tan simple y tan compleja, de mujer herida que ansiaba rehacerse, no me perdonarían que yo advirtiera su realidad. Querían encerrarme, como oveja en brete, sólo para ellos. He escrito en alguna parte, Scarpa, que podría haber vivido diez años en su tierra, si yo me hubiera engreído pequeñamente con mi cargo de directora, porque el corte entre las clases sociales era grande y vertical. Pero yo venía de ese pueblo y no podía renegar de su existencia, que era como quebrarme el esqueleto que me sostenía.[74]

Su poesía se alimentó de su vida y del impacto que le causaba lo que veía.

> Señor: es el invierno y ha espesado
> la nieve sobre los hogares tristes,
> como tierra sobre una sepultura.
> Tus niños, Señor, mira tus niños.
> Tus pobres, mi Señor, mira tus pobres.
> ¿Los sientes tiritar? La nieve es dura
> como una hembra lasciva. Y ellos,
> los otros son más duros que las nieves.[75]

Como se habrá advertido, la señora o señorita no era neutral.

Más de un cuarto de siglo después le insiste a Scarpa que publique esos versos que alguien llamaría «ácratas».

Oro flor y oro amonedado

Aquí entra a jugar su papel el oro. Ella distingue entre el oro flor y el oro amonedado. «El oro de la flor natural —lo sabemos— no era suficientemente aurífero...». La mirada crítica de esta mujer no les pasó inadvertida. No se la perdonaron. En respuesta comenzaron a hacerle mala fama. Su pecado era ver lo que había tras el tinglado.

Pero no podía fingir que era ciega. Se le hizo palpable el abismo entre las clases, «grande y vertical». Sencillamente, era una mujer de abajo.

Ella reitera que la gente de abajo no le es ajena. A su juicio son «los superamericanos». Siempre hubo dos Chiles. Uno preterido, postergado. El otro Chile es el del Rey Midas. Lo dirá con su grandeza de tono inconfundible:

> Solamente la burguesía magallánica se había quedado sin la «saga» hiperbórea. Satisfecha ella con el hierbal y el pastoreo ovejuno, apenas tenía contacto con el otro Chile que, en chalupas o barcas a lo polinesio, angostas como el pez espada, cabalgaban el mar frenético y el mal afamado desde los tiempos del Gran Portugués (Hernando de Magallanes). Chilenos y argentinos eran y son todavía aquellos hombres cuya piel ensalmuerada llega a emparentarse con la de la ballena, y todos ellos se vuelven a estas horas los superamericanos por haber guardado íntegro el ánimo aventurero de la raza que domó el desierto de Atacama y también las agriuras de los Andes. Son ellos la brava gente quemada de yodo marino, la del ojo marino que ve en la peor borra de bruma, y la muy arisca para contar, esto sí, por «no soltar la prenda», respecto de las cacerías furtivas...[76]

Palpa el drama del trabajo estacional, la esquila y la carneada, que no dura más de tres meses al año. El resto del tiempo es muerto. Y lo dice con una fuerza que ya se quisieran los revolucionarios más exactos.

> Podrían retenerme los inviernos largos, densos y oscuros, pero no me permitirían escarcharme el corazón, los casi nueve meses de infierno de la inactividad de los hombres, acurrucados, añorando los galpones de la esquila por el dinero que cada tijeretazo daba sobre el cuerpo que balaba la pérdida de su calor o ese campo patagónico de carneada, sujetos a la prudencia de la escasez que debía repartir la intensidad del trabajo de un

cuarto de año, en los meses restantes, mientras el pensamiento rumia
aquellos brazos cortados durante los días vacíos, sin permitir airearse
para no ser tratados de ácratas. Y yo conocía la necesidad del fuego que
ellos tenían, como seres anteprometeicos, y yo los contemplaba
desentumecer las cañerías cada noche de hielo y los llamaba a instruirse,
para que el pensamiento sobre el presente, construyera el futuro.[77]

El infierno de escarcha no la llevará a idealizar la situación de los
pobres en el resto del país. La sociedad es la misma; pero la naturaleza
es distinta. Aquí resulta más dura.

Yo sabía que no era mejor la situación de nuestro inquilinaje en los
suntuosos valles centrales, pero ellos, en su miseria, eran ricos de la
sombra de las alamedas en los estíos y del largo tiempo de los frutos de
la primavera a los otoños. Pero esta tierra no tenía primavera...[78]

Y en cuanto a las órdenes administrativas de «ayudar a la chilenización
de un territorio donde el extranjero superabundaba», ella las inter-
pretará a su modo, reacia a todo patrioterismo de cuartel. Define lo
que llama «real chilenización integral». Se declara

... abierta al universo y a lo plural americano, aunque siempre mantenga
mi debilidad por la fuerza telúrica del Valle de Elqui, que me hizo y me
dio infancia.

¿Chilenizar Magallanes? Le parece una pretensión absurda, entre
otras cosas porque la región estaba dejada de la mano de Dios, o sea,
de las autoridades del centro. Un detalle expresivo. El correo funcionaba tarde, mal y nunca.

Primaba la noción inconsciente, en particular sobre todo de los
chilenos de entonces, que el país llegaba por el sur hasta Llanquihue
y a lo sumo a Chiloé, y después comenzaba el acabo de mundo. ¿O
acaso la pretensión miope de que los chilenos son sólo los de tierra
firme, y lo que queda fuera de sus límites históricos del siglo XVI es
sólo añadido, posesión adventicia, zona colonizada o tierra de ocupación? Percibe un chovinismo peculiar en ciertos chilenos del norte
y del centro. ¿Los de más al sur no son chilenos o son chilenos tardíos?
Esa autocrítica descarnada reconoce su propio pecado cometido
en poemas de *Desolación,* cuando ella, refiriéndose a la población
magallánica, dice que «sus hombres de ojos claros no conocen mis
ríos... Hablan extrañas lenguas y no la conmovida lengua que en mi
tierra de oro mi vieja madre canta». Gabriela se explica y se
disculpa.

Su análisis sobre la llamada «chilenización» caló hasta el hueso y llegó más lejos. Descubrió que la movía el interés sórdido.

La chilenización magallánica era negocio de provecho sin abandonar el valle central, que al despoblar los bosques por una oveja ahíta, podía transarse, a cambio de conflictos sociales y que la soledad explotada por el pingüe vacío humano enriquecería a ojos que jamás mirarían esas tierras o a otros que se entregarían a un nacionalismo internacional. Ya he dicho, unos diez años después del experimento en esa tierra, que sucede que, entre los intereses de los capitalistas criollos y los intereses de los capitalistas extraños, desarrolla la vida entera la masa de un pueblo que no verifica estos arreglos y sólo los padece, masa que constituye el pueblo del país, es decir, la carne de la patria, y que, no habiendo comprado ni vendido, debe sufrir las consecuencias enteras de la terrible operación y que, en cierta manera, yo hablaba por esa masa a la que pertenezco en cuanto a persona sin tierra, pero que forma parte de una tierra.[79]

Ella fue portavoz, como los antiguos profetas, como Tolstoi y otros rusos que admiraba. Pero pocas veces lo subrayó de modo tan explícito. Por otra parte, siente que la recorre una corriente de simpatía hacia los inmigrantes, pues percibía que de alguna manera era su caso, aunque tal vez ellos habían perdido por encima de ella.

Comprendí que más que yo misma, habían sentido los que llegaron de otras naciones, quizás tan luminosas y pobres en algún aspecto como los valles míos, mayor desolación en su verdadero destierro, consecuencia de la historia o el apetito aventurero, con otras lenguas de oro y cantarinas, pero con la misma soledad y la trágica impotencia ante un hecho social dado, tras el cual había un fundamento de imaginación, orden, tesón, economía rígida y, en ocasiones, crueldad frente a la naturaleza y a los otros hombres.[80]

El fenómeno llevado a lo patético por la matanza de indios y luego de obreros en Puerto Natales, en 1919, le señala que algo huele a podrido en esa shakesperiana Dinamarca austral. No guardará silencio.

El mismo desolamiento y persecución impotente fueron palpando los acosados en sus canoas por los canales, y los que debieron huir, ya sin guanacos, por entre las púas de las alambradas de una tierra que les había pertenecido libre. ¿Quién responderá ante Dios por sus almas y les valdrá a los otros el acaso soy yo el guarda de mi hermano? Mi experiencia podría expresarla con las mismas palabras que apliqué al mundo de Occidente, a propósito de un poeta: la mitad del follaje de este mundo arde todavía con dramático color por encima de nuestras cabezas; la otra mitad, está dando debajo de nuestro cuerpo la fragancia densa de la podridura del bosque.[81]

Le gusta definirse como «una pobre mujer» que nada puede, salvo ver. Enseguida subrayará con un retintín de orgullo: «Pero su mirada puede ser conciencia». Y de alguna manera ella lo fue toda su vida: mirada-conciencia. Esto es algo que los chilenos todavía tienen que descubrir.

La mano rusa llega al fin del mundo

Magallanes —como Siberia y Australia— había sido colonia penal. Poco antes y poco después de la partida de Gabriela Mistral, en los años 19 y 20, la llamada «cuestión social» se hizo más aguda y culminó en matanzas.

El territorio, en los tiempos que permaneció allí, constituía un campo polarizado, con dos orillas separadas por un abismo. Las diferencias eran tajantes y explosivas. Unas cuantas estrellas rutilantes en el cielo de la pequeña galaxia fría. Se necesitarían anteojos espaciales de muy larga vista y máquinas calculadoras para detectar todas sus tierras y ganados ovejunos. Su reino se medía por macroescalas. Controlaban toda la vida de la región. Su dirección irradiaba a los cuatro puntos cardinales: estancias, minas, barcos, prensa. Poder económico, político, social, informativo. Manejo de las Fuerzas Armadas. No sólo dejaron atrás el límite chileno y penetraron en territorio argentino, expandiendo su imperio por ambos países, sino que controlaron en los hechos el acceso al Estrecho y la confluencia del Atlántico y el Pacífico. Al medio, como satélites suyos, vegetaban o semiprosperaban pequeños industriales, comerciantes al por menor, venidos de cuatro continentes; funcionarios que contaban los días que les faltaban para regresar al norte o se las ingeniaban a fin que les cayera en gracia una concesión de tierras que los catapultara en dirección a la opulencia.

Efectivos del Ejército, Marina, Policía, con puño férreo cuidaban el orden draconiano en provecho de los potentados que habían hecho la América en Magallanes. Eran la garantía de seguridad para los latifundistas mayores. Ningún exceso les parecía culpable si se trataba de cumplir con el que estimaban su «deber sagrado».

Al fondo yacía la masa, la que sufría los golpes, las hambrunas y el hielo. Un pueblo compuesto por chilenos venidos del norte, particularmente de Chiloé, formaba la mayoría de la población laboral. Algunos se establecían con sus familias en la zona. Otros —muchísimos— eran itinerantes y estacionales. Venían a las faenas de la esquila, trabajaban en los frigoríficos unos pocos meses en verano. Retornaban a su casa en las islas, cuando caía el otoño, hasta el próximo período estival.

El pueblo también registraba en sus filas a los inmigrantes europeos despreciados por la Diosa Fortuna. Llegaron de países lejanos como campesinos sin tierra; como artesanos modestos, y en el extremo sur del mundo muchos continuaron siendo tanto o más explotados que en sus naciones de origen.

Los aborígenes componían un número sustancial de víctimas de todas las apreturas y abusos. A veces se les diezmaba a tiro limpio. Sus necesidades físicas y emocionales no se atendían.

Tal panorama de desigualdades afectaba singularmente la sensibilidad de Gabriela, sobre todo por los daños físicos y neurológicos que causaba en los niños. Los índices de tuberculosis eran alarmantes, los peores del país.

Oliver Brand, uno de los seudónimos de Hernán Díaz Arrieta, más conocido por Alone, amigo y admirador de Alfonso Bulnes, designado en 1919 gobernador del territorio de Magallanes, publica en *Zig-Zag*, en el mes de diciembre de ese año, tras la matanza de obreros en Puerto Natales, un artículo apologético de los masacradores. Se declara alarmado por los problemas que se plantean en la zona «con caracteres de violencia extraordinaria, al complicarse con una situación administrativa tal vez no menos difícil de salvar por sus raíces ocultas». Cuando Alone publica el artículo, la Revolución Rusa tiene dos años y, por lo tanto, una alusión a ella viene de perillas. «En Magallanes la población está compuesta en su inmensa mayoría de extranjeros con un 70 por ciento de rusos, abierta a todas las corrientes agitadoras y separada por tanta distancia del centro nacional».

El entonces capitán ayudante de la IV División del Ejército, Arturo Fuentes Rabé, en su obra *Tierra del Fuego,* publicada en 1922, expone algo más que una opinión personal: «Libre ya Punta Arenas de un elemento desquiciador del orden, gracias a la expulsión de los revoltosos que lo constituían y reforzada la guarnición militar con tropas regulares, debidamente disciplinadas, y conocedoras del deber sagrado que inviste al soldado, pudo seguir desarrollando su sistema de trabajo ajeno a prejuicios de convulsión interna».

El capitán Fuentes Rabé no es imparcial. Lo traiciona la lengua: «Fue así como a Magallanes le tocó pagar su tributo a estos verdaderos parásitos de la clase obrera, admitiendo en su seno, centro magnífico para los nuevos profetas, a una cantidad considerable de pulpos desquiciadores del orden social, muchos de los cuales eran condenados cumplidos y presidiarios de cárceles extranjeras.

»Lejos de los centros poblados y con franquicias de toda índole, los aventureros se creyeron dueños de la situación y dueños también de ese núcleo de trabajadores honrados y laboriosos, cuya falta de cultura e ilustración debían explotar con palabras fáciles y con ideas obtusas.

»El ambiente general de Magallanes que ya hemos descrito, y que separaba abiertamente a señalados pudientes y a la gran masa obrera, auspició las doctrinas de estos falsos redentores y creó la más difícil de las situaciones para la marcha tranquila del territorio. Los capitales se vieron amenazados y las industrias amagadas».

El lenguaje del capitán no es tan homérico ni poético como el que da cuenta de la guerra de Troya. Las vulgaridades caducan pronto, lo cual no impide que sigan repitiéndose. Jorge Luis Borges dice que las ideas nacen suaves, pero envejecen feroces.

Aquí los tópicos que incitan a matar nacen viejos, nacen feroces. Y nada es más asesino que los lemas contra el «caos» que representan los pobres. Hay frases que nacieron feas clamando por la muerte. Los homicidas hablaban una jerga difícilmente aceptable para la Mistral. Le sabe a tema insoportable éste de la política de matar pobres por razón de Estado o en interés de los ricos. Los homicidas se cubren de uniformes. Recitan nacionalismos para insistir en la santidad de privilegios monumentales. Practican los ritos del canibalismo entorchado. A veces un general o un almirante puede no sólo casarse con una plebeya convertida en reina de la Patagonia, aparte de ser estratega, Presidente, historiador, filósofo, soñador de la gran patria gran, o sea, patriota «metafísico». Puede proclamarse agente de la divinidad. No tenían en su cabeza ideas nuevas, sino palabras añejas y prejuicios rancios. Los obreros carecían de alma y merecían la muerte. Nadie debía interrumpir la fiesta de Creso. Esta debe durar por un tiempo infinito. Los guardias de Creso están encargados de la guerra eterna contra el mal.

Los patriotas procedieron a celebrar sus «calaveradas heroicas». Consumaron la matanza de Puerto Natales en enero de 1919, y la de Punta Arenas el 26 de julio de 1920. Gabriela Mistral sintió de cerca la primera. Desde lejos la segunda. Había partido al norte en abril de 1920.

Escribir para no morir

Laura Rodig acompañó a Gabriela desde Los Andes a Punta Arenas. Trabajó en el liceo como profesora de Dibujo y secretaria suya. Será por entonces su amiga de máxima confianza. Laura pinta y esculpe el paisaje; sus ojos se fijan en las calles nevadas; diseña el cerro de la Cruz, las Torres del Paine. Pero reserva la pupila más alerta para la contemplación de Gabriela. Ilustra en la revista *Mireya* —cuyo nombre es otro tributo a Federico Mistral— sus «Poemas en prosa» y «Arbol muerto».

Laurita estampa en sus apuntes impresiones claves de aquel período: «Aún debe estar hecha la ciudad una obra de arte por la mano del pétalo de nieve… Las Torres de Paine son vértigos de elementos: vientos y tempestades, saetas que van y vienen… Estos comienzos o fin de mundo muestran a veces su hondo desamparo; en otros, se perfilan en aguas color turquesa o estaño; son ámbito o configuración para el Greco o las grandes catedrales del mundo… Su cielo es tan profundo, de estrellas o silencio o azote de bárbaros elementos cuando el viento hace bambolear nuestra vivienda… Su clima no brinda aliciente alguno. El viento aprieta, la escarcha corta, el aliento se congela, pero se ama como una madre a Punta Arenas…»

Va observando a la mujer desde la reserva de la noche, donde sólo resta un silencio que es como música inaudible, sincopada por la melodía de la escritura que Gabriela perfila haciendo crujir el papel a partir de un encadenamiento de sueños. Descubre la armonía entre el ámbito y la que escribe, a veces a la luz de una vela. Ella comienza su labor en las mañanas oscuras, como si fuera ya hora de escalar en el descubrimiento de la verdad.

La vio —dijo— apacentar hijos ajenos, pedir justicia para los doblemente desvalidos; la vio plantar árboles; la vio padecer y pagar un precio por los rigores del clima prepolar, ella ciudadana de valles cálidos. Pero la rudeza del universo físico no la destruirá; simplemente la somete a prueba. «La naturaleza grandiosa y dramática puso y le dio a Gabriela su acento más grave y profundo», concluye Laura.

Con o sin consentimiento de Gabriela, ella suele leer sus textos literarios. Se le convierte en hábito estricto recomponer, pegar, reconstruir páginas rotas y arrojadas a la basura. A veces es como armar un rompecabezas. Desarrolla la técnica del puzzle o del mecano. Es parte de su oficio. Juntar trozos, a ratos minúsculos, no resulta tan sencillo.

Es peor cuando Gabriela bota al agua borradores o textos desechados. Un día lanzó poemas de *Desolación* al Estrecho de Magallanes. Al menos fue así en una ocasión. Laurita sintió un primer impulso de lanzarse a nado a recoger las hojas náufragas. Los papeles flotantes pronto se perdieron de vista, llevándose tal vez el enigma de versos perdidos para siempre. La autora ahogaba tal vez un episodio inédito en la borrascosa historia inspirada por una marea de amor, por torrentes de celos, por oleadas de horror al sexo. ¿Por qué los arrojó al agua y no al fuego? Quizás porque no quería cenizas. Aquel hundimiento de la poesía en el Estrecho, como si fuera una escuadra, tenía la majestad de una metáfora. El agua que penetra como cuchilla en tierra sería una tumba marinera, la intimidad más recóndita para sus secretos. No los tiraba como una botella que se entrega al océano portadora de un mensaje al futuro. Quería que la interrogación siguiera pendiente, que el enigma se hiciera eternamente inencontrable.

Para Laura Rodig este hecho autodestructivo fue la transgresión de una regla no escrita. Gabriela era una mujer de muchos ángulos y de designios insondables. A veces emergía su franja más insólita, quebrando las afirmaciones de la antigua sicología. Laura —sin quererlo— estudiaba a cada instante esa alma humana que hervía como una olla a presión. Su funcionamiento solía a menudo sorprenderla. La observaba a tan poca distancia que creía comprender sus sentimientos. La movía hacia ella el apego y la compasión, porque sentía que sufría. No podía decir cuánto ni cómo. Eso sólo lo sabe el que padece. Pero miraba expresarse el dolor en sus ojos, en sus palabras, en sus gestos, en sus enmudecimientos, en sus estallidos. Sabía que seguía torturada por el amor. Le bastaba para ello verle el semblante por las noches. Y también advertir cómo ese dolor-amor se reflejaba en su arte, en un ir y venir, en un escribe que te escribe, entre la vida y la muerte.

Su amiga continuaba llevando al hombre Magallanes adentro. Al principio era una presencia que lo llenaba todo, como si su alma sintiese horror al vacío y rechazara cualquier otro pensamiento. No perdía la esperanza que la tortura producida por la evocación constante de la imagen porfiada se fuera borrando paulatina, dejando sitio gradual al resto de la vida y el mundo. Para salvarse Gabriela tenía que recuperar su yo, expulsar al invasor, ser dueña de sí. Un día su fuero interno debía pertenecerle a ella.

¿Qué remedio ingerir para conseguirlo? ¿Entregarse a goces efímeros? ¿Al trabajo como droga calmante? ¿Ocho o diez horas, catorce o dieciséis horas de labor pueden ser una medicina agotadora o un atontamiento?

Pero tal vez ningún antídoto más eficaz contra el veneno mortal que practicar el vicio de la palabra, darse a la conversación y sobre todo a la escritura; sentir cómo brota el esplendor de la lengua pura y fuerte; revelar lo suyo artísticamente, escribirse a sí misma su dolor como una carta diaria; vaciarse en la expresión personal. Su poesía, apenas encubierta bajo el velo engañoso, quizás haga evidente el misterio de sus estrofas atormentadas a un descifrador de los jeroglíficos del alma.

Laura Rodig, por su parte, no sólo daba cuerpo y volumen a la forma. Esculpía con el corazón, ese órgano que para Gabriela es «un cincel profundo». Artista figurativa, no intenta la copia gris. Trabaja con los sentimientos, con el duelo y la búsqueda de la serenidad, que tanto precisa esa directora de liceo, rota por dentro, envuelta en mantos contra el frío y la frivolidad, desesperada buscadora de la amnesia afectiva. Sabe que ella siempre está velando un duelo.

Cuando Laurita la esculpe, su figura contiene una narración escueta de su sentir y de su desventura. En el espacio que ocupa se vuelven materia, alusiones y reminiscencias. La muestra con los ojos entornados, el rostro transido por una calma que no es inmovilidad sino combate interior. Tal vez se insinúe en la escultura algo inacabado. Su relieve está abierto a un tiempo por venir. La modela como insuflándole la expresión desde dentro. La virtuosidad está allí. Se respira como manifestación íntima, lejos del manierismo. Todo en ella es verdad. Nada es fútil. La mujer en piedra exhala más elocuencia que alegoría, pero también encierra un compendio de símbolos. No faltará quien comprenda que ella ha leído fervorosamente la Biblia y que su mirada se ha fijado alguna vez con obsesionante penetración en estelas funerarias. La estatua doblemente silenciosa es multiplicadamente expresiva, con una dignidad que representa la obsesión por lo justo. La pesantez de la piedra se vuelve ligera, aunque la anatomía despide una gestualidad dramática. Las curvas se pronuncian libres de retórica. Al fin y al cabo, Laura está esculpiendo a una Dolorosa de nuestra época.

En la cabeza de Laura el mundo ha cambiado mucho. Le pesa la congelación de la arcilla. Ella no trabaja con la tinta que se seca en la punta de la pluma de acero. Tendrá que moldear guerreando a brazo partido contra el frío que agarrota, antes que la forma inconclusa sufra la petrificación glacial. Gabriela descubre a su amiga desesperada. «Yo le vi alguna vez tirar la greda cristalizada por el frío en una sola noche, con gesto de infinito desconsuelo». Sin embargo, quería poner su vida en su obra, sin quejarse ni dar lástima.

Laura fue una fruta que maduró en el hielo. Gabriela escribe en *Zig-Zag*, el 18 de diciembre de 1920, que Magallanes le dio

lo que no tenía aún: la absoluta conciencia, la seguridad de sí misma. Hasta entonces había logrado maravillas precoces, por intuición; ahora sabe lo que quiere, conoce su alma, ha sentido en las horas de introspección espiritual, palpitar su sensibilidad como se ve desde la playa la inmensa palpitación del mar.

Gabriela retorna en su soliloquio a los dos motivos de su extrañamiento. Pero subraya su intensidad: «escribí para no morirme...» Así era de grave el asunto, con peligro de vida.

Luego habla sobre el resultado del tratamiento. Ella, la hiperexigente, lo reconoce positivo. Y «así me fui rehaciendo». ¿Esto quiere decir que el fantasma de Magallanes hombre dejaba de perseguirla? ¿Verdad? Recibamos esta declaración acogiéndonos al beneficio de la duda.

En cuanto al otro discutible del para qué de su faena magallánica: chilenizar esa tierra, su conclusión es modesta. Si no lo logró no fue por falta de empeño, sino por el tamaño y la complejidad de la empresa. Además, era muy difícil que pudieran cumplirla *afuerinos,* como ella. Esa instrucción «chilenizadora», como se sabe, se la dio, seguramente de buena fe, su ministro y amigo Pedro Aguirre Cerda. No es una tarea para tristes ni para personas de paso. No podrían llevarla a cabo

los transeúntes de un mundo lejano, los desterrados nostálgicos... ¿Podríamos modificar una existencia dada sin entregarle toda —lo digo en un sentido de extensión e intensidad— nuestra vida? Estábamos sólo en préstamo.

Lo dirá aunque allá se convierta en predestinada de la nieve, en creyente de signos y coincidencias australes.

VII EL MILAGRO FRUSTRADO

EMPRENDIO UNA SINGULAR batalla por las vacaciones de invierno. Escribe un artículo abogando por ellas en la revista —que ella funda— *Mireya*, número 6, en noviembre de 1919. Aboga porque dado el clima de esa estación, los niños deberían mantenerse en sus casas sin exponerse al frío en escuelas mal calefaccionadas y sin andar por las calles y aceras barridas por vientos gélidos. Ella se refiere a los humildes, invoca en su apoyo la opinión de la prensa obrera, «muy digna de ser escuchada».

Tiene otros respaldos, pero de todas maneras pierde el combate. Vuelve al tema. Recuerda que, en 1919,

el Dr. Dodds hizo una indagación sobre el estado sanitario de los alumnos de dos escuelas municipales y, en una de ellas, el 100 por ciento padecía de raquitismo, afecciones broncopulmonares y escrófulas, y en la otra, el porcentaje sobrepasaba el 90 por ciento Propuse entonces —inaudita novedad— prolongar el año escolar en los meses templados y crear las vacaciones de invierno. Por mayoría implacable de votos pedagógicos se acordó no innovar, no introducir estas vacaciones invernales que permitirían a los niños no abandonar el calor del hogar paterno para coger fríos iletrados —que la letra con frío no entra— y la razón que me dieron las autoridades educacionales, privadas y estatales del territorio, fue algo que me remeció el tuétano del alma: los niños necesitaban el tiempo bueno para trabajar en el campo y ayudar así, económicamente, a sus familias. El año anterior, en el convenio de trabajo colectivo les habían fijado una modestísima suma a los que ayudaban a los velloneros, por animal. ¡Hasta mis propios colegas se inclinaban ante la oveja de oro! ¿Tenía algo sustancial que hacer yo, fuera del paliativo de mis clases populares, mis visitas a las cárceles, a los hospitales, yo, la mujer de dolores?[82]

Una autodefinición de validez permanente.

Años después, en México, le dirá al escritor Rafael Heliodoro Valle: «la clase dentro de la cual me siento, aquella de la que espero más y a la que amo de corazón, es la clase obrera».

¡Ah, si ella hubiera podido hacer el prodigio, no de la multiplicación de los panes y los peces, sino de los juguetes, de las golosinas, de la ropa y los zapatos para los niños! ¿El portento al servicio de la necesidad y la bondad? Una vez en la historia, por favor, ¡que el milagro se haga!

¡Ah, si ella hubiera hecho antes una encuesta o tuviera en los ojos rayos que detectaran la profundidad de la miseria, el desenlace de aquella tarde hubiera sido diferente! Procedió, la verdad, en forma esquemática. No examinó antes la pobreza a la luz de los números. Era una pirámide molecular desconocida en su magnitud. Actuó sin datos. Por eso, confrontada a la realidad, aquella tarde le sacó canas. La persiguió como una pesadilla, noche y día, y frustró su programa navideño de 1919.

Ante tanto desamparo, Gabriela quiso regalar algunas cositas a sesenta niños... pero llegaron cinco veces más.

Laura Rodig narra, como testigo abonado y directo, lo que sucedió aquella tarde en que no floreció la maravilla. «Llegó el anhelado día y vinieron nuestros invitados en un interminable y obsesionante desfile: tristes, friolentos, muchos deformes, con sus caritas macilentas y un extraño brillo en los ojos que no se sabía si era de ansiedad por los regalos o la tuberculosis. Por la impresión de verlos, la deficiente distribución de control ante la avalancha inesperada e incontenible, en fin, nadie supo en qué momento Gabriela empezó a darles trajes, zapatos, chombas, juguetes y dulces, o sea todo lo que había, a cada uno de los niños, que en verdad de todo necesitaban. Gabriela ante el cuadro vivo, lleno de dolorosa humanidad, olvidó las disposiciones que ella misma había aconsejado. Pero al cabo de la salida de los niños que iban felices, nos encontramos con el terrible dilema: el que también se nos habría presentado sin la dolida intervención de Gabriela, pues no quedaba nada ya, ni siquiera un caramelo. Y los niños llenaban salas, patio, la calle y todavía seguían llegando... Y no quedó más que darles la desalentadora noticia.

«Ella supo que la caridad no basta, las madres y adolescentes que acompañaban a los niños empezaron a protestar, a hablar de una burla a su miseria. A tal cosa se prestaba nuestra optimista, amplia y gentil invitación, sin un empadronamiento previo y sin el conocimiento de una realidad tan antisocial como la que presentaba una ciudad de multimillonarios rodeada de un inmenso suburbio miserable».

Sin embargo, en el colmo de la angustia, se produjo un hecho extraño, un medio o un cuarto de milagro. Al menos un alivio a la catástrofe, algo que atenuó la sensación de desastre. No operó al estilo de Jesús el día de los panes y los peces; fue una aparición completamente imprevista, que surgió de pronto ante la concurrencia decepcionada y furiosa; deslumbró a las madres irritadas y a los niños llorosos con un argumento irresistible. Nadie lo testifica mejor que nuestra imprescindible amiga Laura: «Algo extraño, casi inconcebible vino, providencialmente, en nuestra ayuda. En un auto, medio desmantelado, apareció alguien, de quien nunca pudimos tener noticias. Empezó a lanzar al aire grandes cantidades de billetes con lo que, poco a poco, fue llevándose lejos a esa poblada con razón enfurecida».

No pensemos en un flautista de Hamelin. Era parecido a escenas de nuestra niñez, con la irrupción a la salida de los bautizos una multitud infantil bulliciosa pidiendo monedas al padrino «cacho».

Cuando todo pasó Gabriela quedó desolada. Había batallado con lo imposible. La autora de los «Piececitos de niño» los había mirado, pero no pudo cubrirlos. La imaginación poética había sido derrotada una vez más por la realidad.

Gabriela no iba a cejar fácilmente. Al día siguiente de Navidad pidió que se publicara bajo su firma, en *Chile Austral,* esa carta en la que hace referencia a su anhelo de ofrecer a sus alumnos una lección práctica de caridad y no el imposible deseo de remediar «la miseria de toda una ciudad».

Esa experiencia le mostró las limitaciones de la auténtica beneficencia. Pero más la enardecía el reinado de la filantropía apócrifa.

Gabriela escribe entonces en *Mireya* sobre la comedia de los filántropos de pacotilla, que con su conducta doble suman geométricamente todas las hipocresías. Podrían ser los villanos de una novela negra. Propone un esbozo de argumento: visto del exterior el hombre tiene un corazón de oro. Visto del interior, todo él es un bolsillo de oro. Los gangsters suelen suelen ser también asesinos filantrópicos. Los rackets y los arreglos de cuentas se hermosean con envíos de flores a la viuda. Negocios, traspasos de concesiones, tráficos ilegales, contrabandos, coimas a la policía, soborno de autoridades.

Los caritativos capitanes de la industria la usan como una máscara que tape su manejo deshonesto. Duplicidad moral del que quita al pobre, dándole ostentosamente una limosna en público para que se vea y se divulgue. El mismo filántropo engorda sus caudales con el negocio de los barrios menesterosos, con las viviendas insalubres, pero ofrecerá una moneda al mendigo a la salida de la iglesia en las mañanas del domingo. Presionará al comercio. Hará de la corrupción una fuente de enriquecimiento. Predicará moral. Así amasaron sus fortunas. El olor a podredumbre viene del barrio alto, mientras la escuela yace en el abandono.

Gabriela desarrolla el tema como si estuviera en clase:

A es un filántropo. Pertenece a unas cuantas instituciones que restañan oficial y periódicamente aquellas heridas sociales que aparecen a plena

luz. En ninguna función de beneficio, en ninguna corona fúnebre de las
que se usan hoy falta su nombre; la cifra de ciertas donaciones suyas
deja perplejo al lector de los periódicos en que siempre se citan. A, ¿es
entonces un gran filántropo moderno?

No. A es solamente un falso samaritano.

Propietario del edificio de la escuela, mantiene cien niños en la
suciedad, la oscuridad, la fealdad de un pésimo local.

El concepto que de la caridad tiene toda una sociedad le ha enseñado
que eso no es un delito y que lo otro, la cuota fastuosa para los
dispensarios, es un heroísmo.[83]

Su gesto seudo caritativo no es cristiano. A juicio de Gabriela
equivale a una pantomima, un artículo de feria. Denunciará la
impostura. Hablará claro por los desamparados. Ella les prestará su
voz. No sólo escribirá poemas sobre su amor desgraciado. Ha
reflexionado largo sobre la ignominia. Publicará su denuncia en la
revista *Mireya*. Hablará por los niños que han muerto y por los que
van a morir. Es un grito de alarma, un S.O.S por sus pequeñuelos.
Sabe que no podrá salvarlos por arte de encantamiento, pero hay que
empezar por decir la verdad, aunque los samaritanos apócrifos le
cobren, irritados, la deuda con intereses compuestos.

Terratenientes, no hay incitadora tan activa de tuberculosos —¡de
degenerados!— que las habitaciones de sus obreros. ¡Curiosa y triste
industria de los dolores de los pueblos y su alivio! ¡Inconscientes como
sonámbulos, en los edificios y en los alimentos, en la luz, busca
aliviarlos en sus hospitales y en sus presidios! Es un horrible experimento
de sabio vivisector. Los niños que la escuela del filántropo A enferma,
tampoco hallan al llegar a su casa, que pertenece al justo C, la luz y el
aire en la habitación. Quién sabe si las cuotas de las instituciones
benéficas son la causa misma de esta aberración. En todo caso la cubren
para la moral miope, deformada de hoy…[84]

El gobierno prefiere los cuarteles a las escuelas. *El Magallanes*
publica el primero de abril de 1920 un editorial dedicado a la obra de
la directora del Liceo de Niñas, la señorita Lucila Godoy. Un solo
párrafo: «Ya que hemos tocado ese punto vale recordar que mientras
el Gobierno fue magnánimo para dar 200 mil pesos para la construcción
del cuartel del Batallón Magallanes, no se acordó que las casas donde
funcionan algunas escuelas, y el Liceo de Niñas muy principalmente,
están en pésimas condiciones; que son insalubres, que no tienen
comodidad alguna para la enseñanza y que muchos de estos edificios
son una amenaza para la salud de la población infantil…»

Gente extraña en la sala

Como no tenía nada de burócrata, se dio trabajo extra creando escuelas nocturnas. Deberían ser cotizadas como diamantes negros en medio de la nieve, pero nadie ajeno al pobrerío se fijó en ellas. Primero fue una escuela gratuita para obreras. Lo cuenta en su «Recado sobre la Antártica y el pueblo magallánico». El balance no la desalentó. Por el contrario, quedó complacida con la actitud de las alumnas y de las profesoras, que aceptaron la corona de espinas y se decidieron a «vivir largo tiempo en el país de la noche larga». Ella descubrirá presencias insólitas en la sala de clases:

> Mis compañeras iban a enseñar al más curioso alumnado que yo recuerde. Menos defendida del hielo que el hiperbóreo europeo, aquella buena gente —mujeres y hasta niñas— llegaba sacudiéndose la nieve al umbral y entraba a la sala con el hálito hecho vaho, dándonos el rostro rojo y duro que hace el frío, una piel parecida al pellejo del pececillo rojo… Después de la hora del Silabario, yo daba otra de «conversación». Incrédula como hoy de la «pedagogía pura», receta de maestros entecos, yo me pondría a hablarles de su propia vida, de las contingencias que se trae el vivir entre los elementos hostiles —hielo y puelche—, y de la obligación de ver la unidad, «contra viento y marea», a pesar del tajo del mar enfurruñado y el desparramo loco de las islas.

> Una noche vi llegar a gente extraña a la sala y sentarse hacia el fondo, familiarmente. Daba yo una charla de Geografía regional; me había volteado los sesos delante de aquella zona de tragedia terráquea, hecha desplazamientos y resistencias, infierno de golfos y cabos y sartal de archipiélagos. Al salir, el grupo se allegó a saludarme.[85]

Laura Rodig maneja la llave para abrir el depósito de historias de ese tiempo magallánico. Existen los eclipses de la memoria; pero algunos pasajes de lo sucedido durante aquellas clases nocturnas se le grabaron. A veces eran extrañas aventuras. Las noches de la escuela solían atraer a la parte más inquieta del pueblo femenino, pero también llegaban hombres signados por la tragedia o que tenían prontuario político policial. Después de la hora alfabetizadora se iniciaba el turno de la conversación con Gabriela. Su charla era la parte más sabrosa. En verdad, a las nueve y media de la noche comenzaba una sesión de esa habladora tan alucinante y arrobadora que se perdía la noción del tiempo. Sonaban las campanas de las 11 P.M. en aquellas noches invernales y ella seguía monologando para deleite de los auditores. Desgranaba anécdotas con toda confianza y abundancia a propósito de la zona, de su vida, de los libros. Solía indagar por la suerte de sus alumnos maduros. Su idioma hablado tenía el gusto de su lengua manuscrita. Era correntosa y nadie podía detener la fluidez de su palabra, que mantenía a sus oyentes como suspendidos. Ninguno se marchaba aunque se acercara la medianoche. Allí no había nadie de la clase alta. Sólo pobres. Poco después descubrió que acudían también perseguidos políticos, sobrevivientes de las últimas masacres. Tal vez ella se había hecho —no sabía cómo— cierta fama entre los círculos de los proscritos. El hecho no dejó de impresionarla. Tuvo la sensación de que era escuchada por gente inhabitual, a la cual le interesaba lo que ella decía. Esto le dio qué pensar, y no le desagradó ni le dio miedo. Estamparía por escrito su impresión de esos encuentros.

> Dos reos políticos del presidio de Ushuaia habían sabido de ese curso nocturno y tan informal; quisieron ir a verme y se les sumaron unos chilenos inéditos para mis ojos. Sentados otra vez, los seis u ocho, me contarían la escapada de los corajudos, los trances de la pampa, y el nadar de las aguas medio heladas, husmeando entre matorrales encubridores, hasta alcanzar la ciudad de Punta Arenas.[86]

Cerca resuena con un ruido espectral el agua negra del Estrecho. Un hombre tiritando, chorreando entero, nada desesperadamente hacia la orilla en penumbra. Va tras esa luz que divisa en tierra. Al pisar la playa, siente la tentación de tenderse en la ribera y reposar un momento, porque tiene la sensación que no podrá hacer un esfuerzo más sin que se le reviente el corazón.

Entonces, cuando parecía que descendía sobre ese extremo de la tierra una oscuridad sepulcral, el hombre descubrió en la ciudad rodeada por la soledad patagónica una casa de puerta entreabierta que esparcía rumores conversados y signos de vida hasta muy tarde.

Venía preso en un barco. En Ushuaia había intentado liberar a un camarada anarquista, colega de Radowitski, el que en Buenos Aires puso punto final a las hazañas represivas del jefe de Policía, responsable directo de la Semana Trágica. Todos los años, en secretos organismos anarcosindicalistas, se hacía un sorteo para decidir quién intentaría la operación rescate. Venían a asumir la misión incluso italianos o españoles. Este año nuevamente habían fracasado. Frente a Punta Arenas, el anarcosindicalista argentino-español arrestado se lanzó del buque que lo transportaba a las aguas del Estrecho. Nadador experto, logró ganar la orilla. Ya se había dado la alarma en el barco. Y lo perseguían.

Por fin empujó la puerta y entró. Al fondo había una sala repleta de gente que al parecer escuchaba abstraída la disertación de una mujer grande de cuerpo y amplia frente. A su lado estaba sentada una muchacha. Tal vez fue la única que lo vio pasar furtivamente; los demás le daban la espalda.

Laura Rodig efectivamente lo divisó. Le pareció advertir que le comunicaba una señal de inteligencia, con un dejo implorante. Se levantó disimuladamente y lo buscó por los pasadizos. El hombre acezante y empapado le explicó con palabras entrecortadas que lo perseguían y le suplicó refugio. Ella lo intuyó todo sin preguntarle nada más. Marcharon por un extenso corredor. Le enseñó el camino al entretecho. El hombre subió y desapareció de su vista. Ella regresó a la sala. Gabriela seguía hablando propulsada por sus recuerdos. Laura le cuchicheó al oído que necesitaba comunicarle algo urgente y grave, sobre lo cual ella debía decidir. Gabriela cortó de súbito el hilo de la charla y dio por terminada la clase.

Laurita la informó en pocas palabras. Opinó que no estaba bien un hombre escondido en un Liceo de Niñas. Le comunicó el proyecto que había concebido a toda carrera: le proponía vestirlo con ropas de mujer y trasladarlo a otro lugar. Gabriela rechazó la idea con la máxima energía. ¡Cómo se le ocurría! Estarían en esos momentos vigilando y rastrillando, peinando todas las calles. Fue enfática: «Ese hombre no sale, no sale al peligro».

Y no salió hasta que amainó la cacería del fugitivo. Gabriela no lo interrogó. No le preguntó siquiera cómo se llamaba. Sólo vino a saber su nombre más tarde, por los diarios. Una noche el prófugo salió de su escondrijo. Se despidió de las dos mujeres, que eran las únicas que estaban en el secreto, y se esfumó en la penumbra.

La anécdota no es casual. En Punta Arenas, el 28 de junio de 1919 escribe a Julio Munizaga Ossandón, director de la revista, coterráneo suyo de Vicuña, donde nació un año antes que ella. En los mismos Juegos Florales de 1914, en Santiago, donde una concursante de seudónimo Gabriela Mistral logró la Flor Natural, Julio Munizaga obtuvo el Primer Premio, distinción que le seguía en categoría. «Poeta muy estimado: Parece que la "Mireya" —le escribe— se ha vuelto revolucionaria [...]. El mistral la habrá tomado...»

A su amigo Juan B. Contardi le envía un ejemplar de la revista bonaerense *Nosotros*, que «publicó comentadísima conferencia de Ingenieros sobre "maximalismo". Cualquiera puede en Chile hablar así», manifiesta con sarcasmo. Le envía, además, «una hojita socialista» de Valparaíso.

Para hacer reír a los muertos y llorar a los vivos

Mientras los ladrones de Alí-Babá hacen su Magallanes, los ladrones de gallinas y los que desacatan la tiranía de la mentira están en los calabozos. Ella no olvidará a los perseguidos y a los encerrados bajo siete cerrojos.

Ve a los comediantes de la caridad que, a fuerza de repetirlo, terminan por convencerse de la legitimidad de su rol. Toda la prensa los endiosa. Son los reyes sin corona de la ciudad.

En la ciudad hay una cárcel maloliente, repleta de pobres diablos, pues a la justicia la manipula el Dios de los magnates.

En el mundo de bufones graves y millonarios que pontifican sobre la virtud ciudadana de la libra esterlina, sus farsas pudieran hacer reír a los muertos y llorar a los vivos.

Pero por ahora los que no se arrodillan, los que no adoran el becerro o la oveja de oro, los que reclaman, los que piden justicia y pan pueblan las cárceles. Gabriela siente congoja.

En 1918 escribe las coplas del presidiario:

> Mi pobre amigo con hierros
> mi pobre amigo con rejas
> me escribe que este setiembre
> no ha visto la primavera,
> y el temblor de su aflicción
> me viene en su letra trémula.[87]

No olvidará a la mujer presa:

> Miro su cara por los barrotes
> y veo su frente rayada
> y también ella me cuenta
> ocho rayos en la cara.
> Su mirada me da hierro
> y cae hierro de su habla![88]

¿Qué puede una vela encendida cuando rugen en torno a ella los vientos antárticos? Gabriela era allí anomalía: una conciencia insomne, individual, rebelde. Se esforzaba para que esa luz en la borrasca pudiera mantenerse encendida porque su raíz derivaba de semillas de fuego. Las llevaba adentro. Las expresaba en sus poemas y en sus recados (muchos de ellos verdaderos ensayos); en sus cartas cargadas de pronunciamientos. En rigor era una soñadora y también una realista; una pensadora, una labriega cuyo pulso latía al ritmo de un corazón universal. Si fue maestra lo hizo para disminuir el peso de la sombra, de la ignorancia; si fue poeta fue para decir su mundo al mundo. Toda su verdad estaba relacionada con lo que entendía su batalla por el bien y la justicia, que ella interpretaba como esencia de humanidad.

Laura Rodig rinde testimonio: «Por las noches era seguramente Gabriela el ser que más alto velaba sobre esa ciudad. Era tal la exaltación que le provocaba el viento, la nieve cuando extendía su blancura alucinante, la llama de los leños en la chimenea, que el sueño sólo podía vencerla muy tarde. Se quedaba preparando sus clases o escribiendo poemas, es decir, en íntimo coloquio con su alma y con los grandes elementos».

La literatura era para ella pelea cuotidiana. Quiere decirse toda... y se siente frustrada. Desea medir los cielos con su mirada interior... y la vista no le alcanza. No escribirá guiñoles. No hará trucos. Busca en el hombre —o sea en ella misma— ese fulgor repentino, huidizo de eternidad que se vislumbra apenas como un celaje que cruza por los grandes sueños y desaparece ante los ojos abiertos.

Gabriela es escéptica de la Mistral. Duda de su capacidad de fundir en una pieza de oro macizo la amalgama alma-expresión. Trabajadora desvelada, estampa en la profundidad de la noche una conclusión dolorosa:

> en ningún verso yo he puesto
> lo que mueve mis entrañas.

¿Quizás porque no se atreve a traspasar todos los límites? Al parecer a veces se atreve. Y escandaliza.

El 9 de febrero de 1920, en medio de la oquedad glacial del pueblo dormido —las noches están alargándose de nuevo— confía algún secreto no a un sacerdote sino al papel, que es su verdadero confesionario. Está muy descontenta consigo misma. De la plenitud del corazón al resultado magro hay un abismo desolado. Entonces todo irá al canasto. Sucede a menudo, casi siempre. En contadas ocasiones espíritu y expresión parecen estar separados por una línea tenue. Pero nunca serán lo mismo, ¡Señor! Allí está ella desgarrándose con el lápiz.

Cavilando en torno a Laura Rodig escribe «El Pensador de Rodin». Estremecida por los *pogroms* de Polonia dedica estrofas solidarias «Al pueblo hebreo». Es una época de creación fervorosa. Más de ochenta poemas, de los cuales dieciocho formarán parte de su futuro libro *Desolación*.

Sabe que la exaltación permanente termina por agotar la poesía, pero ella no puede escapar a su fantasma. Sigue apareciéndosele, sobresaltándola. Vive aún como embrujada. No ha podido enterrarlo en su memoria. En la mayoría de los versos que escribe durante el período en el terriotrio magallánico sigue subyacente el hombre Magallanes.

Vuelve a roerla la convicción que sus estrofas nunca fueron lo que ella quería. Busca la perfección. La concibe como fidelidad de la palabra al sentimiento. Ensaya diversas versiones y las despedaza. En el fondo de su poesía continúa celándolo. Desea reencontrarlo y teme. Ha recibido noticias de que él va de conquista en conquista. Compone coplas de apariencia sencilla, atribuladas por el desamor del hombre, por el amor de ella. En octubre de 1918 anota una balada tan simple como una letra de canción para ser cantada llorando.

> El pasó con otra;
> yo le vi pasar.
> Siempre dulce el viento
> y el camino en paz
> ¡Y estos ojos míseros
> le vieron pasar!…
>
> ....
>
> El irá con otra
> por la eternidad.
> Habrá cielos dulces.
> (Dios quiere callar).
> ¡Y él irá con otra
> por la eternidad![89]

La mujer para la cual Dios tiene un designio

Lee *La leyenda de los siglos*. La seduce la figura de la mujer para la cual Dios tiene un designio. Repite los versos de Víctor Hugo: «Booz no sabía que una mujer estaba allí./ Y Ruth no sabía lo que Dios de ella quería».

Gabriela reescribirá la leyenda:

> Ruth moabita a espigar va a las eras,
> aunque no tiene ni un campo mezquino.
> Piensa que es Dios dueño de las praderas
> y que ella espiga en un predio divino.
> … Ruth vio en los astros los ojos con llanto

> de Booz llamándola, y estremecida,
> dejó su lecho, y se fue por el campo...[90]

En viejos discos que giran bajo la aguja chirriante en la victrola, escucha música de Grieg. Traspasada por una bruma de nostalgia nórdica, oyéndola, escribe sus «Canciones de Solveig». Percibe en ellas algo que es suyo, una nota irremediable de soledad, pero se afirma sobre todo en los libros para reconocer sus sentimientos y estados de ánimo. Lectora fiel de sus clásicos, la atraen los atormentados. Son los de siempre y los de su tiempo: la Biblia, la *Divina Comedia*. León Tolstoi, tan inconformista como ella. Se da reposo con Rabindranath Tagore; se da fuerzas con Romain Rolland; encuentra una hermana en Selma Lagerlöff. Paladea seducida el *Viaje de Nils Holgersson a través de Suecia*, *El cochero de la muerte*, *Jerusalén en Dalecarlia*. Es la hora en que lee apasionadamente *La madre*, de Máximo Gorki. En carta a su amigo Juan B. Contardi, del 18 de abril de 1919, quiere comunicarle la impresión producida:

> Lo he recordado mucho estos días, leyendo una obra recién traducida de Gorki: *La madre*. Es como el génesis de la revolución rusa y es la lectura que me ha removido más en el último tiempo. Dígame cuándo tendría tiempo de leerla para enviársela. Son 700 páginas más o menos...[91]

Devora una biblioteca entera, donde no falta su nombrador, Federico Mistral, ni el otro que en un momento le completa su nuevo bautismo, Gabrielle D'Annunzio. Va olvidando a su alocado ídolo de juventud, su pecado iconoclasta, Vargas Vila. Descubre un alma afín en la poetisa italiana Ada Negri.

Laura Rodig afirma que en Magallanes Gabriela Mistral «escribió y dio el tono a *Desolación*. Se dibujan pronunciadas en su poesía ciertas paralelas constantes: los temas de la madre, del hijo, de la naturaleza». Fue una ecologista intransigente toda la vida.

Pero el asunto que la obsesiona concierne en su más estremecido acento al hombre Magallanes. En verdad *Desolación* representa, en su cuerpo central, la historia de una pasión desbordada de ruegos y maldiciones, interrogaciones y agonías.

Los primeros poemas, que se compilarán más tarde en un volumen, se publican en 1915. Durante los años que siguen continúan apareciendo. En 1917 la frondosa antología *Selva lírica* recoge varios.

En algunos ella proclamó la mesiánica espera de una vida más justa en la Tierra. Quiso el cambio. Tomada de la mano del autor de *Anna Karenina* y *Resurrección*, definió su esperanza:

> Creo en un mundo nuevo, cuyo aroma
> no el de la llaga, no el de la ceniza....

Hace el elogio de la «mujer fuerte», tal vez porque ella quiso serlo y lo consiguió por momentos a un precio tan tremendo que posiblemente le resultó demoledor. Ahondó luego en el drama de la «mujer estéril».

El drama se hace más hondo porque ella quiso—a gritos—un hijo del hombre que amó. Lo dice en un poema dedicado a Alfonsina Storni.

> ¡Un hijo, un hijo, un hijo! Yo quise un hijo tuyo
> y mío, allá en los días del éxtasis ardiente,
> en los que hasta mis huesos temblaron de tu arrullo
> y un ancho resplandor creció sobre mi frente...[92]

Es un poema extenso y desgarrante, sobre todo porque lo escribe

> la mujer que no mece un hijo en el regazo
> cuyo calor y aroma alcanza a sus entrañas,
> tiene una laxitud de mundo entre los brazos;
> todo su corazón congoja inmensa baña...[93]

A diferencia de otros que quiso olvidar, éste la tocó hasta la médula, incluso al final de sus días. No dejarán de citarlo al conferirle el Premio Nóbel de Literatura.

Su texto definitivo es la culminación del trasiego de varios borradores. Hay por lo menos dos versiones conocidas. En la primera los problemas de la sociedad y la lucha de los pobres no sólo le arrancan una adhesión, sino la ofrenda y el tributo supremo que puede hacer una madre.

> Cuando yo vi pasar las turbas aullantes
> con sus harapos al viento, vivos como banderas,
> retorcida en la lengua la blasfemia quemante,
> trémula de sus iras, mordido de sus fieras,
> les grité la promesa del Mesías temible
> que, desde mis entrañas, las contemplara fijo.
> Al perderse sus gritos en la tarde apacible,
> con los brazos en cruz, ¡yo les entregué mi hijo![94]

El desenlace suena revelador, casi panfletario. Encierra una definición de su actitud social, sobre la cual la crítica establecida hizo y sigue imponiendo una censura apenas disfrazada. Aquel pronunciamiento rotundo debía mantenerse al margen del público, porque traza una imagen de Gabriela Mistral que no debe llegar a conocimiento de las generaciones futuras, ya que no rima con la fisonomía sedante, más o menos inofensiva de una respetable matrona especialista en rondas infantiles y muy ajena a «las turbas aullantes».

Ella creía en un mundo hecho a la medida del pequeño, por tanto, creía en la literatura infantil, que en nuestros países continúa siendo considerada subliteratura. Postulaba la belleza posible y deseable de las canciones de cuna. Las escribió con infinita consideración por el niño, la criatura más delicada. Culpa a los poetas de faltar a un deber:

> Los poetas han olvidado, como las rondas del niño, las canciones de cuna [...]. La canción de cuna ha de ser como la gota de agua, divina en su simplicidad y en su descuido. Ligera como el rocío que no alcanza a doblar la hierba...[95]

Más tarde responde seriamente a una madre que critica las canciones de cuna de la Mistral, según su juicio, lindantes con la vulgaridad. Aclara en 1922: «Haremos también las canciones sutiles, porque es una forma de desprecio al pueblo darle la belleza inferior, la torpeza rimada...» La sencillez es difícil, pues es la perfección.

> Buscarla, como buscar la santidad desde el barro humano, ya es mérito; balbucearla, reconociendo que no se alcanza, es humildad [...]. Pero yo hablo aquí y hablé en mi artículo de la sencillez artística, no de aquello que llaman sencillez algunos poetas infantiles y que es pura ramplonería rimada. Queremos todos la poesía sencilla; pero la poesía.
> [...] ¡Cuándo seremos más artistas, para que nos repugne la vulgaridad fea en todo, pero sobre todo en el arte! ¡Cuándo seremos tiernos y no secos de alma, para comprender la voz tierna y la intención piadosa! ¡Cuándo haremos más y desdeñaremos menos! A menos, me diga ahora, que los cantares de cuna deben ser soporíferos, que hagan dormir más pronto al niño...[96]

En una parte de *Desolación,* denominada «Canciones de cuna», estampa la dedicatoria «A mi madre». Tiene temor a las distancias de estamentos y jerarquías.

> Yo no quiero que a mi niña
> la vayan a hacer princesa.

> Y menos quiero que un día
> me la vayan a hacer reina.
> La pondrían en un trono
> a donde mis pies no llegan.[97]

A ella por un momento la coronaron reina, cuando los pies de su madre ya no podían llegar a Estocolmo ni a ninguna parte.

En *Amauta* (N° 12 de febrero de 1928), José Carlos Mariátegui había publicado —pensando también en sus hijos— el texto de los Derechos del Niño, escrito por Gabriela. «Porque tan míos los siento como cosa parida». Las Naciones Unidas formularon más tarde otro Llamado por el Niño. Ella recuerda que el niño no admite espera; a él no se le puede responder mañana. El se llama «ahora».

En 1952, con motivo del Primer Congreso de la Infancia en Chile, envió a sus amigas Fuentealba y Vicentini, del Comité Nacional de Unidad, una carta tocando el tema. Volverá al asunto de la vivienda:

> Yo estaba por escribirles acerca del problema nuestro que más conozco y más me deprime, que es de la habitación. No tendremos niños sanos mientras nuestros pobrecitos se revuelquen en el fango de los conventillos o en los «cuartos redondos» que les echan naturalmente a la calle —y las calles del pobrerío son un poco muladares—[…]
>
> Yo tendré mucho gusto en ayudarles con más de un artículo —aunque no tenga diario allí— […]. Lo que he visto de estas campañas de un solo título cada una, en Bélgica y en Italia, me ha hecho muy feliz. Creo que varios escritores, solicitados expresamente por nosotros, querrían ayudar a hacer ambiente. La conciencia social de nosotros los criollos es perezosa más que perversa, es remolona y adormecida, pero no está muerta. Un mes o más de actos unitarios enderezados sólo a un punto, con hojas publicitarias distribuidas por las calles y llevadas por mano a los políticos, remecerían algo o bastante las vigas nacionales y el edificio mismo, los secos y duros huesos del país, su columna vertebral. Háganlo ustedes.
>
> Que la mujer sea la que pide por las calles el techo sin el cual aquello del hogar es sólo un mote oratorio de mentirijillas.[98]

Ecología y Burocracia

Magallanes le descubrió el rostro inclemente del segundo cuerpo del hombre, la naturaleza. Pero ella lo quiso. Se hizo especialista en «paisajes de la Patagonia». El primer poema de esta sección da título a toda la obra, *Desolación*. Comienza por la fijación del escenario. Lo relaciona con el estado de alma de la persona que lo contempla, actúa con él, lo siente y lo sufre y termina por amarlo. Encierra toda una concepción antropocéntrica y telúrica al mismo tiempo.

> La bruma espesa, eterna, para que olvide dónde
> me ha arrojado la mar en su ola de salmuera.
> La tierra a la que vine no tiene primavera:
> tiene su noche larga que cual madre me esconde...[99]

La anima el sentimiento del panorama. Más aún, lo personaliza y lo vuelve parte de su biografía. La pintura del «Arbol muerto» se refiere a sí misma.

> En el medio del llano,
> un árbol seco su blasfemia alarga;
> un árbol blanco, roto
> y mordido de llagas,
> en el que el viento, vuelto
> mi desesperación, aúlla y pasa...[100]

Ella, flora triste, para la cual toda expresión de la naturaleza resulta nervio sensible, es solidaria como ser humano de cuanto existe. Esta filosofía panteísta se desprende del poema «Tres árboles».

> Tres árboles caídos
> quedaron a la orilla del sendero.
> El leñador los olvidó, y conversan,
> apretados de amor, como tres ciegos...
> El leñador los olvidó. La noche
> vendrá. Estaré con ellos.
> Recibiré en mi corazón sus mansas
> resinas. Me serán como de fuego.
> ¡Y mudos y ceñidos,
> nos halle el día en un montón de duelo![101]

En «La lluvia lenta» transitan, inconscientemente enlazadas, las tan disímiles sombras de Paul Verlaine, Ada Negri y Carlos Pezoa Véliz.

> Esta agua medrosa y triste,
> como un niño que padece,
> antes de tocar la tierra
> desfallece...[102]

Por momentos se aturdía en el trabajo. Volvió a otra santa manía: crear bibliotecas. El ambiente era contrario e indiferente, con esa displicencia tan fría como el clima de la zona, como el mar de carámbanos que solía cercar la ciudad. A partir de la hora vespertina, se convertía en apóstol locuaz en la escuela nocturna, predicando la buena nueva de la lectura que lava y enriquece los ojos del alma como el mejor colirio.

A pesar de cuanto ella dijera, su vocación primordial, más que el monólogo o el diálogo escolar, incluso más que el vicio sospechoso de leer rompiendo todos los horarios, es esa conversación a solas consigo misma y con la adversidad, a la cual se entrega en pleno corazón de la noche, para confiar al papel el secreto de sus sueños. Es la hora del combate de su ángel contra su demonio. Ambos la tironean. Entonces sus interiores crujen, se desgarran, se expresan en ruegos, lanzan alaridos, se traducen en llanto solitario. Vuelve a releer lo escrito. No encuentra en la hoja el fuego que la quema. Una sombra. O una sombra de la sombra. Indignada consigo misma, vuelve a rasgar las páginas, con una frustración, y una sensación de amargura que acrecienta su pesimismo.

Pero tras ella va el duende diligente, minucioso, acumulativo y guardador como una hormiga, esa Laurita que preserva los cuadernos de composición hechos pedazos. Un día, otro día, ella la escucha lamentarse. ¿Por qué habré roto esos papeles? La custodia de originales va conservando subrepticiamente los que puede, los que ha salvado de su incendio de furias y desilusiones. Los reconstruye como una casa después de un terremoto. Luego los pone en sus manos. El júbilo de Gabriela es callado, pero un brillo en los ojos delata el gozo del asombro. Son muertos suyos que resucitan. Después, como un joven pascuero, Laurita le obsequia cuarenta libretas de su agrado. Está radiante. Horas después, las clasifica por tema y se da el placer de colmarlas rápidamente, porque es anotadora, escritora incurable, además de enferma imaginaria y real.

A cada rato se queja de mala salud. Laura la escucha. Intenta tranquilizarla. La asesora en la revista *Mireya,* le saca a máquina los borradores. Sabe que Gabriela está languideciendo en Magallanes por una herida oculta, a pesar de su dinamismo frenético y de su aire exterior de mujer infatigable. No ignora que ella teme y a la vez desea volver a Santiago o, por lo menos, regresar a lo que en Magallanes llaman el Norte.

Laura Rodig hace un viaje a la capital. Allí explica motivos y objetivos. «En aquellos años las comunicaciones eran tan difíciles y lentas que nos sentíamos en constante sensación de abandono y orfandad. En esas vacaciones yo me vine a contar nuestras adversidades y a poner en conocimiento el hecho de que Gabriela estaba casi postrada y que Argentina estaba proponiéndole excelentes condiciones de trabajo y en el clima que ella eligiese...» Realiza gestiones múltiples. Se entrevista con Pedro Aguirre Cerda, Domingo Matte, Alejandro Rengifo. Les explica la necesidad imperativa y urgente que Gabriela Mistral se aleje del frío. Como Laurita es delicada, inteligente, razonadora, auténtica y posee un encanto suavísimo que va convenciendo, barajan la posibilidad de otras destinaciones.

En carta del primero de febrero de 1920 dirigida a Pedro Aguirre Cerda, Gabriela le cuenta que ha recibido su telegrama, donde le propone obtener su traslado a La Serena. Le explica por qué tal nombramiento le sería ingrato. Sobre todo subraya la "intriga silenciosa" en la Escuela Normal de esa ciudad. El tiempo no ha cauterizado la herida. No olvida la memoriona del agravio. Le informa que el rector del Liceo de Hombres de Punta Arenas anda preguntándole si le convendría una permuta con la directora del Liceo de Niñas de Temuco. Sí, tendrá que mudarse. «Mi voluntad —le comunica— no triunfa ya del clima». Le agrega que si su madre se agravara, tendría que aceptar el ofrecimiento de Buenos Aires, abandonando Chile y la enseñanza.

El 25 de febrero envía un nuevo telegrama a Aguirre Cerda:

> Por razones familiares convendría mi traslado a Los Andes. Si fuera posible directora Antofagasta aceptara este Liceo. Ruego decirme si combinación sería viable.

En carta a Maximiliano Salas Marchán, el 19 de diciembre de 1919, le confidencia que Constancio Vigil, quien dirige en Buenos Aires las revistas *Atlántida*, *El Gráfico* y *Billiken*, le ha ofrecido la dirección de esta última. Pero ella sólo se comprometió a ser colaboradora desde Chile.

Un descubrimiento en la Frontera

Tras una enredada guerrilla de gestiones e influencias libradas en trincheras burocráticas, Gabriela recibe el 19 de marzo de 1920 un radiograma comunicándole su designación como directora del Liceo de Niñas de Temuco, cargo que, según el Ministerio, debería asumir cuanto antes, puesto que en aquel establecimiento sobraban los conflictos.

El 30 de marzo hizo entrega de sus responsabilidades en el Liceo de Niñas de Punta Arenas a Celmira Zúñiga. Se embarcó de regreso al norte el 5 de abril en el *Orcoma*. En entrevista de despedida, concedida a *La Unión* agradece en general a la ciudad que tiene, según sus palabras, aspectos espirituales. Un poco más adelante, contradiciéndose en modo flagrante, manifiesta:

> Es necesario que si no se quiere hacer odiosas las ciudades mercantiles, en Punta Arenas, como en Chicago, se dé en la vida colectiva como en la individual, un sitio ínfimo, si se quiere, vergonzante, pero un sitio, a los valores espirituales.[103]

Desea que Magallanes no sea como aquel personaje de Gorki que vive sus cincuenta años sin acordarse de su alma.

Temuco no le hace ninguna gracia. Desde ese pueblo el primero de julio de 1920, le escribe a don Pedro Aguirre Cerda y traza una comparación fuerte:

> Quiero contarle algo sobre mi estada en ésta. La ciudad es como tantas del país, infinitamente inferior a Punta Arenas, en sentido de calidad de población, de nivel de cultura, etc. Pero hay, por eso mismo, una más aguda invitación a la siembra de ideales.[104]

De vez en cuando suelen caer visitantes inesperados. Son tiempos de represión no sólo en Magallanes. Asalto a la Federación de Estudiantes en Santiago y muerte, enloquecido por los golpes, del poeta encarcelado José Domingo Gómez Rojas. Muy sobriamente, Laura Rodig alude a dos acontecimientos que juzga sobresalientes en la breve estancia de Temuco. «...Otro día y a raíz de los sucesos del memorable año 20, en calidad de estudiante perseguido, nos llegó como huésped José Santos González Vera, santo muy de nuestra devoción. Y al final, como para rubricar esta etapa del sur, fue el conocimiento, con un decidido y perdurable afecto, del adolescente de entonces: Pablo Neruda».

Tal vez en esa ciudad nueva, llamada la capital de la Frontera, lo mejor para la cultura y la literatura chilena fue el hallazgo de ese muchachito pálido del Liceo de Hombres, que le muestra tímidamente sus versos y ella se los aprueba no sólo con un signo de cabeza, sino diciéndole: «Están bien». El niño Eliecer Ricardo Reyes no olvidará esas palabras. El poeta Pablo Neruda dejará expresa constancia de ello.

Le predice un futuro. Resultó profetisa. Nunca nada ni nadie quebró esa amistad; no lograron enturbiarla, no obstante repetidos esfuerzos de aquellos empresarios de riña de gallos literarios que se empecinaron en enemistar a los dos chilenos ganadores del Premio

Nóbel de Literatura. En abril de 1936, cuando Neruda acaba de publicar su primera *Residencia,* la Mistral escribe un Recado del cual hablaremos más tarde.

El norte es peligroso, pero la atrae. Le entorpece el camino hacia Santiago una selva de lianas que cuelgan del presupuesto, un cúmulo de feudos ministeriales, el juego de las camarillas y los favoritos, un sistema antiguo de zancadillas.

Ha reiniciado la correspondencia con Manuel Magallanes. Parece hablarle de cosas externas. Le confía sus cuitas en cuanto a sus posibles destinaciones futuras en la enseñanza. Aguirre Cerda la había propuesto para una Visitación de Liceos, pero un señor Lorenzo Montt impuso a su recomendada, Amanda Labarca Hubertson.

> Me quiere mal y al reemplazarla yo, me hostilizaría a su modo: solapadamente. He dicho que me den Viña, colegio de igual categoría que éste. Si no sale eso, me voy a la Argentina sin duda alguna. Tengo allá muy buenas condiciones de trabajo. Aguirre no quiere que yo salga del país. Me duele oponerme a este hombre a quien le debo todo. Mi mamá es el otro obstáculo para mi viaje. Aquí no me quedo. Tú sabías que Valdés, Senador por Cautín, me acusó de intervenir en política. Es el Juan Duval que me insultó tres meses en *Sucesos,* hace años.[105]

Este aguafuerte de las costumbres políticas, donde abunda la insidia y reina la intriga, le salió muchas veces al paso en Chile y le produjo un asco intolerable. Será una de las causas de su autoexilio.

DE VUELTA A SANTIAGO se le desploma toda la historia del viaje al olvido. Ha fracasado. Se marchó para poner distancia y ahora la anula porque no puede soportarla ni es medicina para su mal de amor. Se lo confiesa sin ambages al hombre que rehúye y busca, en una correspondencia que torna a ser copiosa.

El 10 de abril de 1921 le escribe a Manuel Magallanes Moure: «He vuelto a la tierra a donde fui por ti y no te encuentro al regreso». Primera desilusión. Segunda: él carga con muchas culpas. Nunca se ha dado por enterado que ella lo evocó «en las llanuras de horizontes malditos», donde todo fue más triste, pues en el sitio de su destierro lo veía incluso entre los árboles «leprosos, torturados, miserables». En el fondo de sus ojos, reflejo de un alma dañada, teñían con un color tenebroso cualquier sujeto u objeto de su contemplación. Su corazón destruido «posaba en los seres una mirada sonámbula y vacía».

Pero que él no se engañe, porque la hosca, la huraña, la taciturna guarda en el santuario de su intimidad «un inmenso beso» sólo para él. Pero no besará a nadie, porque él no está.

> En la llanura, grande para mi sollozo, donde extendía tu corazón y el mío en los anchos ocasos lacerados, en la llanura donde no me besaron sino los grandes vientos, decía yo las letanías de nuestro amor. Así decía: Amo a uno que se apacienta de mi corazón como en tus inmensos rebaños. Cuando estoy cerca de él, sobre él, mar, no me haces falta, porque tiene un anillo infinito como el tuyo y su silencio conforta. Volveré y estará esperándome, porque soy suya, y el dueño conoce a su criatura. Los minutos tejen su corazón para mí; sus gemidos están vueltos hacia mí, los pájaros marinos vienen en esta dirección, impulsados por celos.[106]

Volvió y no la esperaba. La desconocía, porque quizás no era su criatura.

Los celos de los pájaros marinos son sus celos. Impulsan a los viajes, a los arrullos, a los picotazos, a los regresos estacionales. Todo esto ella lo mantendrá en silencio para el mundo, menos para él. Defiende el derecho a la privacidad de sus sentimientos. Lo considera un derecho humano, que tal vez la carta de las Naciones Unidas debería incorporar un día a su texto:

Nunca entenderé y nunca aceptaré que no se nos deje a nosotros —lo mismo que a todo ser humano— el derecho a guardar de nuestros amores cuanto no hemos puesto en los versos y que, por alguna razón, no dejamos allí. Razones de pudor, que tanto cuentan para la mujer como para el hombre.[107]

La celosa lo admira. Entona la alabanza de su amor. Aquí el caso se da al revés: es Sulamita la que canta a Salomón. Es ella quien dice el elogio del amado. Lo describe «tenaz, erguido, hermoso». Celebra la dignidad de su vida. Lo encuentra alto.

Cuando íbamos por los campos entre los grandes seres de la naturaleza, no eras pequeño. Junto a un roble yo te podía amar, eras tan noble como él en la montaña. Tu grito como el vivir, podía atravesarlas de ecos unas tras otras, porque eras fuerte.[108]

Es la óptica singular de una enamorada, capaz de metamorfosear por el poder del sentimiento a un hombre pequeño en gigante y a un individuo frágil en Hércules.

Transportada por el frenesí del regreso a los lugares de su amor, ella tampoco se quedará en minucias, porque la esperanza la vuelve optimista y, como en pocas ocasiones, generosa consigo misma y confiada en su fuerza. «Yo con mi mirada, con una sola mirada, regí su vida. Me la dio para que la fundiera con la mía en un bronce de salud y eternidad».

Esa convicción, impetuosa en apariencia, esa autoafirmación de su potencia, de su autoridad sobre el hombre, se disolverá como una nube en las manos de la tormenta y momentos después le dejará el rostro cubierto por una lluvia de lágrimas. Entonces vuelven los pájaros marinos, impulsados por los celos. Andan otras mujeres de su brazo por el camino y le duelen como si sintiera en su carne las tenazas de Satanás.

Ella es en el fondo muy orgullosa. Se autodescribe en tercera persona. Sueña en tercera persona todo lo que hubiera podido ser. Fotografía el retrato inefable e imaginario de la felicidad imposible. Debería recordarla como mujer de veras. Así sería porque, habiéndola perdido, probablemente le venga la hora del arrepentimiento por haber dejado escapar la grandeza. Ella fabula, inventándole al hombre el monólogo de la expiación y de la tristeza y reconociendo la fertilidad bíblica de ella. Así un día él diría evocándola:

Me habría dado un plantel de hijos vigorosos, como el plantel que dio Lía a Job. Habríamos dormido sobre las eras y Dios nos habría bendito los hijos concebidos bajo la noche estrellada entre la mancha de los rebaños y el olor acre del humus en la tierra [...]. Ahora va por el mundo con sed [...], siempre tendrá sed. Cuando vea una fuente pura, se acordará de mí y no beberá [...]. Si otra lo besase profundamente, sus hijos se me parecerían: así va mi cara en sus entrañas. Y si no se me parecieran, no podría amarlos como a hijos. Ha de cantar siempre, y yo estaré atravesada en su canto, como una cuchilla para que siempre tengan sangre sus acentos. Si tú la encontraras por la calle, la reconocerás por los labios sin esperanza y por la sonrisa con que busca la alegría. Si quieres que te perdone, no lo conseguirás, porque ésa no conoce el perdón. Si te viera vestida de mi mirada y mis besos, si te mirara ahora, se secaría en un instante la sangre que va en torrentes por su cuerpo: así padece. Y si oye llamarme, como en este instante, se partiría los oídos para no escuchar más. El orgullo la hace vivir y caminar y aprieta sus huesos que, sin él, se disolverían, porque conmigo comenzó a morir.[109]

Tamaño orgullo de sí misma, que de súbito la mueve a hacer este autorretrato, es un documento raro en ella, teniendo en cuenta que tenía tendencia a castigarse. Pero en la realidad profunda corresponde a la idea que alguna vez concibió de sí misma, porque, al fin de cuentas, esta autotorturada estaba consciente de su valía y seguramente reprochó al otro no haber comprendido quién era ni haberle visto la estrella por la que merecía ser ungida como La Elegida..

Así sucede tantas veces en el amor. La desproporción entre los contrarios sólo se hace evidente cuando el amor se apaga. Entonces llega el minuto de la verdad.

Una carta con retrato desfavorable y autorretrato adicional

A veces los vocativos sobreviven al sentir y a la desnudez de las intemperies: «Compañero (¿por qué te llamo así, si ya no eres mi compañero?)» Como si cediera al instinto maternal, fluctúa enseguida inclinándose al uso ambiguo del vocativo hijo. «¿Qué te me hicieron, mi hijo, mientras yo fui lejos para volver a quedarme a tu lado?» La pregunta está cruzada de sospechas y cargada con informaciones sobre infidelidades sucesivas.

El picaflor teme, por añadidura, a su mujer legal. ¿Miedo al escándalo? ¿No quiere que ella sufra? La que padece es Gabriela, quien no tardará en entregarse a las venganzas feas y a las «venganzas hermosas».

Acto seguido se dejará de linduras. El dolor no es propicio a los reconocimientos fingidos.

He sufrido; mi carne conoció todos los dolores —era por ti— y no te encuentro. Sí, estás. Me he cruzado por las calles con tu sombra. Tenaz, erguido y hermoso. Y ahora eres torcido, viejo y manchado...[110]

No es la decadencia de un gran pecador, a lo Stavroguin. No se hunde en el mar como una fragata, con todas las velas al viento.

No te me ha robado un gran vicio, no te ha hollado el poderío de una gran pecadora. No llevas una ancha herida. Eres como los frutos de otoño, picoteados de los pájaros, y estás ennegrecido y miserable. Tienes en la cara, las salpicaduras de las pequeñas charcas. Ni siquiera eres del todo maldito [...]. Caminas, furtivamente, como los delincuentes pequeños. No eres ni soberbio ni humilde. Pareces un desperdicio de los que amarillean a la orilla de los ríos de las ciudades y que son los escupitajos de su miseria.[111]

Le reprocha su falta de integridad. En ella, por vía de desquite, lo desafía a que contemple su retrato a la inversa: la mujer entera.

Y mientras tú no fuiste capaz de esperarme con la nobleza de la vida intacta, he aquí que yo he vuelto íntegra. Mírame, para que envejezcas; padecí, y estoy más erguida. Merezco dormir sobre tus rodillas, pero tus miradas no merecen caer sobre mí, largamente, cuando duermo. Te perdí y me has perdido.[112]

Su memorial de agravios es largo. ¿Siempre fue él así? ¿O antes lo vio ella con otros ojos? Se inclina por la idea que el tiempo lo ha ido empequeñeciendo, debilitándolo. Su ausencia habría sido la hora de su perdición, de su caída y la revelación de su superficialidad. La cambió por mujeres que no valen la pena. Ella no lo ha cambiado por otro hombre, pero si lo buscara en su imaginación debería ser muy distinto de él.

Pero me fui, y mientras te evocaba yo en las llanuras de horizontes malditos, tú formas, cerca de ti, en mi lugar, mi vaso, una pérdida, y tú te consolaste con el borde del vaso y esa boca gastada y fría. Y te has vuelto reducido y miserable como mi vaso empañado, y hoy, tu compañera no pudo ser sino esa mujer de pequeño regazo, de astuto ojo pintado. Y otras como ella. ¿Pero qué haría yo, a tu lado? Cerraría los ojos y buscaría en el ensueño a otro, a otro fuerte y tranquilo, con su frente sin quebradura de fatiga y con una voz entera.[113]

¿Buscó ese otro? ¿Existió? Alone en sus memorias, *Pretérito imperfecto*, así lo afirma: «Es uno de los capítulos de nuestra historia literaria que están por escribirse, el de las relaciones entre Jorge Hübner y Gabriela Mistral. Algo de ello aparece en las memorias de González Vera y los lectores de *Cuando era muchacho* no habrán olvidado el episodio, risueñamente contado por su autor, de aquel paseo del San Cristóbal en que, de pronto, el que los había invitado se sintió de más y hubiera dado cualquier cosa por eliminarse del dúo en el que ya no le cabía participar como tercero. La impresión que el poeta causó en la poetisa, desde el primer instante, fue violenta y permanente. Su intuición lo colocaba en el sitio que le correspondía, es decir, en el primero, y de allí brotó una correspondencia unilateral, a la que sólo las circunstancias impidieron volverse dramática. Hablarle a Jorge de Gabriela era someterlo al suplicio de la discreción forzada, de no poder contestar lo que sabía. El nombre de Jorge, en cambio, le hacía a ella bajar los ojos, cambiar la voz, como el que penetra en un terreno misterioso. Se han perdido las cartas que guardaba Sara Hübner y donde Gabriela desahoga su alma tempestuosa. Vimos un día una tarjeta enviada por la poetisa desde Los Andes con una vista cordillerana árida y dura, y esta frase: «Como esos montes me tienes de tajeado y negro el pecho». Un grito muy suyo. A menudo, cuando en la conversación surgía el recuerdo del poeta, ante la alteración de su rostro, repentinamente contraído, evocamos la balada en que ella, tal vez sin advetirlo, traicionó: "Llevaba un canto ligero/ en la boca descuidada; y al mirarme se le ha vuelto / grave el canto que entonaba" . ¿Entonces era para él? ¿No por el otro?

¿Lo intentaría como liberación, aplicando la doctrina del reemplazo por uno mejor? ¿Verdad? Es posible. «Buscaría en el ensueño a otro». Y si lo encontró, tampoco fue el hombre que anhelaba «…fuerte y tranquilo, con su frente sin quebradura de fatigas y con una voz entera». No le apagó el fuego central que la consumía, el fuego Manuel.

¿Esas cartas que guardaba Sara Hübner, mujer con fama de seductora, que apasionaba a Magallanes, están perdidas para siempre? ¿O un día volverán de su extravío o saldrán de su escondite, como las que escribió a Manuel? ¿Gabriela embistió en ellas contra Jorge Hübner Bezanilla como lo hizo en su correspondencia a Magallanes Moure?

Volvamos a ella y a Manuel.

Recurriendo al dicterio, mezcla de resentimiento y soberbia, lo acusa de no ser más «la dignidad de la vida». Se lo imputa llorando, «con el inmenso beso guardado en la soledad, agrandado en la soledad y que era tuyo». Luego se autoexamina con lástima. El le ha hecho un perjuicio irreparable:

> Miro mi vida y está malograda. Pura, no puede serlo bien, porque tú la encanallaste. Algo de tu ponzoña ha de correr por mi sangre, que la rojez de mi sangre venía del calor de tus ojos; fuerte no lo seré más, que la dejadez de tus pasos irá un poco en mi andar, pues la dureza de mi carne venía de tu salud.[114]

Además, por un contagio inmerecido, la ha condenado. Acuña una teoría del efecto corrosivo y destructor de una pasión que infecta y contamina al otro. «Tú has perdido y me has perdido. Tú sabes que, de los muertos que se aman, un gusano pasa al corazón de la amante viva, hasta que ella también se disgrega».

El lenguaje se aproxima al folletín, pero a ratos tiene el tono de las maldiciones bíblicas. Se mira a sí misma como la eterna gran incomprendida. Algún día su majestad interior será reconocida. No vacila en poner en labios del que no la entiende las palabras admirativas que, según ella, él le dirá un día a su puta de turno, abrumado por el remordimiento, retrospectivamente torturado por esa ceguera que le impidió distinguir su aureola. Pronto la conocida desconocida, la reina abandonada, la mujer arrojada al camino o al canasto retoma la palabra para restablecer la verdad. Y luego vuelve a la andanada diciéndole que le aclarará las cosas, insultándolo.

> Ahora, tú, caído, reblandecido, podrás contar, como una leyenda de vigor que te caliente las arterias, mientras estoy, a la mujer de tus noches:
> —Pasó por mi vida una mujer de verdad. Ella pudiera estar cubierta delante de una reina, porque su corazón tiene una corona de fuego, fuego de dolor, brasa de tormento, que me la hace gemir. Yo, con mi mirada, con solo una mirada, regí su vida. Me la dio para que la fundiera con la mía en un bronce de salud y eternidad. Pero yo amaba los juegos y la rompí jugando para echar sus pedazos en tus faldas de ramera. Tú no la has visto, pero ahora te lo cuento, como una palabra prodigiosa para que no te duermas todavía, porque quiero que me beses.[115]

Que quede claro: él no conseguirá redimirse ante sus ojos, entre otras cosas porque en asuntos de amor y de traición ella no concibe el indulto ni menos la amnistía. Nada conseguirá borrar el crimen. «Si quieres que te perdone —puntualiza en esa carta del 10 de abril de 1921— no lo conseguirás, porque ésa no conoce el perdón». Y si lo oyera llamarla, ella «se partiría los oídos para no escuchar más».

Como epístolas de amor, resentimiento y ajuste de cuentas podrían interesar a los sicólogos. De todos modos se incorporan a la literatura como texto de altura. Muestran que su obra pasaba por las iras de su corazón y por el molinillo de carne del sentimiento. Prueba, además, que sus poemas de amor respondían a una vivencia donde nunca falta la fuerza que da la verdad vivida y la violencia desmesurada de una mujer que los escribía a partir de su experiencia personal.

Un poquito de orgullo

Esa relación no se corta de golpe. Es una lenta agonía, con períodos alternados de calma y tormenta. La guerra de trincheras aún prosigue. Le anuncia que se va de Chile. «Parece que a la Argentina». Que no crea que es por él. Explica que no pondrá la Cordillera de por medio ni por amor ni por desamor. Simplemente está aburrida de la enseñanza. Ya no trabaja como profesora, sino más bien como burócrata. Y eso no es para ella.

Algo más. Tampoco es la que él piensa (dura, vulgar y mala) ni él es como ella lo veía. En una palabra, no lo conoció. Además se le ha producido otro fenómeno: cuando ella volvió de la provincia de Magallanes lo divisó en Santiago y se extrañó de que fuera él. Sin duda no era que su cara, su cuerpo hubieran cambiado. Pero el hombre con el cual ella soñó tenía otra faz. Con un dejo maligno le agradece que se haya desfigurado el rostro tan bien como lo ha hecho, porque le proporciona una paz muy grande.

Tan segura se encuentra en relación con él que si quiere verla antes de su partida, ella estaría de acuerdo. Sí, sería posible. Al fin y al cabo, constituiría un reconocimiento para la mujer que es ahora y un desconocimiento de la que fue. Tendrá, además, ese encuentro la ventaja de la contemplación directa, sin intermediarios ni versiones interesadas. No será la fotografía más en negro que en blanco de las mujeres que lo han querido y que a ella la han infamado. Tendrá la ocasión de verla como es:

> Una mujer vulgarísima, que el dolor envenenó sólo un tiempo, que ahora es serena y que le hablará como una hermana vieja, no como una madre, que eso fuera demasiada ternura, de un amor, como de un muerto adorable que se ha hecho polvo, pero cuya fragancia se aspira todavía en el viento que pasa, en la primera flor de la primavera.[116]

¿Tras esta carta la correspondencia termina? No. Simplemente adopta otro tono. Pero que él no le pida que le hable con el alma y no con el cerebro. «No tengo alma, Manuel. (No es literatura, por desgracia esto no es una frase)». Ha llegado a comprender que el bueno es el que siente poco. Le da repugnancia ese enloquecimiento, la violencia del espíritu a la cual se sintió tan propensa durante años.

Continúa por un tiempo la guerrilla epistolar. Las cartas vuelven a lastimar; pero ella ya no las contestará febril al minuto siguiente. Las dejará reposar para librarse de toda ira. Le pedirá unas horas de silencio o semanas y cuando se sienta tranquila se sentará a escribirle sin odio ni molestia. Ella le ha retirado el tú, pero no quiere que él la trate de usted. Ella comprende clarísimo el por qué. Para él es una extraña, pero el hombre no lo es. Rectifica una mentira de la carta anterior. No lo vio en la calle; lo que vio fue un retrato.

La correspondencia del hombre insiste monotemática en el amor. Ella hablará de otras cosas. Hablará de su alma con un sentido de introspección que se va profundizando. A su juicio, ella tiene un alma que considera curiosa, ahora con días vacíos de sentimientos, pero repletos de ideas y sobre todo desbordantes de actos. Dice comprender que son días inferiores, pero ¿qué le va a hacer? En el hecho, esos días son más y dominan a los otros.

Le sugiere que siga el mismo procedimiento epistolar. Que él le cuente su día y ella le contará el suyo. Claro que él se sentirá inhibido de relatarlo temiendo que ella se moleste. Le hablará también un poco de sus poemas. Los versos de amor de Gabriela son mal recibidos por los puritanos de oficio, brotan los comentarios soeces. A ella le afectan. Los falsos puros piden poco menos que su cabeza. Ella se siente «purificadora. Los marranos no ven sino barro en todas las cosas».

El intercambio se hace más pacífico. Pero aunque él le envía dos cartas recordándola en la noche de Año Nuevo y el primero de enero, nunca las de ella resbalarán por la rutina. Le contesta melancólicamente, con ese sentimiento nostálgico que suscitan las personas que se llevan dentro. Ella no está llena con la presencia de los suyos por una razón simple, porque no los siente suyos. No perteneció a la sociedad de consumo ni a la sociedad acaparadora. No tiene el instinto de posesión ni el sentido de la propiedad. Su libro capital tiene un nombre sombrío: *Desolación*. No se titulará así principalmente porque una parte lo escribiera en tierras semivacías, Magallanes, Patagonia final, donde no sigue otra tierra, salvo que por el mar se llegue a las regiones antárticas. No, lo bautiza así porque ella se siente desolada. No se encuentra apegada a nada.

El día en que se cuenta varias canas en la partidura del pelo se encuentra naturalmente vieja. Antes fue loca. Ahora lo es más. Ya en Magallanes el obispo le reclamó porque no hacía vida social, sosteniendo que con ello perdía el colegio. Ella es creyente en Dios, pero no admite intercesores. Le respondió:

Nunca, ni por la situación más encumbrada, haré concesiones al mundo. O me admite el pueblo así o me echa. Yo me iré antes de que me eche. Pregunte S.S. lo que ha ocurrido con mis antecesoras que hicieron vida de plaza y salones. También hay en eso un poquito de orgullo, me dijo. No sé como se llame; pero sé que es bien para mi alma y todo lo demás no me importa.[117]

Su conclusión es que cada vez que habla con un cura, tal vez sea soberbia, siente que «soy yo el verdadero cura».

El alma de las mujeres le parece extraña

Manuel buscaba la gobernación de San Bernardo. Ella le desea que ojalá se la den porque cualquier trabajo, hasta la peor ocupación, equilibra, ya que embota la sensibilidad. Le aconseja que hable con Pedro Aguirre Cerda. Dice textualmente a propósito: «Es mi único amigo político y lo estimo sobremanera como hombre bueno y como hombre justo. Se lo debo todo, te tratará como lo que eres...». Así hablan de otras cosas, de un obispo, de un político, del embajador mexicano, el poeta Enrique González Martínez, que ella aprende a apreciar en su valor. Le dice redondamente que ahora sus días son mejores que antes. No es el cielo, pero tampoco el infierno. No es la felicidad, pero es como una leve insinuación de ella, como un perfume suyo, «diluido, apenas perceptible...». En una reflexión dirigida a él, como subrayándole el sentido, le dice: «Piensa esto y entiéndelo». Se declara pesada de manos. Las muchachas que la acompañan dicen que sus manos no son palomas sino gavilanes. A un hombre que pretendió abrazarla le dio una bofetada y le rompió un tímpano. Si él quiere verla, que antes haga, como Mæterlinck, un poco de boxeo. Pero esta golpeadora ruda se interesa por ver morir las tardes, tendida en la cama. Las siente como un símbolo de sí misma. Es la hora en que las cosas se apaciguan.

Las cartas son distintas de las anteriores. Opina que ella ha cambiado y se ha vuelto más humana. ¿No lo ha entrevisto él en sus poemas de la madre?

Le ofrecieron la dirección del Liceo de San Bernardo. Antes de dar el paso quiere saber si desea que se vaya a trabajar al pueblo donde él vive. Además teme dos cosas: estar cerca de él y la lucha sórdida en una pequeña ciudad que han descrito como chismosa. Ella tiene mucho miedo a la maledicencia.

Días más tarde sabe que el intento de Manuel de ser nombrado gobernador de San Bernardo se ha frustrado. Lo consuela. Ya encontrará algo bueno. Piensa que «a pesar de sus promesas de dar sólo a los capaces, Alessandri no podrá dar sino a los impertinentes y pechadores.»

Continuará celándolo. Lo cela con Sara Hübner, escritora, mujer fatal de su época. Y le pregunta con cara de inocencia: «¿Por eso volviste, Manuel?, ¡ay! Mi duda no es cosa de curar. Te perdonaré; pero no voy a olvidar nunca». Le envía un ejemplar de la revista argentina *Atlántida,* con colaboraciones que ella llama *tuyas.* Con esto quiere decir que pertenecen a él y a la otra, a Manuel y a Sara. «¿Sufres por ella? Sin embargo, te quiso y te quiere . A su manera. ¡Qué extraña es para mí el alma de las mujeres!». Lo dice como si ella estuviera fuera del género.

Ahora es capaz de hablar en las cartas de cosas muy contingentes, pero que en alguna forma están relacionadas con él. Cuando era directora del Liceo de Punta Arenas, le ofrecieron igual cargo en San Bernardo. Ya sabemos por qué dudaba de aceptar. Ahora confiesa una razón más. Ella quiere jubilar en tres o cuatro años a lo sumo. Y necesita subir en el escalafón y en la categoría. Prefirió, por tanto, el Liceo de Temuco, que es de segunda categoría, al de San Bernardo, de cuarta categoría. Parecería que ese amor ya no la induce a hacer locuras.

No fue una indiferente cívica pero detestó a muerte la politiquería, que la persiguió, la postergó y la hizo pasar malos ratos.

Reclamará con frecuencia que la gente no sabe ver en ella. No sólo los politiqueros, también, a su modo y en otro terreno, él no sabe ver en ella ni entender sus palabras.

Es el año 21, un día de abril. Los fines de semana suele ir a San Gabriel, para respirar aires cordilleranos. Lo esperaba ese día de abril, entre otras cosas porque era su cumpleaños y quería que salieran a pasear juntos toda la tarde por el campo. Estuvo hasta las seis esperándolo, pero él no llegó. Y se quedó triste ese día de su cumpleaños. A solas saca la cuenta. Tiene treintaidós. Le falta uno para la edad de Cristo. «Entro, parece que en el año místico: treintaitrés». Le da gracias por el jazmín, que tapó con destreza ante los ojos de una visita.

Tampoco irá él para su día. No fue a verla y ella envejece. Se lo recuerda claramente.

El 17 de mayo se queja de que ha estado muchos días sin hablarle. Como es desmedida de lenguaje le anuncia:

Tuve hace noches un ataque cerebral y me ha quedado mal la cabeza, mucho dolor que se viene y se va, malo el genio. Como siempre que me duele la cabeza, el estómago es el enfermo.[118]

Bajo la ceniza arde el rescoldo. El fuego se apaga despacio. Y chisporrotea. Es un lanzallamas. Esa proclamación de estar libre de la locura, o sea, del amor, no hay que creerla al pie de la letra. Es una lucha de todos los días y más que nada de todas las noches. Como cualquier combate, se alimenta de la contradicción. Ella se estudia a sí misma, pero ese afán de cantar prematuramente victoria sobre la pasión es también un modo de darse ánimo. El decirle que ya no lo quiere encierra una forma inconsciente de hacerlo reaccionar.

Tal vez lo más significativo de ese período es la mirada que proyecta dentro de sí misma, donde siente y padece una mujer que los otros no ven, que nadie conoce. Y quien menos la penetra —sostiene— es justamente él.

El hombre alega que sus cartas lo desconciertan, incluso le causan mala impresión. Siempre lo ha asustado su ímpetu. Ello lo atribuye a que continúa siendo para él una desconocida, no obstante que siempre le dijo lo que era. Se debe a que no ha sabido oírla o ha olvidado lo que le reveló. Si quiere reparar su amnesia tiene a mano sus cartas para repasarlas y descubrir el enigma. Tal vez sea incapaz de releerlas. En ese caso le resultaría más fácil recurrir al juicio de la gente, cosa bastante equívoca, pues se sabe incomprendida. Y, finalmente, si quiere saber quién es ella, que eche una mirada a sus versos y allí haría el hallazgo completo de su personalidad. Si tampoco hiciera esto, acoja entonces su propia autodefinición, el autorretrato sicológico implacable que ella cree está en sus versos y que de veras corresponde a su alma: «Soy la más desconcertante y triste (lamentable) mezcla de dulzura y dureza, de ternura y grosería». Ella adelanta que entiende por qué él no puede entenderla. Y esa incomunicación o incapacidad de interpretarla se explica porque son almas opuestas. Nada debe ser más antipódico y repulsivo para él que un espíritu como el de esa mujer difícil. De allí pasa, no sin acritud y sarcasmo, a pintar el retrato del hombre al cual le resulta incomprensible: «Una suavidad natural, que es cosa de su sangre, una virtud casi química (perdone la expresión) a la que ha venido a agregarse la depuración voluntaria por la cultura».

Ella se describe como su reverso, como un opuesto incompatible. Ella es su no, sin esperanza que un milagro dialéctico produzca la negación de la negación. No tiene ni suavidad natural ni tampoco cultura o la cultura no le ha llegado a la sangre. En una época —que aún no ha escapado al influjo de Zola, en que se hablaba mucho del peso de la herencia— le dice que la suya es fatal. Como se siente de la raza de los profetas, será más pasión que razón. Su destino la condena a quebrar todos los límites y a sobrepasar la frontera de la cordura y de los buenos modales.

En cuanto a la cultura, no puede jactarse que la lleve adentro. Si ella ha hecho algo por la cultura —y desde luego esto no lo dice– la cultura, en cambio, no ha hecho nada por ella. No la ha incorporado a su fisiología, a su ritmo interno, a su modo de sentir y reaccionar. ¿Causas de esta falta de asimilación cultural? Lo explica con frase disyuntiva. «...O porque estudié tarde o porque los temperamentos primitivos repelen la educación». Hela aquí diciendo en voz alta que es una primitiva. En cierto sentido lo tiene por virtud. La civilización mecánica no es para ella. Será siempre una labradora, una pobre labriega que, como Ruth, va a espigar en las eras de Booz, o una huasa elquina, que no tiene la dulzura de las uvas del valle transversal, sino la piel áspera y el rostro de piedra de los cerros del Norte Chico. A él no le hizo misterio de su mal carácter; peor para el hombre si no ha tomado en cuenta la advertencia.

La moribundia continúa. Sus estertores ella los observa al microscopio, agrandando detalles que un ojo aplicado al lente descubre de proporciones insoportables. Que él no trate de pasarle gato por liebre. Guarda silencio absoluto sobre lo que no le conviene, y esto es lo que le pasó a ella. ¿Acaso no ve lo que le sucede a esa mujer que le vigila el más mínimo gesto? Y si lo ve, ¿no entiende la causa y es incapaz de excusarla, lo cual sería una forma elemental de comprenderla?

Además ella lo interroga interminablemente. Es casi un interrogatorio policial del sentimiento. Desea descubrir la verdad, que para ella es siempre amarga. Quiere la última confesión, exige la sinceridad absoluta. El se defiende. Le hace declaraciones amables. Ella lo contrainterroga como un investigador o un torturador, hasta que consigue arrancarle la verdad. Contestando a preguntas suyas, que van de interrogación en interrogación, ha conseguido que él reconozca que los presentimientos de ella eran acertados. El hombre acorralado ha dicho por fin la verdad: no la quiere, «en el sentido hondo de la palabra».

IX EL BESO INSOPORTABLE DE LA PIEDAD

ELLA ACUSA DE inmediato el golpe. Tal vez él se da cuenta del efecto que esa declaración ha producido y trata de suavizarla. Le besa la mano, pero ella no podía tolerarlo. No es el beso de Judas, es el beso ceremonial del bien educado, el beso que se da todos los días a cualquier mujer conocida que se encuentra. Y, como ella se dice «salvajemente sincera», se lo dirá en su cara. Ese beso no pecaba de falsedad, lo dictaba algo peor: la piedad. Ella no aceptará jamás inspirar lástima. Prefiere la crueldad a la misericordia, la descarnada franqueza al beso compasivo.

¿Acaso el hombre no se dio cuenta? Eso es lo que ella está interesada en conocer. ¿Tuvo o no conciencia del efecto que ese beso cortesano causó en su alma? No. Ella tiene su dignidad y no tolera que la compadezcan. Para la otra la piedad. Pero que a ella le besen la mano por lástima, eso jamás. Prefiere mil veces aguantarse con su sufrimiento, reventar a solas. Está hecha para sufrir el dolor y tiene capacidad de resistirlo. Que no le vengan con besitos en la mano, que no proceda con ella por conmiseración, porque esa actitud es un insulto y es no saber nada de la altivez del fuego que arde dentro de su espíritu.

Ferozmente deductiva, extraerá de la experiencia del beso amable en la mano conclusiones sociológicas, que sustentará toda la vida, que llevará a la interpretación de la literatura, que la conducirá a preferir mil veces la literatura rusa, donde percibe la fuerza ruda y descarnada del ser humano, en trance primitivo y natural, a la literatura francesa, enferma de refinamiento, que ha perdido todo contacto con el pathos visceral de la gente de abajo y «ha parado en una perdida», con ojeras pintadas.

Y se lo dice al hombre que le ha besado la mano con gesto, a su entender, cortesano.

> Vea usted, Manuel, cómo yo tengo razón cuando digo continuamente que la humanidad culta ha llegado a un punto admirable y desgraciado a la vez, desde el cual no puede ya comprender al ser primitivo.[119]

De su interpretación del beso como cortesía pasará al terreno de la diferencia de clases como mundos antagónicos, no sólo en lo económico, social, sino también en lo sicológico. Se lo explica a su afable interlocutor. «Es el caso del aristócrata con el peón: son dos universos, son dos planetas espirituales que no pueden compenetrarse». Adviértase que junto con establecer la relación insoluble, reconoce que el peón, o sea, el hombre de abajo, es también un universo, un planeta espiritual. Y ella se siente perteneciente a esa parte de la humanidad que poco tiene que ver con el modo fino y con la cultura de élite. Los que tengan ese gesto y esa forma de ver la vida no la comprenderán. No comprenderán al pueblo ni tampoco a ella, y atribuirán a inferioridad congénita su posición subalterna en la vida y también sus ademanes directos, que el refinado estimará vulgaridad connatural en la gente pobre. Ella, partiendo de una actitud que la hiere, deducirá una filosofía, una postura ante la vida y una opinión sobre las clases y los hombres que la componen.

> Desde su punto de vista —suavidad, cultura—, usted no puede entender, a pesar de toda su inteligencia, esto: que yo no he hecho una maldad. No me afirme lo contrario. Tal vez no lo llame usted maldad, lo llamará falta de maneras, lo llamará plebeyismo. Yo, poniéndome mentalmente dentro de usted, lo llamé grosería; pero para mí no lo es: es un ímpetu nobilísimo de mi corazón, es hasta santidad.[120]

Por lo visto, no cantará la palinodia. Lo que él puede llamar grosería, ella lo llama santidad. Así estamos. La santidad de Santa Teresa y de Sor Juana Inés de la Cruz, la santidad tal vez de las mujeres que, queriendo ser ellas mismas, se rebelan contra la civilización medieval del caballero, contra el imperio del macho latinoamericano y de la falocracia. No vacila en calificar dicha actitud como santidad, camino de santidad, porque es un ejercicio tan difícil como ser hombre o mujer. Más aún mujer u hombre del pueblo.

Y éste es uno de sus dramas adicionales. Ella está en una tierra de nadie, porque tal vez su aura de poeta, sus lecturas, su condición vagabunda de maestra, profesora o directora de Liceo, que va de Antofagasta a Punta Arenas, de Los Andes a Traiguén, de Temuco a Santiago, la van alejando de sus raíces. Quizás sienta que, en lugar de un hombre tan exquisito como Manuel, ella pudo tener un amigo para el cual el pan fuera pan y el vino, vino, sin circunloquios. Ella vive, por lo tanto, una vida prestada. Se encuentra rodeada por el reino de la hipocresía, porque la gente decente representa la vida como una obra de teatro. Ella peca por auténtica, y si a veces se ha sentido en el aire, como girando en una galaxia que no le corresponde, más que nada se debe al pecado de la lucubración intelectual permanente. Una mujer, como el hombre, a su juicio, deberían andar siempre desnudos de alma.

¡Ah, Manuel! Por qué me he puesto yo, por unos cuantos gramos de intelectualismo, lejos del hombre del pueblo, que debió ser mi compañero, si estoy tan infinitamente lejos del hombre civilizado, en el alto sentido de esta palabra. Cuando yo sé de un bruto que mata queriendo, me siento dentro de él; no me siento dentro de casi ninguna acción civilizada. Sin embargo, no se dice de mí —por la mayoría— que sea una salvaje. Es que vivo dos vidas: la que me hace vivir el mundo y la otra. La otra es sólo instantes, como el que usted conoció. Y tenía que conocerlo. El amor es el que suelta las trabas hipócritas y por él yo dejé mi actitud de persona decente, de mujer más o menos tolerable. No me enrostre nunca esta desnudez. Mire de dónde vino.[121]

Ella compara a Manuel con la colina de contornos suaves que contempla desde su ventana. Ella se sabe hecha a pico, tallada de precipicios. «…Es una fatalidad que me han creado tres o más generaciones de gentes violentas».

¿Qué derecho le asiste para protestar? Ha tenido siete años (los siete años bíblicos) para formarse una convicción: él no podía, no quería quererla.

Seguramente lo mejor contra las tormentas eléctricas es el pararrayos de la actividad y cambiar de lugar. Cambiar de lugar para cambiar de tema, hundirse en la muchedumbre de los asuntos cotidianos. Y ella no puede escapar a la vida diaria ni a sus pequeñas batallas. El 18 de mayo le escribe para hablarle de una tempestad político-administrativa que se avecina, anunciándole que ella se bamboleará en el ojo de la tormenta. Le pide que preste atención a una intriga que ha saltado a la prensa. Un señor Luis Castillo, secretario de la Junta Central Radical y marido de la candidata derrotada para la dirección del liceo número seis, cargo para el cual ha sido nombrada Gabriela, ataca a Armando Jaramillo Valderrama, ministro de Justicia e Instrucción Pública, por el delito de esa designación. El ministro prepara la descarga.

Vendrá la réplica y yo saldré a danzar. Me duelo que el ministro sufra por mí. Por esto le pido siga el asunto, ya que yo voy a estar ausente, y haga si se ofrece lo que sea necesario. No lo olvide, Manuel, y perdone.[122]

Ella fue una víctima de la politiquería nauseabunda. No ocultó nunca la repugnancia hacia ella. Confía en pocos amigos. No pedirá casi nada, pero al amigo entre sus amigos le solicita que la defienda, si se hace indispensable.

Renuncia

Garabatea unas líneas autobiográficas.

> Lucila Godoy, nombrada recientemente directora del Liceo número 6 de Santiago, viene a presentar a US. la renuncia del cargo con que la quiso honrar el Gobierno, en vista de la incidencia a que ha dado margen su designación, incidencia que no quiere calificar y pide a US. se le conceda la jubilación a que le dan derecho sus dieciocho años de servicios, sin una censura de sus jefes". -Al Ministro de Instrucción Pública.[123]

Recibe la contestación: "Lucila Godoy, Liceo de Niñas - Temuco: Gobierno no puede aceptar renuncia de un funcionario como usted, que cuenta con toda su confianza, por incidencias que no tienen valor alguno, porque con ello se sentaría un precedente funesto para la administración pública que dejaría a sus funcionarios más dignos sometidos en su estabilidad al capricho de cualquier persona. - Armando Jaramillo, ministro de Instrucción".

Se le reprocha que no tiene título. Gabriela Mistral le escribe a su oponente Josefina Ley de Castillo:

> Yo no lo tengo, es cierto mi pobreza no me permitió adquirirlo y este delito, que no es mío sino de la vida, me ha valido el que se me niegue, por algunos, «la sal y el agua».
>
> Yo, y otros conmigo, pensamos que un título es una comprobación de cultura. Cuando esta comprobación se ha hecho de modo irredargüible, por dieciocho años de servicios y por una labor literaria pequeña, pero efectiva, se puede pedir sin que pedir sea impudicia o abuso. Usted no conoce mi vida de maestra y yo voy a resumirla en cuatro líneas, porque la sé noble de toda nobleza, para que la tome en cuenta:
>
> Con la obediencia y el deseo de servir de una empleada pública, accedí a ir a Magallanes, dejando atrás familia y todo, a «reorganizar» el Liceo de Punta Arenas. Un pueblo entero, desde el obrero de la Federación hasta los capitalistas, pueden decir en qué forma cumplí con mi misión. El Liceo de Temuco se encontraba en un caos de luchas internas y desorden cuando el Gobierno me mandó allá. He conseguido llevar a él paz, verdad es que todas las profesoras son tituladas.
>
> Trabajé años antes en una colección de poesías escolares (y trabajo en una de cantos) para los textos de lectura que sirven en todos los colegios. Todo esto es labor escolar, no literaria.
>
> Me dice usted, en el acápite final de su tarjeta, que «no abuse de mi gloria». No la tengo, mi distinguida compañera. Si la tuviera, no se me

negaría el derecho a vivir, porque una gloria literaria es tan digna de la consideración de un país como una gloria pedagógica, y los pueblos cultos saben estimarla como un valor real, y saben defender a quien la tiene del hambre y del destierro. No la tengo; pero he contribuido mucho a que en América no se siga creyendo que somos un país exclusiva y lamentablemente militar y minero, sino un país con sensibilidad, en el que existe el arte. Y el haber hecho esto por mi país creo que no me hace digna de ser excluida de la vida en una ciudad culta, después de dieciocho años de martirio en provincias.[124]

Un poeta accidental de ese tiempo, que más tarde sería ministro del Trabajo, Fernando García Oldini, le escribe una carta que da una de cal y otra de arena: «No seré yo quien pretenda sostener que usted no tiene merecimientos para aspirar a la dirección de un liceo, no seré yo quien vaya a objetarle su falta de título: usted es un talento excepcional, y para las excepciones no rigen, no deben regir las reglas. Pero ahora no se trata de eso. Hasta este momento no he podido comprender por qué sus amigos periodistas hacen tanto hincapié en este punto. Si el pasar sobre las leyes de la República es censurable, la censura debió ejercerse cuando Aguirre Cerda la envió a usted a Punta Arenas. Ahora no. Por lo demás, nadie, al menos públicamente, ha atacado su nombramiento desde este punto de vista».

Ella se anticipa a decir que no son cosas del alma, a la cual declara *vencida,* sino mundanas. Pero la golpean. Le producen lo que llama depresión espiritual. Tiene más receptividad para lo negativo.

Como desagravio le quieren brindar una manifestación de simpatía; ella sólo aceptará si es deseo de él. Las otras voluntades no le interesan, aunque ella entiende que en el fondo se trata de defender al ministro atacado, de decir que el nombramiento ha recaído en una persona que lo merece. Ella lo aceptaría no por sí misma, sino por el ministro. Todo esto, y más que nada las cartas que se cruzan entre los que se pelean por un cargo, es para ella «minucia miserable». Baja y triste.

Gabriela en esos días se puso de moda, no por el reconocimiento a su poesía, sino por las denuncias, el barullo que se pretendió formar en torno a su nombramiento. Se sintió inhibida. Cuando volvió de Temuco a Santiago no quería salir de la casa. Advirtió que la gente la miraba con una curiosidad malsana y ella se dijo: no es por los "Sonetos de la muerte" ni por "El ruego" o "Amo amor", sino por «el zarandeo de los diarios de todo este tiempo».

No tiene todavía casa en la capital. Anda de gitana. Busca un pedacito de suelo cerca de santiago. Se ha comprado dos pequeños sitios en La Cisterna y Lo Ovalle. Pero ese viaje en auto, del cual le cuenta a Manuel, lo hizo para contemplar la cordillera. Como mujer nacida entre cerros, necesita verlos. Además esa cordillera la atrae por su rudeza, por el espesor de la nieve, por su perfil agudo y el rostro huraño. Vuelve a los recuerdos de infancia, punto de referencia permanente. Le gusta San Alfonso. Le atraen Los Andes, aunque las furias de sus entrañas se conserven bajo la cabeza cana de los volcanes.

He aquí una diferencia con Neruda. En el sur de la selva oscura y lluviosa, más que la montaña reinan el verde de los bosques y sobre todo el azul del mar. A Neruda el mar le dice todo y no podía vivir sin contemplarlo; a Gabriela el mar no le agrada. Preferirá la cordillera. Esta es callada, discreta. Secreta como ella. El es poeta del agua marina y ella montañesa. Si tienen esas predilecciones distintas, si ambos espíritus manifiestan preferencias tan desiguales, es porque sus temperamentos son bien diferentes, porque sus infancias vivieron en relación con la tierra escenarios y formas muy diversas. Neruda optó por el mar, pero nunca desdeñó la cumbre andina. Dedicó a Las piedras de Chile todo un libro. Ella, inmensamente apasionada, incluso con los elementos, dirá su amor por la montaña y su angustia por el mar.

> El mar me gusta mucho menos que la montaña. No tiene el silencio, dentro del cual una pone todo. Además, su inquietud casi me irrita. La montaña me lo da todo. Me eleva el alma intensamente, me aplaca y me vivifica. En cada quiebra con sombra pongo genios de la tierra, poderes, prodigios. El azul festivo del mar no me gusta; todos los colores de ella me gustan.[125]

Se contradice. Bromea en serio: «Pero ¿de dónde han sacado que soy soltera?... Yo tengo un marido, que es el mar. Pero, como toda mujer, soy algo inconstante, y a veces lo engaño con la montaña». Tal vez era a la inversa.

Siente que la cordillera da salud y hasta la pone optimista. ¿Qué es el optimismo para esta mujer tan descontentadiza respecto de sí? Ella misma responde: «una flor de resignación». Se escapa cuando puede de la mugre, de la infamia citadina, hacia el paraje cordillerano de San Alfonso, no sólo porque le hace bien sino porque en Santiago siente que se ahoga. No le han entregado aún su casa y vive de allegada junto con su pupila de Punta Arenas y un empleado. Además, ella atrae a los visitantes (en ese tiempo la gente se visitaba en las casas más que ahora). Recibir huéspedes en domicilio ajeno no es tan cómodo, murmura. En fin, resulta más tranquilizadora la montaña.

Vivió con mujeres toda la vida, pero no fue amiga de reuniones sociales y le horrorizaba pensar que la confundieran con la señoras que escriben, más aún si éstas forman parte del círculo dorado, que charlan de literatura o de los pobres a la hora del té en los salones con muebles de palisandro de la capital.

> Me asquea la ciénaga en que se mueve Santiago; cada vez que oigo hablar de doña Inés de Echeverría, o de Roxane o de otra mujer que escribe, pienso en lo que dirán de mí. Pero sin irritación: creo que se ha dicho de mí todo y ya quedan pocas novedades.[126]

Lo que más la enoja, sin embargo, es que anden chismoseando por allí que ella es arribista y que ansía codearse con las damas de alcurnia.

> Dicen que me he metido en la aristocracia. Hay en ella alguna persona a quien estimo; la frecuento lo menos posible. Soy, antes que todo, obrerista y amiga de los campesinos; jamás he renegado de mi adhesión al pueblo y mi conciencia social es cada día más viva.[127]

La última frase encierra de nuevo una autodefinición. Nadie podrá decir que la transgredió. Explica muchas cosas que le pasaron. Desde muy joven supo que tendría que pagar un precio por estas ideas. Y se lo cobraron en ocasiones al contado violento.

Crítica del intelectual apocado

Después de la tempestad —oasis de calma entre turbonadas— asume el cargo de directora, la que le impone sofocantes obligaciones burocráticas. Atender una cola de postulantes, de maestras que solicitan puesto. Choca con toda la inhumanidad de la humanidad, con la insolencia, con la imprudencia, con el peticionismo patológico y también con la demanda de la que se muere de hambre, así como la presencia del caudillo y del patán, de los que llegan a un ministerio a dar portazos porque tienen que pagar favores electorales. Ella no está hecha para soportarlos. Discrepa totalmente del intelectual apocado, que acepta los atropellos y ser mirado en menos. A su juicio, ellos mismos tienen la culpa, por su individualismo, por su falta de coraje. El cuadro que traza de esta sicología débil, entregada, del artista, no sólo vale por una descripción anímica del grupo sino también como pintura de época. En el fondo, ella se revela como una leona que no se dejará enjaular. Manuel tampoco en esto se le parece.

Lo postergan por su delicada corrección. Por esa caballerosidad que, según ella, «se le siente hasta en el paso». Pero los primeros culpables de su situación son los mismos «artistas». No han sabido juntarse para sumar fuerzas y hacer valer sus derechos.

> Un mal se han hecho y han hecho al conjunto, los artistas: han admitido las situaciones humillantes, empleos de clase ínfima y no han tratado de imponerse por medio de una asociación respetable. Han dejado el campo a los otros, a los desvergonzados, y renunciando a todo, han ido reduciendo su presupuesto hasta llegar a la verdadera miseria que yo conozco en algunos. Burchard, por ejemplo, tiene una situación desesperada. Y en el caso de Lillo, jubilado con cien pesos. Y tantos, tantos […]. Los pocos que hay bien colocados —Mondaca, Bórquez— se han olvidado de los demás; el exceso de dignidad hace callar a éstos, y resulta entonces que las escasísimas almas finas de esta raza espesa, brutal, raza de pacos y mineros, no actúan, apenas se ven vivir, apenas se hacen recordar de tarde en tarde con un cuadro o una poesía que en un momento enciende el ambiente y vuelve a desaparecer en el silencio. Yo también, Manuel, hubiera sido uno de ésos, si no hubiera tenido madre que sostener y por la cual tuve que pelearme con la vida. No creas que miro con satisfacción la lucha; pero me tranquiliza el pensar que entré en ella por el deber.[128]

Ella se siente guerrera, aunque cada combate le marca una cicatriz. Las pugnas administrativas o las pechas por los puestos desgastan su espíritu y le dejan un sabor ácido. Ella sigue embarcada en lo que llama «la campaña del 6». Esa batalla por la dirección del Liceo fue larga. Cree que toda alegría debe ser pagada, contrapesada por la desgracia, el dolor. Dice, como si los momentos buenos fueran un pecado, que pronto debe recibir el castigo por ellos. Así es en la vida pública, digamos.

Y en la vida íntima debe aprender a vivir en la olla de grillos. En su relación con Magallanes —al parecer una agonía inmorible— hay flujos y reflujos, florecimientos y recaídas, con la característica de que uno sigue al otro casi de inmediato. A trechos estaba contenta con él y sentía renacer la confianza. Ya comenzaba a mirarlo como a un hermano, y esto es para ella el tipo de relación tal vez más alta, porque sus valores superiores en esta materia son los que la vinculan a un hijo o a un hermano. Para ella representa un modo de viajar hacia la pequeña felicidad alcanzable.

De repente todo se derrumba. De nuevo queda claro que él no pudo quererla, y si una cosa la afecta más que nada es que ni siquiera esto ahora la pone fuera de sí. Es lo peor, porque confiesa que no siente ni el alivio de echarle la culpa al otro. Simplemente el hombre se está volviendo más astuto. No es un tonto que pueda quererla. Y, ¡por todos los santos, o por todos los diablos!, que no sienta misericordia. En esa situación no pueden ser tampoco amigos. La amistad común y corriente es un poco más neutral, pero puede hacer mucho bien, justamente porque no significa una guerra.

No sabemos si por darle celos o por ilustrar su descripción de la amistad no amorosa le habla de un nuevo amigo. Es un jefe de sección del Ministerio de Educación. Los sinsabores y molestias vividas a raíz de la batalla por la dirección del Liceo Nº 6 la hicieron descubrir a ese hombre, con el cual ella cree que ha establecido una «hermosa alianza espiritual». Tal vez se excluyen de esa relación los atractivos de la carne, lo cual la tranquiliza. El tuvo una sorpresa: descubrirla dolorosamente sensible a la perversidad. Le tendió la mano y quiso enseñarle algo conveniente: aprender a vivir en esta olla de grillos, sin tomarla demasiado a lo trágico.

Este hombre es muy distinto a Manuel. «De artista, ni asomo». Así lo define para señalar una diferencia radical. Llama a esa relación «un idilio de amistad». Sostiene que esto es lo que la asombra más. Ese hombre, tan ducho en lo administrativo, que la ha ayudado a resolver los problemas del liceo, que la ha aconsejado bien, cuando la ve angustiada se ríe afectuosamente y le enseña a no dramatizar las cosas. No puede, desde luego, por diversidad esencial del espíritu, conocerla por dentro, descubrir lo que ella llama *su alma*. Esto no le desagrada, por el contrario, le parece mejor. Gabriela explica en su revelación que el hombre es casado y excluye toda intención ruin, como sería, por ejemplo, tratar de poseerla físicamente. Le da la impresión que ama a su mujer y está convenido que van a ser compadres. Nacerá un hijo de su matrimonio y ella estará feliz de convertirse en su madrina.

La descripción de esta amistad es un capitulillo en la guerra sicológica con Manuel. Le confiesa que con ese hombre tiene una confianza sin límites, en cambio, con él no. Esto la entristece, pero también la serena. Además, ese amigo que se mueve en la selva burocrática sale en su defensa. Con el seudónimo White publica en *El Mercurio* un artículo respondiendo a diversos ataques malintencionados, según Gabriela, que se hicieron alrededor de su nombramiento como Directora del Liceo. Tiene el valor de desenvainar la espada por el honor de su amiga. La conmueve en él un rasgo más: quiere adiestrarse en la tarea de ser su caballero o su escudero contra los malandrines. «Déme libros —le pide—; yo voy a aprender a escribir, a escribir así, como periodista, para defenderla en los diarios, ya que no basta que la defienda en el Ministerio».

En el fondo ella está trazando un contrapunto punitivo. Son dos hombres, uno que le hace bien; otro que le ha hecho mal, comportándose muy educadamente. Pero esta herida sigue manando sangre, aunque se siente más tranquila.

No se me ocurre, Manuel, decirte nada cariñoso, y no es porque no te quiera; es porque me lo rompiste todo, la esperanza, la fe. Y todo esto sin hacer ninguna inconveniencia, con terrible corrección.[129]

El siente tal vez que la mujer que le escribe es insoportable, escritora estupenda de cartas, pero algo así como un personaje criollo de Dostoievski, que lo está recriminando siempre, irritándolo. Además ella confesó en su tiempo amarlo hasta la desesperación, pero nunca le permitió el más leve avance carnal, obstruida por el miedo. La eterna doncella teme al hombre como al demonio. El prefiere amores menos tormentosos y más realizados.

Ella no aceptará responsabilidad por lo sucedido o por lo que no sucedió, mirando con una ironía dolorosa cómo el hombre ha pintado el cuadro, a su juicio, al revés. «A la postre, he resultado yo culpable [...]. Gracioso, bien gracioso».

Pero, por fortuna o desgraciadamente, ya no padece como antes. Es una pasión que se apaga, como los ponientes rojos (cárdenos, es una palabra que la complace) del valle natal. Compara los días del terrible sufrimiento con estas jornadas actuales, donde el fuego cede el paso a la ceniza y tras el ocaso desciende una noche plácida.

Siente la atracción de la cordillera, pero ésta es peligrosa, porque desata su tendencia al ensueño. Soñar largas horas con los ojos abiertos. Ha perdido la cuenta de las horas que ha soñado con él durante siete años. Y ese sueño le volvía más intensa la contemplación de la belleza del paisaje. Recuerda el poema de una mexicana, María Enriqueta. Habla de un amor que pasó: «Hubo una vez en mi alma un gran castillo, donde un rey fue a pasar la primavera...». Ahora no hay castillo ni rey ni primavera. Con todo, el día que él quiera tomar un matecito con ella tiene la puerta abierta. Si viene a verla, será bienvenido. Es la hora del rescoldo, la hora del balance en que su presencia o su ausencia ya no hacen el daño de antes. Sí, le enseñará a Manuel 21 composiciones para niños. Le envió un poema, «Oración», que él recortó mal. Y ahí va de nuevo al lanzazo. Mejor que no escriba sobre ella, es un decreto terminante. Otros podrán hacerlo; a ella no le irritará. «Ud. no me conoce y no puede hablar de mí a los otros. El que hable, también me desconocerá. Pero tal desconocimiento no me va a dar amargura».

Está asistiendo conscientemente a los largos funerales de su pasión. La última carta suya a Manuel Magallanes Moure, entre las que han sido publicadas, tiene fecha 21 de agosto de 1921.

Por esos días, de nuevo en un teatro de Santiago, siete años después de la apoteosis de «Los sonetos de la muerte», que lee ante el público alguien que no los escribió, Víctor Domingo Silva, se produce una nueva consagración de otro poeta, un muchacho de 17 años, Pablo Neruda, cuya «Canción de la fiesta» tampoco lee él personalmente, sino un poeta mediano, Roberto Meza Fuentes, que por aquellos tiempos parecía contratado para recitar textos ajenos.

Como se sabe, Gabriela desde hace tiempo tiene ganas de salir del país. Manuel parte a Europa. Casi simultáneamente, ella también levará anclas, pero se irá a México.

SEGUNDA PARTE

AUTOEXILIO PERPETUO

I EL BUQUE DEL OLVIDO

MEXICO ATRAE a la Malquerida. No tanto por el águila y la serpiente, sino porque, al parecer, allá hay gente que la quiere.

En 1922 José Vasconcelos, ministro de Educación, la invita a trabajar en su país, colaborando en la reforma de la enseñanza y en la fundación y organización de bibliotecas populares.

La llamada mexicana es irresistible. Vasconcelos le escribe que ninguna mujer en su patria es más querida que ella. La ensalza con retórica generosa: «resplandor vivo que descubre a las almas sus secretos y a los pueblos sus destinos». No la ve como gloria de cenáculo, sino como presencia de la otra punta de América que completa el sentido y la línea del horizonte en el continente.

El diputado Luis Emilio Recabarren, que hacía poco, en enero de ese año, había contribuido a fundar en Rancagua el Partido Comunista de Chile, formula una indicación en la Cámara para que se asigne a Gabriela Mistral una pequeña partida de dinero a fin de cubrir los gastos de viaje. La proposición es recibida en bancas de derecha con chirigotas y alusiones despectivas, que arrancan a Recabarren una réplica a lo cantaclaro. El país sólo tiene plata para los ricos. El gobierno y el Parlamento aprueban viáticos suculentos para los grandes señores, los generales que viajan a Europa o a Estados Unidos con toda su familia, pero niegan el más mísero apoyo a una escritora y a una educadora salida del pueblo.

En sus *Notas de un cuaderno de memorias*, Laura Rodig ratifica el incidente.

> Cuando el Gobierno de México, en 1922, la invitó a su país, el honorable don Luis Emilio Recabarren, informado de que ella no disponía en absoluto de dinero para sus gastos personales, y que México pagaría todo, hizo en la Cámara la indicación de que se le diera la suma de cinco mil pesos, idea que sólo obtuvo sonrisas e ironías [...]. Sin embargo, en la misma sesión se aprobaron dos comisiones para militares a Europa y cada personaje llevaba su familia, servidumbre, etc., todo a cargo fiscal.[130]

Los señores de las alturas olímpicas en verdad no la querían. «Cuando el ministro de Educación de México, don José de Vasconcelos [mientras Gabriela estaba en su país, él vino a Chile] visitó a un expresidente —agrega Laura Rodig—, éste le dijo: "¿Para qué invitaron ustedes a Gabriela, habiendo aquí tantas mujeres más inteligentes que ella?". Vasconcelos puso un cable que, entonces, allá no comprendieron y decía: "Más que nunca convencido que lo mejor de Chile ahora está en México"».

Luego, en una época dura suspendieron por seis años el pago de su jubilación de maestra, lo que la hacía contar: «Estoy obligada a escribir una barbaridad de artículos gacetilla para poder mantenerme...»

En julio de 1922 viaja en un vapor conocido, el *Orcoma*. En México la noticia antecedió a su partida. El diario *Excelsior* publicó el 1º de mayo de 1922 una nota sobre la «insigne escritora sudamericana que, si no estamos mal enterados, será la primera vez que abandone su patria. Aunque Gabriela Mistral no ha publicado aún sus poesías en ningún volumen —que sepamos—, su obra maravillosa es profunda y gloriosamente conocida en toda América y España. Es Gabriela quizás la primera gran poetisa americana —¿para qué recordar a Sor Juana?— que ha traspasado las fronteras de su patria en forma tan definitiva y absoluta, y logrando cimentar su nombre bajo tan sólidos prestigios».

Tiene tantas ganas de dejar Chile que entona un canto a la nave y hasta llega a perdonar momentáneamente al mar.

Inspecciona con ojo de trabajador de astillero el casco verde que hiende las aguas. Le descubre otro color en la gama de la hermosura: una sostenida franja negra. Lo demás es blanco, como Los Andes en invierno, pero, para no desilusionar los ojos del poeta, los mástiles son de oro. La nave, así, adopta por debajo el color del mar; en lo alto asume el tono de la luz. Esta descripción refleja el estado de espíritu de la pasajera. Está contenta con ese océano y ese buque que la aleja de una tierra donde ha sufrido. Supone que en su vientre el barco es feo; pero ella no le ve las tripas, hechas de máquinas, ni la violencia de las hélices; lo siente deslizarse como una gaviota, a ras de espumas, tan sutilmente que por momentos le produce la sensación de un vuelo. Habla de un vapor joven que el mar aún no ha herido. El oleaje no tuvo tiempo para cubrirlo de herrumbre. El barco es ajeno al dolor. Por instantes, olvida la crueldad del mar, que la persigue como una metáfora de cierta perversidad humana. Cuando se pierde el perfil de la costa, se regocija murmurando: «La tierra está tan lejos que se la olvida». Esa es su victoria: el olvido.

Abandona un país en el que se siente incomprendida, vejada, insultada. En verdad el escarnio venía de algunos; la indiferencia de los más. Y esta sensación de ser una inconformista a la cual se trata de acorralar no conseguía neutralizar la admiración de unos pocos, que con el tiempo se convertirían en muchos.

Parte, además, empujada por otros vientos de cola que la impulsan a alejarse lo más velozmente posible. Hay en su vida impenetrables secretos y enigmas a medias, que arrastran a esta buscadora del extrañamiento voluntario a poner distancia.

Huía de Chile por varios motivos. Sí, huía de Magallanes hombre, aunque él en ese momento estuviera en el extranjero. Huía con esa aversión oculta, con ese pavor ante el imperio de la carne. Tal vez la perseguiría siempre por el mundo.

Trece años después, en Lisboa, escribe un «Recado sobre Anthero de Quental, el Portugués». Lo denomina «Sin mujer». Vale por una autodefinición personal, siempre que ese título se cambie por «Sin hombre». Hablando del lusitano, Gabriela, por un empleo de analogías o diferencias que le vienen al magín consciente o inconscientemente, de algún modo, como de costumbre, hablará de sí misma. Anthero pertenece a una tierra que es finisterra de Europa, mientras que Chile es una finisterra del planeta. Lo siente próximo. Subraya en él el profetismo, los zapatones rústicos —dos características de Gabriela—, atuendo romántico que en él se compadecía con la pulcra limpieza, aquella que Eça de Queiroz denomina «de monja vieja», imagen que corresponde a su propio modo de verse. Como ella, escribe el verso óptimo y la prosa rica y limpia, «sirviendo a dos manos a los dioses que espolean y a los hombres que piden explicación del mundo en respuesta cantada y hablada».

¿Qué otro rasgo le llama la atención en el portugués?

Uno en el cual «los ahijados de Freud tienen allí donde hurgar dando buenos atisbos o berreando baladronadas». En algún sentido es también su caso, y quizás por eso lo subraya. Este hombre a quien llama «loco perdido de las ideas» se casó con ellas y esto desplazó al «himeneo natural con las de carne y hueso» y si «alguna mujer chamuscó su piel de pasada, ninguna le acostó en la parrilla de una pasión seria». Es algo que ella también celebra: la victoria del Eros metafísico sobre el Eros físico, que Gabriela —entre muchos precedentes— ejemplifica en Baruch Spinoza y en Buda. Abunda, ahonda sugestivamente en la calidad de esa misoginia, que en el caso de Quental no excluye el ansia de paternidad y en el de Gabriela el anhelo de maternidad. Pero tanto el uno como el otro quieren hijos adoptivos, no seres nacidos del apetito de su propia carne. Gabriela describe este sentimiento como «otra forma de la saudade infinita. Ver niño, tocar niño, tener niño en mesa y justificar la casa, un huerto y otras regalías con esas chiquitas». Tal fue igualmente su sueño personal, y por eso algún día se sintió madre de Yin Yin. Y si este lusitano termina también matándose (otro suicida), a pesar de vivir como un santo, «a causa de su naturaleza sublime», ella lo achacará a muchas cosas, al ambiente, a la soledad irremediable (le recuerda el fin de Angel Ganivet), pero también aprovechará para echarle la culpa, al menos parcialmente, a un viejo enemigo: el mar, que, según afirmaciones médicas —sostiene—, sería el gran enloquecedor de hombres. Como vemos, vuelve a un tema y a una obsesión personal. La montaña — su montaña— turba menos. Ella vive turbada a medias, porque no es de tierra llana, que inclina al sosiego y a la vida chata. Pero en el fondo ella admiró en el portugués que no se comportara en forma pagana sino estoicamente, porque este último es también su modo de vivir.

La violación

Vuelve a rememorar. Lo quiso tanto que perdió el juicio, y llegó a decirle cosas que no debía revelar a nadie.

Pero él la asediaba tratando de saltar el muro.

¿Cuál era ese muro? ¿Cuál era ese punto, esa línea fronteriza que no podía traspasar? ¿Por qué le dijo que no a Manuel cuando él quiso ir más allá? ¿De dónde nace el horror al contacto carnal?

Ella lo ocultó como el secreto de sus secretos, bajo siete cerrojos, y la marcó para siempre. No obstante, en esa guerra de amor y miedo que fue su relación con Manuel, ante el reclamo, la presión y el atónito desconcierto del hombre que no entiende por qué se niega a consumar la relación amorosa, ella desliza una alusión que es como un orificio en el muro, para mirar al otro lado del secreto inconfesable.

El amante frustrado mira por ese pequeño agujero en el muro ciego. Insiste, inquiere, reclama, exige, quiere saber por qué. La acorrala a preguntas. Por fin ella, en pocas palabras, le confiesa que arrastra desde su niñez cierto trauma producido por un hecho brutal. Un mocetón que iba a su casa la violó cuando ella tenía siete años.

Esto la desgarró para siempre. Se sintió profanada, rota, impura. Arrastró el hecho toda la vida. Nunca se pudo reponer a la humillación indescriptible. Si se pesquisa con ojo detectivesco en su poesía, persiguiendo las huellas de aquel crimen, un investigador acucioso las descubrirá escondidas entre metáforas patéticas.

CUANDO SE MARCHA, Pedro Prado la quiere presentar con un mensaje: «Al Pueblo de México». «¡La reconoceréis por la nobleza que despierta!…». Les pide discreción. «No hagáis ruido en torno a ella, porque anda en batalla de sencillez» La recomendación es hermosa, aunque prescindible. México la espera acogedor. Además hay allí, por lo menos, un hombre que la admira; la ha alabado. Así lo ha dicho. Es sabido que se trata del ministro de Educación José Vasconcelos.

¿Pero quién es y qué representa en aquel momento Vasconcelos?

Cierto autorizado compatriota suyo, Daniel Cosío Villegas, describe al hombre, su trabajo y sus preocupaciones cuando contrata los servicios de Gabriela Mistral. «José Vasconcelos personificaba en 1921 las aspiraciones educativas de la revolución como ningún hombre llegó a encarnar, digamos, la reforma agraria o el movimiento obrero…»

Le gustaban las conversaciones platónicas y acuñó un lema entusiasta: «Por mi raza hablará el espíritu». Creía en el indio y también en los intelectuales. Llamó en primer término a colaborar a los conferencistas del Ateneo, entre ellos Antonio Caso, Julio Torri y, en especial, a Pedro Henríquez Ureña.

Cuando Gabriela Mistral llega a México, los estudiantes saludaban a Vasconcelos como su abanderado. Encarnaba los ideales de reforma universitaria, místicos y nacionalistas a su vez, que habían tomado cuerpo en los años 1915 a 1917. Se lanzaron a la impresión de los clásicos griegos y latinos en grandes tiradas, que repartían gratuitamente en las escuelas del país. Los héroes del momento eran Homero, Platón, Eurípides, Esquilo, Dante. Les pareció que así, haciéndolos leer a niños y jóvenes, surgiría una nueva generación culta y revolucionaria.

Quehacer singular, porque el destinatario de todo ese esfuerzo debía ser el pueblo y sobre todo el indio. Nacía de la idea de forjar una nueva sociedad mexicana mucho más justa.

Reivindicaban lo precolombino, el pasado maya y azteca, la poesía zapoteca; pero también exaltaban al indio actual, los valores de su silencio, el sentido profundo de su recogimiento. Debía traducirse en un redescubrimiento de su sensibilidad creadora expresada en la artesanía, el sentido teatral, la música y las danzas.

Había un inconveniente previo para que el pobre y el indio pudieran recibir el mensaje redentor: su analfabetismo. Pues bien, los sábados y domingos los jóvenes de la causa salían a los barrios indigentes como profesores de primeras letras.

Carlos Pellicer figura entre la pléyade de alfabetizadores iluminados. Gabriela lo conoce al llegar a México y lo saluda como «un poeta nuevo de América». Le agrada porque lo siente influido por los grandes ejemplos, como un hijo de Plutarco. Posee el pulmón limpio para el canto porque no fuma, tiene la boca firme para entonarlo porque no bebe y anda con la cara curtida por el sol azteca porque siente la pasión de la naturaleza patria. La encanta por su respeto a lo heroico. En verdad no es naturista, pues, conforme a su expresión, se alimenta de la carne del pasado y del presente. La seduce porque a los veinte años le dijo «padre» a Bolívar y ahora le ha aparecido en su propia tierra un padre mexicano, Vasconcelos. De vez en cuando este caminador de la historia «salta sobre el árbol grotesco del estridentismo a cortar sus manzanas geométricas, sus flores cuadradas...» Pellicer dedica a Vasconcelos un poema obviamente llamado «Sembrador»:

> El sembrador sembró la aurora;
> su brazo abarcaba el mar.
> En su mirada las montañas
> podrían entrar...
> Sembrador silencioso:
> el sol ha crecido por tus mágicas manos.
> El campo ha escogido otro tono
> y el cielo ha volado más alto.[131]

Gabriela Mistral arribó procedente de Santiago; Henríquez Ureña vino de Minnesota, a fin de encabezar el Departamento de Intercambio y Extensión Universitaria. Todos ellos, y la chilena desde luego, como su compatriota Rubén Azócar, viajaron a diversos estados de México. Fueron a Michoacán, a Puebla, con el fin de entregar libros de los clásicos y ella en particular a fundar escuelas y bibliotecas. Daban conferencias. En verdad este elemento de extensión cultural heredaba el impulso de la Universidad Popular, que había dejado de funcionar en 1920. Allí iban ateneístas, profesores, escritores, artistas a hablar a los obreros. Se contabilizaron 2.850 conferencias. El repertorio era misceláneo: temas patrióticos, matemáticos, gramaticales, geográficos, históricos, astronómicos, profilácticos. Esto a Gabriela le gustaba. Fue una gran hora de la vida mexicana que la empujó lejos del ambiente intrigante que había sufrido a menudo en

Chile. Ofreció campo libre a su vocación de maestra creadora. Quería enseñar a leer y escribir al indio. Marchar al compás con Diego Rivera, José Orozco, David Alfaro Siqueiros, que comenzaban a pintar sus murales para recrear la prehistoria, esa historia oculta. Y sobre todo deseaba fundar bibliotecas populares. Ella lo había soñado para Chile. Quiso hacerlo en Magallanes. Pero, ¿qué puede una mujer sola? Tal vez se necesite una revolución. Está visto que todas las revoluciones alfabetizan. Enseñar a leer y escribir al pueblo siempre figura entre sus primeras tareas.

La reciben en una apoteosis, lo que conforma exactamente el reverso de la hostilidad que sentía en Chile. Ahora está ya en medio de la campesinería india, viviendo en la escuela rural. Subió a su casa, se asomó a la azotea; desde allí vio el gran horizonte, el cielo que la abrazaba y escuchó todo el silencio del campo; entonces la invadió una sensación de infinita paz; y se dijo: «por fin, en dieciocho años, podré trabajar tranquila, sin el toque de la campanilla, sin angustias económicas». Dio las gracias a Dios y reconoció con cierto mohín crítico que éste le concedía el don en tierra extranjera.

Sintió que no sólo era una creadora de poesía. También fundaba bibliotecas. Dato imprescindible de su biografía es la historia de una niña que consideró un tesoro «el deslizamiento hacia la fiesta pequeña y clandestina que sería mi lectura vesperal-nocturna, refugio que se me abría para no cerrarse más». No se olvida de Magallanes. Envía una colección de libros para el Liceo de Hombres. «Hasta Punta Arenas de Chile, es decir, el ápice del continente —comunica— se ha hecho llegar una dotación semejante». Era una devolución que soñó en su infancia. «Las bibliotecas que yo más quiero son las provinciales, porque fui niña de aldeas y en ellas me viví juntas a la hambruna y a la avidez de los libros».

Será también una alentadora de escuelas rurales. En México vio nacer algunas como las que, según su idea, hicieron surgir León Tolstoi en Rusia y Rabindranath Tagore en la India.

En Chile —recordó— el nombramiento en escuela rural se estima una ofensa. A esa escuela llegó también un día el señor Vasconcelos, que se sintió bien allí. Y como esto necesitaba propaganda, surgió el periódico *El Niño Agricultor*, quincenario en el cual

tengo a mucha honra ser colaboradora y que los chicos vocean en las calles [...]. Quise darles algún día indicaciones sobre periodismo infantil; pero vi que poco las necesitaban. Fuera de sus errores de ortografía, ellos saben muy bien lo que deben publicar [...]. Oí una vez a un orador de doce años explicar a sus compañeros algunas reformas que le parecían necesarias. Visitábamos la escuela de los Maestros Misioneros [profesores de indígenas repartidos por todo el país].[132]

Ella presidió el Congreso. «Nos detuvimos a escuchar —escribe— y es la verdad que se sacaba más provecho de aquel discurso que de muchos discursos pedagógicos». Trataba el orador de la biblioteca en formación.

En enero de 1923 es invitada a hablar en el Congreso Mexicano del Niño. Se dirigirá entonces a la madre de un pueblo en su «tremenda hora de peligro». Presiente en ella más potencia que en un ejército que pasa, porque mece al héroe de mañana. Para Gabriela la vida es deber y le recomienda cumplirlo a las mujeres. Parece anticuado. Tal vez tiene poco que ver con el movimiento feminista moderno ponderar como modelos a las madres hebreas y romanas. Nadie podrá impedir que las muchedumbres urbanas sigan naciendo de su seno como el fluir de los manantiales de la tierra. El empequeñecimiento de los hombres comienza con la corrupción femenina. No predica la quietud ni el conformismo. La madre ha de reclamar para su hijo todo lo que merecen los que «nacen sin que pidieran nacer». Cada una debe formular su exigencia y no esperar que parta de labios ajenos. No dejar de pedir para el niño la escuela con sol, el libro, las imágenes de los cuentos, ni cesar de decir «no» a todo lo que desfigure su alma y la violente. Luchará por terminar con la categoría absurda de hijo ilegítimo y por impedir que el pequeñuelo sea arrojado prematuramente a las chimeneas de las fábricas. Nótese que Gabriela no predica la inercia silenciosa. Prefiere la mujer osada, que discute con la maestra la formación de sus hijos. Les cita en su apoyo un verso de Walt Whitman: «Yo os digo que no hay nada más grande que la madre de los hombres».

Las mujeres formamos un hemisferio humano. Toda ley, todo movimiento de libertad o de cultura, nos ha dejado por largo tiempo en la sombra. Siempre hemos llegado al festín del progreso, no como el individuo reacio que tarda en acudir, sino como el camarada vergonzante al que se invita con atraso y al que luego se disimula en el banquete por necio rubor. Más sabia en su inconsciencia, la naturaleza pone su luz sobre los dos flancos del planeta. Y es ley infecunda toda ley encaminada a transformar pueblos y que no toma en cuenta a las mujeres. No se crea que estoy haciendo una profesión de fe feminista. Pienso que la mujer aprende para ser más mujer...[133]

La caída del iluminado

Vasconcelos quería oponerse al caudillo de la guerra asumiendo la responsabilidad del «caudillo moral». «Mi inteligencia de mi revólver», proclamaba.

Es de Oaxaca, como Benito Juárez y Porfirio Díaz. Al primero, Gabriela lo llama «hueso de la nacionalidad»; el segundo representa «el orden autoritario». El tercero, Vasconcelos, «la democracia inspirada y mesiánica». Es un poco extraño: un conductor mesiánico que ella describe con exactitud como enteramente desprovisto de los atributos que hacen a un Mesías: «Mal orador, hombre de estudio honesto y opaco, lo menos tropical de este mundo en la conversación...» Pero ardía en él un sentido de misión. Alfonso Reyes rememora que en la generación de su bachillerato ya el estudiante Vasconcelos trabajaba en un proyecto para ensamblar nuestros pueblos, con pasión hispanoamericana aguzada por el hecho de ser hombre de un país tan amagado por la invasión guerrera o pacífica de su vecino norteño. Como Madero, al cual acompaña en su campaña que da comienzo a la revolución en México, era moralista y creía a medias en Buda.

Vasconcelos vivió su aventura y terminó mal. Cuando sale del país, en 1925, Gabriela Mistral ya no está en esa tierra turbulenta. Al saberlo escribe una carta melancólica:

> Me llegan noticias de México, que no me alcanzan a trazar el panorama de hoy. Que Vasconcelos, el hombre mayor de ustedes, se ha ido. Verdaderamente es una orfandad, mi amigo, y una desgracia, en cualquier aspecto que se le mire...

Gabriela vaticinó, al estilo de las viejas sibilas: Vasconcelos volvería. Retornó el año 1929. Recorrió el país como candidato a la Presidencia de la República. Vasconcelos había leído en Renan que una nación es «un plebiscito cotidiano», y lo tomó en serio.

Alfonso Reyes, en julio de 1959, cuando pronunció la oración fúnebre ante la tumba de José Vasconcelos, lo tuteó como si hablara consigo mismo y con los mexicanos: «... a ti que nos dejaste una cicatriz en fuego en la conciencia».

Los unía cierta semejanza. Reyes, ese mexicano tallador de retratos «a cincel profundo», también captó el perfil interior de la chilena desasida: «En ella se da la ira profética contra los horrores amontonados por la historia, se dan la fe, la esperanza y la caridad; la promesa de una tierra mejor para el logro de la raza humana; la mano que traza en el aire los pases mágicos, a cuyo prestigio relampaguea la visión de un mundo más justo».

Desolación, ¿rayo negro o celeste?

Mientras tanto, la estrella de Gabriela se ha encendido en el cielo de Nueva York. No la ha prendido un norteamericano sino un español, Federico de Onís, quien hace clases en la Universidad de Columbia. Da una conferencia en el Instituto de las Españas; habla de una desconocida; sus palabras suenan tal vez excesivas, con tonalidades de fanfarria. Ese tipo de auditorio ha oído muchas veces alabanzas desorbitadas. El público, formado sobre todo por profesores yanquis de español, escucha con cierto oído escéptico. ¡Pruebas, pruebas de aquel pretendido descubrimiento de la América del Sur! ¡Pruebas al canto, pruebas a la poesía!

Federico de Onís comienza a leer poemas. Es una poesía violenta. Su palabra quiebra piedras, escalofría corazones.

— ¿Quién es ella? — exclaman los más atónitos.

— ¿Dónde está?

— ¡Que se presente! Y si no puede venir, siga, por favor, leyendo poemas suyos, señor profesor Onís, porque esa poesía nos deja pasmados, nos quita la tranquilidad, nos traspasa por dentro, como si nos metieran entre pecho y espalda un volcán. Y el maldito está en erupción, vomita fuego y lava. Y, como si fuera poco, el desgraciado nos hace sufrir, y encima de gritar y estremecer es hermoso, es ferozmente bello y nos dan ganas de llorar y tenemos la sensación de un gran misterio, del misterio del ser y del morir. Por favor, que vengan al menos sus libros, para tenerlos en casa y leerlos de noche y perder el sueño y sufrir pesadillas.

—No. No hay libros suyos. No se ha editado ninguno—. Responde el profesor.

—Entonces compilemos esos poemas nosotros. Editémoslos sin falta.

Así apareció publicado en Nueva York su primer libro, *Desolación,* en 1922.

A los chilenos quizás les dio un poco de vergüenza. Y salió pronto a Santiago una segunda edición. La precedió un prólogo de Pedro Prado, aquél dirigido a los poetas mexicanos.

Años más tarde ella dirá algo sobre su descubridor en Estados Unidos:

Un español dirige moralmente el cuerpo de profesores de castellano en Estados Unidos; un español rezagado de la época grande, un extraordinario nombre que, como el de Lope que enseña, se balancea entre los siglos XVI y XVII. El podría decir que tiene el pie derecho en el primero, por su amor del genio folklórico de España, y podría añadir que endereza el otro hacia el Renacimiento, a causa de su temperamento de hombre de misión en América del Norte...[134]

Su amigo, embajador mexicano en Chile, el poeta González Martínez, cuyo trato recomendaba Gabriela a Manuel, proponía doblarle «el cuello al cisne de hermoso plumaje» del modernismo.

¿Es *Desolación* la obra de una última modernista o de una primera postmodernista? ¿Pero qué significado tiene encorsetarla en escuelas cuando ella no las profesó? Fue una autodidacta que aprendió más o menos sola en la vida y ésta le dictó su poesía, que no admite clasificaciones rígidas.

Julio Saavedra, en su prólogo a las obras completas de Gabriela Mistral, publicadas por la Colección Aguilar, sostiene que *Desolación*

no es, pues, un libro de versos como hay tantos, sin materia dramática. Al revés, su lirismo hunde las raíces en una tragedia vivida y en los sentimientos derivados. No es producto de la imaginación servida por una sensibilidad feliz; es la sensibilidad misma de una neurosis, exteriorizada casi sin imaginación: es poesía y no es arte de artífice.[135]

Desolación es libro capital de la poesía latinoamericana del siglo XX y uno de los más singularmente trágicos.

Con fines pedagógicos la autora lo divide en secciones: Vida, La Escuela, Infantiles, Dolor, Naturaleza, Canciones de Cuna, luego Prosa. Y dentro de la Prosa Escolar, Cuentos. Dicho índice nos da una idea del incendio que calcina sus versos, sin terminar de consumirlos jamás.

Ese libro colmó textos escolares de nuestra época, editados por Manuel Guzmán Maturana. Aprendimos de memoria unos cuantos. Todavía nos siguen conmoviendo el «Credo» (Manuel Magallanes es el destinatario incógnito de los más desgarrados), «Desvelada»:

Como soy reina y fui mendiga, ahora
vivo en puro temblor de que me dejes
y te pregunto, pálida, a cada hora:
«¿Estás conmigo aún? ¡Ay, no te alejes!»[136]

O «Vergüenza»:

> Si tú me miras, yo me vuelvo hermosa
> como la hierba a que bajó el rocío,
> y desconocerán mi faz gloriosa
> las altas cañas cuando baje al río.[137]

También «Tribulación», especialmente «Nocturno» y «Los sonetos de la muerte», junto a «Interrogaciones». En «Ceras eternas» delata su obsesión:

> ¡Ah! Nunca más conocerá tu boca
> la vergüenza del beso que chorreaba
> concupiscencia, como espesa lava...[138]

Y en «El ruego»:

> Señor, tú sabes cómo, con encendido brío,
> por los seres extraños mi palabra te invoca.
> Vengo ahora a pedirte por uno que era mío,
> mi vaso de frescura, el panal de mi boca[139]

Neruda visualiza que ella abrió la puerta a una emoción poética sin paralelo en el continente. En 1954 escribe:

> Es tal la fuerza torrencial de «Los sonetos de la muerte», que fueron rebasando su propia historia, dejaron atrás el núcleo desgarrador de la intimidad y quedaron abiertos y desgranados, como nuevos acontecimientos en nuestra historia poética americana. Tienen un sonido de aguas y piedras andinas. Sus estrofas iniciatorias avanzan como lava volcánica. Contenemos el aliento, va a pasar algo, y entonces se despeñan los tercetos.[140]

Tal vez pocas veces fue más verídico aquel decir de Walt Whitman: «No leo un libro. Toco a un hombre». En este caso tocamos hasta las entrañas del alma a una mujer, que parece en sus páginas condensar buena parte del dolor. Ella estaba consciente que en *Desolación* pesa la desdicha como una montaña que oprime el pecho. Quería respirar en adelante aires más benévolos. Por eso para ella este libro quiere ser catarsis y adiós a un pasado terrible. En el futuro se propone escribir con menos «pathos». Lo dice, como colofón, en la página final de *Desolación*:

Dios me perdone este libro amargo y los hombres que sienten la vida como dulzura me lo perdonen también. En estos cien poemas queda sangrando un pasado doloroso en el cual la canción se ensangrentó para aliviarme. Lo dejo tras de mí como a la hondonada sombría y por laderas más clementes subo hacia las mesetas espirituales donde una ancha luz caerá sobre mis días. Yo cantaré desde ellas las palabras de la esperanza, cantaré, como lo quiso un misericordioso, para consolar a los hombres. A los treinta años, cuando escribí el *Decálogo del artista*, dije este voto.

Dios y la vida me dejen cumplirlo. G.M.[141]

Cumplió... en parte. Hay gente que lo lamenta.

La poesía que escribió después salía del mismo espíritu, brotaba de la misma mano, pero era diferente. Muchos lectores lo sintieron porque creen que nunca volvió a escribir un libro de poesía tan estremecido como el primero.

Un aguijón bajo las tocas

Naturalmente México le hablará por sus poetas, empezando por una mujer ya entrevista, Sor Juana Inés de la Cruz. Así como Gabriela nace entre cerros, la mexicana nace entre volcanes. Sin duda, la chilena siente suyo el mensaje de un alma a pedazos gemela, a trozos muy distinta. Cuando describe su vida, subrayará sugestivamente la delicadeza de su nariz y su «sin sensualidad». Flota una verdadera complacencia en la pintura del cuerpo y el rostro de su antigua colega. El óvalo del rostro es como la almendra desnuda; el cuello delgado le recuerda el largo jazmín, tiene los hombros finos y la mano prodigiosa. Así es su verso. Ella imagina que debió ser una alegría verla caminar. Como era alta, evoca el verso de Marquina: «La luz descansa largamente en ella». Además, se reconoce en la mexicana porque estaba sedienta de conocer, pero ella fue lo que nunca Lucila fue en su infancia: una niña prodigio. Como Cristo conversando precozmente con los doctores del templo, ella es el monito sabio de los letrados invitados al salón del virrey Mancera. Luego, desdeñado el amor terrenal del hombre —y en esto también se le asemeja— se hace monja y se recluye en un convento de mujeres. Pero ella será una religiosa singular, rodeada de libros y de globos terrestres. Le asombra en la mexicana la justeza de su musa. La juzga diferente de ella porque no acepta el exceso de la pasión. Caminará hacia Dios por la senda de la sabiduría.

Sintió, sin embargo, «un aguijón bajo las tocas». Tuvo otra cosa que ella no tuvo: el sentido de la ironía. En esto Juana se parece a Santa

Teresa. Y esto está claro cuando pregunta a los hombres por qué se quejan de las mujeres cuando, al fin de cuentas, ellos las han hecho como son.

Hay otro ángulo de su biografía que ella subraya seguramente porque lo siente cercano: el ademán de apartamiento, que en Sor Juana Inés de la Cruz se traduce en su retiro al claustro y en Gabriela en su extrañamiento de Chile.

Dicen algunos que la mexicana entró al convento por desengaño de amor. Estos también los tuvo Gabriela, y sin duda, ese amor por Manuel Magallanes Moure fue una causa de su autodestierro. Otros opinan que la mexicana se hizo monja «por resguardar su juventud maravillosa». Gabriela, en cambio, como se ha visto, siempre se creyó fea. No obstante, encontrará en ese desapego y en la renuncia, en el alejamiento, un móvil que también fue suyo. La chilena no partió porque tuviera que «resguardar una juventud maravillosa». Ella conjetura que éste tampoco fue en la mexicana el móvil principal de su desasimiento del ambiente secular, «sino un gesto, el de quien desecha una masa viscosa, el mundo, por denso y brutal...». Vale por una confesión mistraliana. A su entender, la mexicana no quería tampoco que la alcanzaran «los brazos con apetito». Su sensibilidad lo rechazaba. En este orden estima que su actitud más que mística es estática. No tiene ella el ardor ni la confusión del místico, no viaja a horcajadas en la nube ardiente. No se embarca en la nave de la locura. Sor Juana no se ciega. Los ojos deben determinar exactamente el contorno y la naturaleza de las cosas. Estudia el cielo como un astrónomo. Mira las constelaciones al modo de alguien que quiere descubrir el misterio sideral. Bucea en la biología porque quiere saber más de la vida. Incluso su teología se vincula con el racionalismo.

Esta, que la precedió por nacimiento en más de dos siglos, Juana Inés de Asbaje y Ramírez Santillana, a los tres años quiere que la maestra le enseñe a leer. Muchos años después la evoca: «Aún vive la que me enseñó, Dios la guarde, y puede testificarlo». Nada tiene que ver esta gratitud con el rencor de Gabriela Mistral al referirse a la maestra que provocó cuando pequeña la lapidación por parte de sus compañeras.

Gabriela admira también a su colega colonial mexicana porque, si la siente muy próxima en muchos capítulos, la sabe, sin embargo, tan distinta en otros tantos aspectos, empezando por su belleza. Ella misma decía sin soberbia: «No acertaba a amar alguno/ viéndome amada de tantos». (González Vera afirma, a propósito, que también Gabriela en Santiago era pretendida por muchos hombres). Hay en la mexicana una pasión que la subyuga: la búsqueda de la verdad. Anhela conquistar el saber. Lo que quiere es «poner bellezas en mi entendimiento/ y no mi entendimiento en las bellezas». Hay otro principio que las avecina: la total negación al matrimonio. Vivió veintidós años como religiosa. Lo que quería en el convento era leer, «teniendo sólo por maestro un libro mudo, por condiscípulo un tintero insensible; y en vez de explicación, muchos estorbos…»

Otro hecho las hermana, tomando en cuenta la distancia de los tiempos: ambas fueron sobre todo poetas, pero resultaron también prosistas soberanas. Lo prueba en la mexicana la «Carta atenagórica» y la «Respuesta a Sor Filotea de la Cruz».

Como sucede con la Mistral, la poesía más rica en Sor Juana Inés de la Cruz es la dedicada al amor profano, cosa extravagante en una monja. Si poesía es sinceridad, quiere decir que la religiosa ocultaba en el convento una sicología secreta. Menéndez y Pelayo estima que no pueden ser insinceros esos poemas, «los más suaves y delicados salidos de pluma de mujer». Otro biógrafo, el padre Calleja, sostiene lo contrario. Estima que se trata de «amores que ella escribe sin amores». Tal vez el sacerdote se equivoca. Como en el caso de la Mistral, por ejemplo, respecto a la motivación que dio origen a «Los sonetos de la muerte», hay hechos desencadenantes que no necesitan reflejar exactamente lo sucedido para cristalizar en una creación literaria. Ella da la sensación de un sentimiento hondo, deja escuchar los gritos de la carne, que, sin duda, sufre lacerada, aunque esos alaridos tomen la forma que le confiere el espíritu.

Gabriela escribió poesía popular o coral que se sigue entonando en muchas escuelas, como sus rondas infantiles. Sor Juana Inés de la Cruz compuso villancicos por encargo para las fiestas del año litúrgico, a fin de ser cantados por el pueblo.

Según sabemos, la Mistral no escribió piezas dramáticas, al revés de su colega mexicana, autora de tres autos, 18 loas, dos comedias: *Los pequeños de la casa* y *Amor es más laberinto*, además de dos sainetes, dos letras y un sarao. Ella ha leído a Garcilaso, a Fray Luis de León, a San Juan de la Cruz y a muchos más; pero esos tres pasan por su circulación interior, además de Góngora. Estilísticamente ecléctica, es un poeta de hoy. La musa mexicana maneja estratégicamente el contraste y la paradoja:

> Yo no puedo tenerte ni dejarte,
> no sé por qué al dejarte o al tenerte
> se encuentra un no sé qué para quererte
> y muchos sí sé qué para olvidarte.

Gabriela se inclina a la lectura de su poesía porque la alucina su inteligencia, su «arrepentimiento del amor indigno», y su sentido de la muerte como vida, contenido en el soneto elegíaco «Para el Duque de Veragua»:

> aunque el mármol su muerte sobreescriba
> en las piedras verás el aquí yace;
> mas en los corazones, aquí vive.

Los laberintos

La asombra la penetración de la inteligencia con que Sor Juana conoce por dentro el dédalo del sentir. Y lee con particular arrobo esa redondilla «en que describe racionalmente los efectos irracionales del amor»,

> que empieza como deseo
> y para en melancolía...
> Y si alguna vez sin susto
> consigo tal posesión,
> cualquiera leve ocasión
> me malogra todo el gusto...
> Esto de mi pena dura
> es algo del dolor fiero
> y mucho más no refiero
> porque pasa de locura.
> Si acaso me contradigo
> en este confuso error
> aquél que tuviere amor
> entenderá lo que digo.

Lógicamente lee y relee su poema más conocido, el que «arguye de inconsecuente el gusto de los hombres».

> Hombres necios que acusáis
> a la mujer sin razón,
> sin ver que sois la ocasión
> de lo mismo que culpáis;
> si con ansia sin igual
> solicitáis su desdén,
> ¿por qué queréis que obren bien
> si las incitáis al mal?
> Combatís su resistencia
> y luego con gravedad

> decís que fue liviandad
> lo que hizo la diligencia...
> ¿Pues para qué os espantáis
> de la culpa que tenéis?
> Queredlas cual las hacéis
> o hacedlas cual las buscáis.

Sor Juana Inés de la Cruz tenía quizás más gracia terrena que gracia divina. Léanse sus redondillas y sus cantos al son de bailes regionales, sea el llamado «San Juan de Lima» o «El cardador» o sus romances. La Mistral encontrará a veces en esa poesía a una compañera suya más clara y precisa que ella misma. O en las «Endechas»:

> ¡Ay, qué dura ley de ausencia!
> ¿quién podrá derogarte,
> si a donde yo no quiero
> me llevas, sin llevarme,
> con alma muerta, vivo cadáver?

Pero tal vez descubra una afinidad particular en sus *Liras,* porque están llenas de las preguntas doloridas que abundan también en la poesía de la chilena. No olvida los sufrimientos en su amor por Manuel.

> ¡Quién en ajenos brazos
> viera a su dueño, y con dolor rabioso
> se arrancara a pedazos
> del pecho ardiente el corazón celoso!
> Pues fuera menor mal que mis desvelos,
> el infierno insufrible de los celos.

Gabriela parece sacar lecciones retrospectivas de la lectura de esa monja tan conocedora de los recovecos del amor, al cual desafía, aunque la punta del arpón penetre el corazón duro.

> ¿Qué importa el tiro violento
> si a pesar del vencimiento
> queda viva la razón?

Allí residía la fuerza de la enclaustrada. Si Anteo derivaba su vigor del contacto con la Tierra, esta religiosa desafiante se defiende con el arma racional. De esa conducta Gabriela extraerá lecciones, aunque, como escribe la mexicana, tenga en el alma una guerra civil encendida, en que morirán ambas contrarias, y, por lo tanto, no vencerá ninguna.

Gabriela —en su último período— ve a Sor Juana como monja de veras. Da las espaldas al mundo de la ciencia y se dedica, siguiendo el consejo del obispo de Puebla, a leer más «en el libro de Jesucristo». Se desprenderá de las obras profanas, de su biblioteca que excede los cuatro mil volúmenes, así como de sus «preciosos y exquisitos instrumentos matemáticos y musicales... y lo redujo todo a dinero para los pobres».

Sostiene que esa «es la hora más hermosa de Sor Juana». Cuando pocos años después la epidemia azota a Nueva España y hace numerosas víctimas en el Convento de San Jerónimo, atendiendo a sus hermanas «pestíferas», enfermó de caritativa y recibió el viático el 17 de abril de 1695, a los cuarenticuatro años. Así volvió a la Fuente de la Poesía. Según Gabriela, la monja santa completó el círculo del conocimiento. La muerte no vino a ella —puntualiza nuestra poeta— «en la época de los sonetos ondulantes, cuando su boca estaba llena de las frases perfectas».

Gabriela seguirá buscando en Sor Juana Inés de la Cruz la creatura de sus analogías. Evoca que jugó de niña en las huertas de Neplanta, como ella en los viñedos elquinos. No tuvo su éxito en la corte. Fue una maestra en la negación de la vanidad intelectual, incluso al precio de la vida. «... Y sobre la cara de los pestosos recoge el soplo de la muerte y muere vuelta a su Cristo como a la suma belleza y a la apaciguadora verdad».

A su entender ella se adelantó a su época, «con anticipación tan enorme que da estupor». La quiso y la dejó atónita justamente porque era una hermana más bella y más lógica que la precedió, con la cual tuvo largas citas durante su permanencia en México. La llevaría de la mano en el viaje que todavía le restaba por hacer a través del mundo.

Tuteo con Dios

Chile era la cruz; México un transitorio domingo de gloria, como para marearse. Bautizaron una escuela con su nombre y allí pusieron su estatua. Después otra más. Todo en el campo. Escribe a ruego un «Himno de la Escuela Gabriela Mistral».

> ¡Oh Creador, bajo tu luz cantamos,
> porque otra vez nos vuelves la esperanza!
> ¡Como los surcos de la tierra alzamos
> la exhalación de nuestras alabanzas![142]

No era profeta en su tierra del extremo sur, pero lo fue en el Valle de Anahuac. Camina hacia el septentrión, bordeando la frontera de América Latina. Ella se sintió bien en un país donde aún no se habían apagado del todo las fusilerías de una revolución que reivindicaba al pobrerío, al campesino que allí, más que nada, es indio. Y ella se proclamaba orgullosamente indígena.

Tenía en ese tiempo treintitrés años, edad peligrosa para una cristiana sin iglesia.

¡Extasis! No ve a Dios, pero conversa con él y lo tutea. Dramatizando.

Unos pocos ejemplos: «Retóñalos, desde las entrañas, Cristo. Si ya es imposible, si Tú bien lo has visto, / si son paja de eras... desciende a aventar...»

«Cuerpo de mi Cristo, / te miro pendiente, / aún crucificado. / Yo cantaré cuando / te hayan desclavado...».

«Padre, nada le pido, porque miro tu frente, / y eres inmenso, inmenso; pero te hallas herido...»

«¡Ahora Cristo, bájame los párpados...!»

«En esta hora, amarga como un sorbo de mares, / Tú, sosténme, Señor...»

«Padre Nuestro que estás en los Ciclos, / por qué te has olvidado de mí!...»

En su obra hay muchísimas invocaciones y tuteos con la divinidad. Dios es miembro de la familia.

No encierra una simulación. Es una creación. Responde a un estado de conciencia, a características de la sensibilidad, del sistema nervioso central y periférico. Le conversa —más bien le escribe— en estado de vigilia. Le pide que haga sus deseos, que no se desmemorie con ella, que castigue al que la ofendió. ¿Reacciones de la corteza cerebral, frecuencia cardíaca anormal? No podemos hablar de un cuadro clínico. No siempre es necesario que el corazón lata veloz. Más que al éxtasis oriental corresponde —digamos— cuando hay ansia, al sentimiento exuberante, a la excitación física. No produce en Gabriela sensación de lejanía, nunca indiferencia, raramente calma, sin que ello represente por fuerza una manifestación histérica.

Si la Iglesia Católica distingue entre sueños divinos, humanos y diabólicos, ese espacio interior continúa siendo inaccesible desde el exterior. ¿Trance? Era un territorio habitual de su mente. Algo mística, nada de santona. Convencida de que está viviendo una experiencia real, dialoga consigo misma, con el mundo. No era asceta flagelándose en el desierto, sino habitante estable de la creación literaria. Su búsqueda de Dios es también un elemento artístico, intenso, plausible y eficaz.

Cuando fue designada ante la Unión Panamericana, en 1924, para definirse en un discurso juntó dos perfiles de su individualidad:

> yo no soy una artista, lo que soy es una mujer en la que existe, viva, el ansia de fundir en mi raza, como se ha fundido dentro de mí, la religiosidad con un anhelo lacerante de justicia social.[143]

Más de una vez describió la trayectoria de su evolución espiritual y religiosa, que es muy personal y bastante sincrética:

> Yo fui un tiempo no corto miembro de la Sociedad Teosófica. La abandoné cuando observé que había entre los teósofos algo muy infantil, y además mucho confusionismo. Pero algo quedó en mí de ese período —bastante largo—: quedó la idea de la reencarnación, la cual hasta hoy no puedo —o no sé— eliminar. Yo he tenido una vida muy dura [...], tal vez ella alimentó en mí la creencia de que esta vida de soledad absoluta —yo no tuve sino la Escuela Primaria— que ha sido mi juventud, viene de otra encarnación, en la cual fui una criatura que obró mal en materias muy graves [...]. Del Budismo me quedó, repito, una pequeña Escuela de Meditación. Aludo al hábito —tan difícil de alcanzar— que es el de la Oración Mental. Le confieso humildemente que, a causa de todo lo contado, no sé rezar de otra manera. Debo confesarle más: no puedo con el Santo Rosario. Una amiga mexicana, católica absoluta, me ayudó mucho a pasar de aquel semibudismo —nunca fue total, nunca perdí a mi Señor Jesucristo— a mi estado de hoy [...]; lo que influyó más en mí, bajo este budismo nunca absoluto, fue la meditación de tipo oriental, mejor dicho, la escuela que ella me dio para llegar a una Verdadera Concentración. Nunca le recé a Buda; sólo medité con seriedad [...]. Después de esto vienen, vinieron las frecuentaciones de las Místicas Occidentales. La selección de oraciones con las cuales rezo mucho el Antiguo Testamento; pero el Nuevo me lo sé creo que bastante bien. Mi devoción más frecuente, después de nuestro Señor Jesucristo, es la de los Angeles...».[144]

En un texto diferente vuelve a relatar que

> entre los veintitrés y los treinta y cinco años, yo me releí la Biblia, muchas veces, pero bastante mediatizada con textos religiosos orientales, opuestos a ella por un espíritu místico que rebana lo terrestre. Devoraba yo el budismo a grandes sorbos; lo aspiraba con la misma avidez que el viento en mi montaña andina de esos años. Eso era para mí el budismo; un aire de filo helado que a la vez me excitaba y me enfriaba la vida interna; pero al regresar, después de semanas de dieta budista, a mi vieja Biblia de

tapas resobadas, yo tenía que reconocer que en ella estaba, no más, el suelo seguro de mis pies de mujer.[145]

La hija pródiga recaló de nuevo en Puerto Padre. Confiesa: «Yo que he anclado en el catolicismo, después de años de duda».

Vuelve al leit motiv: la fe debe contribuir a la salvación de los pueblos:

Soy cristiana, de democracia cabal. Creo que el cristianismo con profundo sentido social puede salvar a los pueblos. He escrito como quien habla en la soledad. Porque he vivido muy sola en todas partes. Mis maestros en el arte para regir la vida: la Biblia, el Dante, Tagore y los rusos. El pesimismo en mí es una actitud de descontento creador, activo y ardiente, no pasivo...[146]

III IDA Y VUELTA DE LOS FANTASMAS

CUATRO MIL NIÑOS entonan sus rondas en el parque Chapultepec, frente al Castillo. Salvo el Zócalo, no hay lugar más conspicuo en Ciudad de México para despedirla en gloria y majestad. Más bien es un «Hasta luego», pues volverá cada vez que pueda al país del reconocimiento. Pero su destino no es Chile. Parte por primera vez a Europa, entonces máximo prestigio de un viajero.

Devuelve la mano a don Alonso de Ercilla y Zúñiga: la chilena descubre España. La cautiva su pueblo campesino por la dignidad sobria. Hará de la naturaleza peninsular, sobre todo de Castilla, un elogio superlativo, muy expresivo de su sentir: «Su paisaje es perfectamente severo. No, no he encontrado en este panorama una sola línea sensual». En sus labios no cabe celebración mayor.

Se enamora de Italia, razón de más para formarse mala impresión del fascismo.

En aquel viaje inicial por Europa, el hombre que más la impresiona es Romain Rolland, a quien visita en Suiza.

Me ha dicho sobre América cosas importantes. Rolland es una figura que, sin hipérbole, puede llamarse augusta. El y Vasconcelos son las amistades más personales que he tenido.

¿Más personales o más personajes? ¿Ha olvidado a Magallanes?

Pero ella retornará todavía varias veces a Europa y la irá viviendo, ahondando, escribiendo sobre ella centenares de recados.

Por ahora, tras tres años de ausencia, volverá a Chile. ¿Regresa? No. No volará al sur como las golondrinas para capear el invierno del hemisferio norte. En el fondo nunca regresará. En lo que le quede de vida siempre será ave de paso. Retorna por unos pocos días a su nido para saludar a sus escasos familiares, proyectar una mirada cuidadosa al contorno y reanudar el eterno viaje por el mundo.

No le desagradaría hacer esta travesía en barco cruzando el Estrecho. No desea recepciones tumultuosas. Le gustaría pasar inadvertida y echar un vistazo a un liceo vacío, aquél de Magallanes, donde ella trabajó para olvidar, libró tantas batallas, hizo sus clases nocturnas y ocultó por unos días en el entretecho a un prófugo político, huido del presidio argentino de Ushuaia.

Escoge un barco inglés, el *Oropesa* que, con su protocolar puntualidad, atracara en el puerto de Punta Arenas un domingo por la mañana, sin clases en el liceo, garantía de que no habrá alboroto alrededor suyo. Vuelve acompañada por Laura Rodig.

Aprovechan las escalas. Todo parece desarrollarse como ella quisiera. En Montevideo se tropieza, sin embargo, con un inconveniente. Desde cubierta escucha el alarido de las sirenas, ve multitud de niños uniformados, estandartes, carteles. ¿Recibían a un equipo de fútbol uruguayo, campeón mundial? Porque el fútbol es mucho más importante que la poesía.

Cuando sabe que la gente está esperándola a ella comprende que ha chocado con su fama. Se encierra en el camarote y le echa llave por dentro. Todavía ignora y nunca aprenderá que la celebridad impone normas de conducta. Mientras el barco permanezca atracado en el puerto no recibirá a nadie. Pero allí aparece Berta Singerman, la recitadora argentina que entonces enloquecía a los auditores latinoamericanos declamando en forma arrebatadora muchos poemas de Gabriela Mistral. No puede cerrarle la puerta en las narices. Le explica: ella es un ídolo de los maestros latinoamericanos. Todos los niños cantan sus rondas. No puede defraudarlos. Tiene que acceder a recibir en el salón del *Oropesa* a representantes de esa muchedumbre espesa y delirante que está en la dársena. Le han traído un jardín de flores y comienzan los discursos admirativos. Todos quieren abrazarla y muchos lo hacen. Ella está sobre ascuas. Seguramente sin quererlo comete errores que mucha gente considera muestra de mala educación o desprecio debido a un engreimiento satánico. «Además es fea y mal vestida», comenta una elegante despechada. En verdad era una mujer anticonvencional, con indumentaria desaliñada y no había estudiado el código de las buenas maneras. En el fondo tenía miedo de este tipo de recepciones y no se acostumbraría jamás a ellas.

Cuando alguien allí la invita a reposar unos días en Uruguay, contesta: «Debo marchar a mi patria, en este mismo barco. Hace tres años, tres interminables años que falto allá». La respuesta contiene algo de disculpa, pues entre sus planes, como se sabe, no figura fijar su domicilio en Chile. Entonces piensa jubilar e irse a vivir en una de las islas del Mediterráneo, tal vez en las Baleares.

El barco llegó con flema y precisión británicas a la hora anunciada, ese domingo de febrero de 1925. Allí estaba, impasible y friolenta, la ciudad del Estrecho. No fue fácil a las dos mujeres llegar hasta ella. El mar picado hacía ondular el remolcador, poniendo a prueba a las viajeras con el desafío de acertar, pisando bien en las gradas de la escalerilla que conducía hasta el muelle.

Ya en tierra firme el viento fuerte las traspasó. Ambas mujeres lucían fachas extravagantes. Como si el abrigo grueso de Gabriela fuese delgado, ella se echó encima una capa, que le alcanzaba casi a los talones, como la que se ponía Balzac por las noches para escribir. Laurita evocaba a un personaje de *La Bohème*, con esa boina de pintora caída sobre un ojo, con la cual la conocimos siempre. También Gabriela, asustada por el clima glacial, andaba tocada con un sombrero que el vendaval huracanado cambiaba de forma o amenazaba con hacer volar a cada instante.

Aferradas a sus peculiares nostalgias y aversiones, en realidad no tenían otro deseo que visitar el liceo. Se encaminaron de inmediato hacia allá, a través de las calles desiertas, barridas por el ventarrón. Golpearon a la puerta; mucho después salió a abrir el portero, un joven chilote, que puso cara de asombro al verlas, como si fueran un par de fantasmas. Evidentemente no las reconoció o no las había visto nunca. Las contemplaba semipetrificado; en su vida vio mujeres tan raras. A juzgar por su expresión, estaba sorprendido. Gabriela callaba. Fue Laurita quien explicó que querían ver el liceo y le solicitó que lo comunicara a algún inspector de turno. El hombre partió, caminando de espaldas, observando siempre con estupefacción a Gabriela.

Pasó un rato y no volvía. La mañana estaba cada vez más helada. Laurita advirtió en la cara de su amiga el anuncio de la contrariedad. Unos minutos más y tal vez reventaría la tormenta. Laurita decidió entrar por su cuenta; golpeó con las manos hasta que apareció un inspector, sorprendido por esas visitas tan intempestivas. La reacción del hombre al verlas fue reírse. Estalló en carcajadas estrepitosas, que lo obligaron a sentarse. Gabriela no sólo estaba ofendida sino desconcertada ante esa risa incontenible del inspector. Cuando consiguió calmar su hilaridad, éste explicó el origen de sus risotadas: el portero, que no podía despegar la vista de ese sombrero y esa capa tan curiosa que llevaba Gabriela —convertidos en materia plástica a la cual el viento imprimía las formas más cambiantes y estrambóticas—, le había dicho que en la puerta estaba esperando Jorge Washington.

El Vesubio saca revólver

En 1925, cuando Gabriela vuelve a Chile por primera vez, aparece un día, como ciclón meridional, Santiago Aste. Echa fuego por ojos y boca, convertido en un Vesubio. Ella no sabe bien si el hombre es calabrés o siciliano. Ya ha llenado un cajón con sus cartas. Perentorio, exige matrimonio en el acto. Sus intenciones son honorables y no acepta que una mujer se burle de él. No admite demoras; ahora o nunca; matrimonio por las dos leyes o muerte. Si ella lo rechaza él se sentirá deshonrado para siempre. Se matará, pero antes la matará a ella. Hace ademán de sacar un revólver. Gabriela está aterrada ante tanto melodrama y desde luego la espanta el arma de fuego. Tal vez se repita con ella el drama de su admirada colega uruguaya asesinada, Delmira Agustini, con la cual siente una familiaridad casi trágica.

Con argucias y promesas consigue escapar del cuarto. No sólo huye de la casa; aterrorizada abandona la ciudad. Se embarca rumbo a La Serena.

Hablando franco, en el fondo había vuelto a Chile por un momento para saber algo de Manuel Magallanes. Opinará sobre él con una cortesía que quiere ser distanciamiento y resignada filosofía sobre una persona respecto de la cual podría ahora hablar con la tranquilidad de la muerte. En apariencia lo estudia con el ojo al microscopio de un citólogo que analiza la célula o del entomólogo que disecciona un insecto digno de examen.

¿Cuál es el resultado de su investigación?

En líneas bien pensadas pone una dosis de prudente reserva y un sí es no de ironía. Sus palabras tienen, al menos, el mérito de dar la noticia que habían intercambiado centenares de cartas. Sobre su contenido, apenas insinuaciones levísimas, tan tenues que pueden confundirse con un llamado a silencio y un compromiso de definitivo secreto. El le pedía «la prueba de fuego». Ella sólo ahora cuenta que quería inculcarle «un poco de fe en lo sobrenatural y de búsqueda de experiencia interior».

¿Es para ella un animal de museo? ¿Está embalsamado?

Quiere jubilar como maestra y disponer de una pensión para vivir fuera. Por fin la consigue. Sabe que su exiguo monto no le alcanzará para subsistir en el extranjero. Tendrá que buscar suplemento a sus entradas. Escribirá recados. Le editarán algunos volúmenes con lo que ha escrito. El año anterior —1924— apareció en Madrid un tomo de sus poesías para niños, con el título *Ternura*.

Tal vez pueda encontrar trabajo en organismos internacionales que comienzan a surgir y a multiplicarse. Su sueño sería obtener un puesto consular chileno. Quizás le ayude su nombradía literaria, que continúa extendiéndose.

Los meses que vive en Chile en 1925, aparte del susto padre por el pretendiente desorbitado, los dedica sobre todo a realizar trámites para jubilar como profesora. Teme quedarse sin arrimo material.

Vuelve pronto, más calmada, a Europa, con un cargo en la Secretaría del Instituto de Cooperación Intelectual de la Sociedad de las Naciones. Viaja entre Ginebra y París. Allí se desempeña junto a la mexicana Palma Guillén, quien sería después su secretaria y amiga íntima. Palma no considera a Gabriela una mujer que ya no tenga nada que aprender. «En Europa —sostiene— la prosa de Gabriela mejoró al calor de sus amistades francesas: Valery, Miomandre, Duhamel.

Había comenzado escribiendo prosas en *El Universal*...» ¿Valery contribuyó a mejorar su prosa? Tal idea se contradice con lo que acaeció entre ambos a raíz del episodio subterráneo vinculado al premio Nobel.

En 1926 participa en la Asamblea de la Liga de las Naciones en Ginebra, como representante chilena.

Viaja a Argentina y Uruguay, donde da conferencias.

Durante 1927 y 1928 su actividad internacional se intensifica. Concurre al Congreso Educacional en Locarno, asiste a reuniones de las Federaciones Universitarias en Madrid y del Instituto Cinematográfico de Roma.

Siente que tiene un pie firme. El otro todavía está en el aire. Necesita un salario más regular. No pide un dineral, pero sí una entrada estable, compatible con su vida casi espartana.

Patiloca o la teoría de los viajes

Patiloca. Así se definió Gabriela, vagabunda como su padre. Sólo que llegó más lejos. El viejo poeta bohemio no alcanzó a ser trotamundos, su hija sí. Tanto, que le dará para hilvanar su filosofía sobre el vicio y la virtud de moverse por el globo. El vicio, según ella, se lo impusieron a Europa los ingleses. Tal vez al mundo, más tarde, los norteamericanos, inventores del turismo masivo, industria en la cual los japoneses figuran hoy como la clientela más visible. A los franceses los considera sedentarios. Ella, por su parte, en esto se siente más fenicia que egipcia, porque los del Nilo generalmente no hacían más navegación que la del río o el viaje a las pirámides. Gabriela alcanzó a conocer el cambio en la concepción del viaje. En el siglo pasado un viaje bastaba para justificar una vida. La dividía en dos períodos. En las largas vísperas que podían durar años, se preparaba el descubrimiento de Europa, que para los devotos culminaba en una peregrinación a Roma o en una visita a Tierra Santa. De regreso se vivía para contarlo, recontarlo y fabularlo. Hoy día el viaje se convierte para algunos en algo tan vulgar como el baño diario. «Un lunes —dice Gabriela— se desayunará en Copenhague y el miércoles estará mirando ese magnífico perfil de afiche de Estatua de la Libertad en Nueva York». Esto lo escribió Gabriela en junio de 1927. Hoy pueden hacerse ambas cosas en un solo día. Se acabó el heroísmo de las travesías. La aventura de Marco Polo, de Godofredo de Bouillon o de Cristóbal Colón ha sido reemplazada por el American Express. ¿Nada queda a la ventura? ¿Se acabaron los Magallanes o los Vasco de Balboa? En verdad la aventura puede surgir en cualquier parte, tal vez con otro signo. Probablemente el gran riesgo del viaje se ha trasladado a partir de Gagarin al espacio exterior, a la cosmonáutica.

Gabriela imagina que «en el 2000 se señalará como a un albino aquél que no lleve en el cuerpo el olor de sus cuatro continentes...». La mujer de alma nómade no acertó en toda su predicción, porque sigue habiendo seres sedentarios. Mostró, en cambio, anteojos de larga vista cuando predijo que a la vuelta del siglo habrá gente que ya tenga agotada la bolsa de los viajes por la tierra y querrá, por ejemplo, asistir a funciones de «los vientos de la luna».

Pero hay alguien —asevera— que no tiene para qué viajar: el *desatento,* los que viajan como maletas.

Propone una legislación de viaje para el año 2000. Primero, prohibiciones: no deben viajar los viejos reclamadores contra los hoteles; los bebedores y los asiduos del cabaret, porque la borrachera es la misma en todas partes. Tampoco las mujeres que viajan por amor a las vitrinas.

En cambio propicia la travesía de samoyedos y patagones, a fin de que sientan una vez el Ecuador y conozcan el calor. Que viajen los que nunca viajaron. Y sus antiguos colegas, los maestros de escuela, «los que han enseñado el complemento directo en una tarima hasta que el aburrimiento se hacía horizonte...».

Como la errante tiene inclinación metafísica, se pregunta si existe un místico del viaje, aquél que contempla el cielo a toda hora como si no lo hubiera visto nunca. Aunque bien mirado, místico de viaje es quien ha trasladado el cielo a la tierra, donde se disfrutan y distinguen las clases de aire, se saborea lo liso de la llanura y sabe mirar con ojo diferenciador la montaña y la colina. Pero viajero sobre todo es aquel que descubre un goce mayor palpando la diferencia en la cara de los hombres y en la expresión de las mujeres que va divisando por esos diversos paralelos y meridianos de la tierra.

Para Gabriela son mejores las ciudades pequeñas y medianas que las grandes. Considera el viaje «escuela de humildades». Ella prefiere desembarcar sin abrazos, ser en el hotel una cifra, no tener privilegios; porque lo que le hace falta es el paisaje y no la comodidad.

El viaje da otra cosa que a ella le importa mucho: proporciona, como una victoria, el olvido, la costumbre del olvido. Ella necesitaba poner viaje atravesado cuando salió de Chile, que cubriera el dolor que sentía. «Como un alga suavemente, sin tragedia. Viajar es profesión del olvido».

Resultan autobiográficas estas reflexiones sobre el viaje.

Sus primeros desplazamientos son por la casa chica, los valles transversales, luego por la casa larga de Chile. Como los empleados de correos y los militares, los profesores a menudo tienen que cambiar de guarnición. Así fue recorriendo no sólo el mapa sino también su terruño longitudinal. Se convirtió en sustancia de su obra, en materia de su poesía y de sus Recados.

México es, junto con Cuba, el descubrimiento de América, la morada mayor. El continente al sur de Estados Unidos será un tema recurrente. El viaje bautismal en avión lo hace para llegar a San Juan, en ese Puerto Rico que se empecina en hablar español no obstante la garra yanqui. Tiene admiración por lo que ella llama «el aeroplano de mi primer vuelo». Lo mira como un pájaro posado en el campo, pero ella sabe que, pese a sus alas en alto y los pies de rueda, no es un ave voladora. Además, los pájaros no tienen tres motores. Como tantas almas campesinas, ella no quería subir a un avión. Postergó ese viaje muchas veces; miedo. Cuando por fin, haciendo de tripas corazón y al segundo pitazo se trepa a la máquina, ve con cierto temor que los pasajeros son sólo cuatro. Mientras mira la tierra desde el cielo le viene a la mente la descripción de un vuelo escrita por Leonidas Andreiev. Saca la cuenta que después de dos mil viajes en tren hace uno por el aire. El día es quieto.

Más tarde quiere ver al líder independentista portorriqueño Pedro Albizu Campos, recluido en un presidio norteamericano. Le dice a Mauricio Magdaleno:

> Fui expresamente a Atlanta para ver a nuestro Albizu. La cárcel me contestó por teléfono que no se recibían otras visitas que las de miembros de la familia del prisionero. ¡Y me quedé sin verlo...!

Llega a Puerto Rico, que

> conoce la terrible experiencia de ver batida su sangre española con espátula norteamericana, porque el batidor, en el ensayo, está mirando con un ojo en la Isla y con el otro en el Continente...

Murmura su adiós a la isla de Puerto Rico, que en un mes ella atravesó tres veces. Desde arriba todo parece un panorama de kindergarten, el mundo en la escala de Lilliput. Prefiere recorrerla a pie, a caballo, hasta en automóvil. Para las artes de la contemplación el avión representa una sola ventaja: permite la mirada de conjunto y percibir mejor el relieve de las colinas. Pero el viaje en avión no tiene olor, se han acabado los perfumes de la tierra, cosa más lamentable porque vuelan sobre un mar con nombre de indio salvaje, el Caribe. Esto sucedía en agosto de 1931.

A bordo comprueba que ella es un animal terrestre. Durante varios años enseñó a los chicos geografía. Estuvo un día, treinta años, en los bolsones cordilleranos e imaginó que más allá quedaba el infinito. El avión achica todo: los grandes ríos son apenas un garabato; los vastos sembrados se convierten en rombos dibujados por niños, y ella no quiere que la tierra sea una jugarreta infantil. Por eso en ese momento hace una promesa que ciertamente no cumple: no volará de nuevo. Su romanticismo de la naturaleza la induce a concebirla ilimitadamente graciosa y grandiosa. Insiste: no aprenderá la ciencia del vuelo, aunque le vendan el avión perfecto, porque quiere que la tierra de allá abajo no la desilusione. Es por amor a ella, no por la pasión del aire y del mar, porque ésa no la siente. A su juicio el aire y el mar son dos salvajes inhumanos. El mar está poblado de barcos. Ahora comienzan a poblar de aviones el aire. Serán dos caminos con mucho tráfico. También la tierra está surcada por millones de automóviles. Sin embargo es el elemento firme, a pesar que ella nació en suelo sísmico.

Aquí, no obstante, el mar parece despedazar la tierra. El Caribe está lleno con los puntos suspensivos del archipiélago. Las islas están cerca. Y de un país a otro es como pasar al barrio vecino y de alguna manera de un cuarto a otro de la casa. Al fin y al cabo en esos países se saludan con el mismo buenos días.

La diosa de la Tierra

La antigua maestra, a los veinte años, leyó largamente a Reclus. Se interesa por «el hombre y la tierra». Le gusta la expresión «geografía humana». Es ecologista *avant la lettre.*

La musa de *Lagar* es Gea, diosa de la Tierra. Allí ella firma el pacto con la montaña, ésa que parece una manada de elefantes subiendo al cielo. Gea está presente cuando habla de la historia. Al invocar sus escenas infernales, las visiones más terribles, como «Caída de Europa» (poema dedicado a Roger Caillois), quiere, por piedad y por amor a lo suyo, librar a su tierra de la catástrofe.

> Solamente la Gea Americana
> vive con olor de trébol,
> tomillo y mejorana y escuchando
> el rumor de castores y de marta
> y la carrera azul de la chinchilla.[147]

Como todo se interactúa, ella es autora de poesía forjada de agua, de aire, de naturaleza, concebidas como organismos vivos y sufrientes. Su ojo, al igual que en Neruda, da vía libre a su concepción unitaria, dependiente del mundo físico, incluido su fervor místico. En este orden profesa, por decirlo de algún modo, una filosofía panteísta. Es ecóloga, climática, planetaria. Su poesía está inmersa en una atmósfera total e inscrita dentro de un sistema único; es ser compenetrado; pero ungida por una conciencia más aguda que lo común. Dicha virulencia de percepción daña su estabilidad. La sujeta a rupturas; la expone a cataclismos personales. Se traducirá en su boca en respuestas poéticas o en recados donde siempre tratará de explicar su visión dramática del mundo, su autorregulación dentro del universo problemático intentando el reajuste —a veces muy dificultoso— de sus relaciones con la vida.

Su libro *Lagar* está pleno de esta noción naturaleza-hombre, de su pertenencia trágica a la Casa Grande del Hombre, la pulpa dolorida de la persona y el mundo.

> Otra vez sobre la Tierra
> llevo desnudo el costado,
> y el pobre palmo de carne
> donde morir es más rápido
> y la sangre está asomada
> como a los bordes del vaso.[148]

Ella es el primer cuerpo, el átomo ínfimo del universo. La naturaleza es

> este segundo cuerpo
> de yodo y sal devorado,
> que va de Gea hasta Dios.[149]

Así Gabriela habla del amor por las islas. « Las islas son nuestro encantamiento». Se pone a contemplarlas, antojadizas de formas; alargadas como pez, como arco delgado, macizas como bloques y también como el gran lagarto verde. Ella se siente isleña porque Chile tiene los pies de país insular, tan despedazados que se disuelven en el Polo Sur. A veces nace una isla nueva porque un volcán que no estaba registrado en el mapa las hizo asomarse a flor de agua. Otras aparecieron como para mirar la tierra y al cabo de días o de horas volvieron a sumergirse.

Más que las islas inmensas, Australia, Groenlandia, Islandia o Madagascar, ella prefiere las minúsculas, sin olvidar la Isla de Pascua, extraño misterio en medio del gran océano.

Los hombres suelen tratar de afear esas islas dándoles mal destino: Más Afuera o Pascua han sido lugares de deportación. Y la última lazareto de leprosos. Madagascar y la Isla de Reunión han servido de cárceles. En Italia, la Isla de Lipari fue prisión política en tiempos de Mussolini. Y qué decir de la Isla del Diablo o de la Salud en la Guayana Francesa. Casi todos los países de América Latina, durante los períodos de dictadura militar, han tenido sus islas-presidio.

Pero también ellas están en los libros de la *Odisea*, o en *El Conde de Montecristo*, con su castillo de If, en el islote próximo a Marsella. Y un caso que ha seducido a millones de lectores, tema no sólo de Gabriela, sino de Neruda y también de una aventurera de radio continental, que en su juventud escribió hermosos libros, la uruguaya Blanca Luz Brum, quien dedicó años de su agitada vida al progreso de la Isla de Juan Fernández, allí donde fue abandonado un marinero inglés, Alejandro Selkirk, que luego Defoe convirtiera en Robinson Crusoe.

Gabriela es mujer de islas. Las busca y viaja hacia ellas. Capri, Sicilia, Corfú, Mallorca o las Bermudas.

Está casi siempre invocando al terruño. Y todo la lleva a la autorreferencia. Habla de su tono, de su «dejo rural en el que he vivido y en el que me voy a morir». En ella todo se le personaliza, adquiere un rostro, responde a un nombre. Las naciones se le convierten en individuos; la naturaleza se le vuelve antropocéntrica. Dicho rasgo se aprecia de modo diáfano en su correspondencia.

> Por otra parte, la persona nacional con quien se vivió (las personas son siempre para mí los países), a cada rato se pone delante del destinatario y a trechos lo desplaza. Un paisaje de huertos o de caña o de cafetal, tapa de golpe la cara del amigo al que sonreíamos; un cerro suele cubrir la casa que estábamos mirando y por cuya puerta la carta va a entrar llevando su manojo de noticias.[150]

IV SU MAESTRO JOSE MARTI

GABRIELA MISTRAL ES uno de los intelectuales latinoamericanos más sensibles a la difícil relación con Estados Unidos. Habló con frecuencia del abismo entre el Norte y el Sur del continente y registró el choque en diversos campos. No es el suyo un antiyanquismo primitivo. Confió en que de alguna manera se pudieran encontrar coincidencias que no fueran las del atropello y de la dominación.

No es socióloga, pero no puede dejar de lamentar esa historia iberoamericana que quiere «construir a base del encomendero una democracia» y «reemplazar el caciquismo con la civilidad».

Mira a América Latina con un sentimiento de madre por el hijo atolondrado, aunque no ha perdido la esperanza de enmienda. Hablará de su masa continental, semejante al Asia y Africa, con un gran vacío en el interior del continente. Para ella América del Sur tiene sobre todo destino tropical. Es, por excelencia, tierra caliente. El pedestal templado de la América del Sur constituye una base secundaria. El corazón arde en el Amazonas, en los ríos gigantes. Llega a la conclusión que en América Latina todos somos tropicales, sea de trópico ardiente o de trópico frío.

Como escritora irremediable, se vuelve a la materia prima de su oficio, a la meditación de las palabras y a la defensa de alguna que a su juicio hemos manchado, como la palabra *tropicalismo,* sinónimo de verbo excesivo.

Ella discrepa y se pregunta: ¿dónde están esos prosistas y poetas tropicales? En México encuentra que los prosistas y poetas son ceñidos, mesurados. Y también confirma el mismo carácter en la literatura centroamericana y en el norte de América del Sur.

¿Qué es, entonces, el tropicalismo? No es una manera de hablar o de escribir propia de las regiones tórridas. Sería, mejor dicho, una forma de expresión de literatura de gestación. Es una manera de referirse mal al escritor aún inmaduro o a la persona de mente desordenada; pero no es culpa del sol quemante. Anota que Italia no está tan lejos del trópico y sus grandes escritores son rigurosos. En cambio Castilla, color de armadura, y la España lluviosa del norte han sido pródigas en poetas intolerables y en oradores floripondiosos.

Si se quiere hablar de tropicalismo, esto no debe referirse a la geografía próxima a las regiones ecuatoriales, sino al alma caótica de los espíritus vehementes, a los balbuceantes, a los hinchados de palabra. Ella encuentra más trópico en España que en Sudamérica. Además, no hay que confundir el calor del alma con la retórica. La primera puede generar la obra de arte estremecida; la segunda, en el mejor de los casos, es «un gran papagayo tornasolado». No hay que igualar las palabras *exceso* e *intenso*. Es intensa la piedra preciosa. Ella encuentra que muchos poetas de los trópicos son breves y densos, «como la gota de resina». Por eso la Mistral sale espada en mano en defensa de esta palabra tropicalismo, «... manchada como la palabra democracia».

Para ella Martí es un auténtico y magnífico tropical. ¿Cómo se manifiesta dicho tropicalismo?

> En primer lugar, una calidez gobernada o suelta corre por su prosa en un clima de efusión; marca sus arengas, los discursos académicos, los artículos de periódicos y las simples cartas. Yo digo calidez y no digo fiebre. Tengo por ahí pespunteada una vaga teoría de los temperamentos de nuestros hombres; los que se quedan en el fuego puro y se secan y se resquebrajan, y los que viven del fuego y del agua, es decir, de un calor húmedo, y se libran del resecamiento y la muerte. Martí fue de éstos.[151]

Consideró su maestro mayor a José Martí, el máximo revolucionario e intelectual latinoamericano de la segunda mitad del siglo XIX. Proyectó un libro sobre él y prometió entregarlo a Editorial Losada. Ella vivía a la sazón en Petrópolis, Brasil, donde se desempeñaba como cónsul. Como testimonia Guillermo de Torre, encargado de la Colección El Pensamiento Vivo, que debía publicar la obra, Gabriela estaba entonces dedicada a ayudar hasta el límite de sus fuerzas a los republicanos españoles exiliados. No pudo rematar el libro soñado sobre Martí, pero alcanzó a enviar un capítulo, cuya base fue una conferencia que ella ofreció sobre el tema en La Habana, en 1934.

Martí y la Mistral fueron personalidades sobradamente distintas en cien aspectos. Sin embargo, Gabriela se encuentra en el cubano por su entrega al mundo, por su amor a América y también por la potencia originalísima de la expresión.

La chilena se pregunta: ¿en qué consiste la originalidad de Martí? ¿En su vitalidad tropical? ¿En su robustez? ¿En su comercio con los clásicos? ¿En su conocimiento de los griegos y los latinos? ¿En su lectura de los setenta tomos de la Colección Rivadeneira? Todo es agua para mover ese molino. Incluso su lealtad a la lengua de España, pero hablada por un antillano, que ha leído a los escritores modernos de Francia y de Inglaterra, «cosa muy natural en hombre que tenía su presente y vivía registrándolo día a día». Queda fascinada: «La lengua vieja, las ideas nuevas». El lee todos los autores que trascienden. Pero a sabiendas que tiene «encargos que cumplir, trabajos que hacer en la carne de su tiempo», trata sus propios asuntos y lo hace con tono, vocabulario y sintaxis que resultan de la originalidad más pronunciada. ¿Procede ella puramente del estilo novedoso? No. Nace del acento, del tono personal. Para la Mistral, Calderón tiene un estilo, pero Santa Teresa un tono. Y el tono criollo, de cuerpo entero, es el que celebra en el padre de los *Versos sencillos*.

Hace tiempo que rueda el lugar común sosteniendo que el trópico es tierra de elocuencia. Otros la ven, despectivos, como espuma, facundia, garrulería vana. Pero —oigámoslo bien— Martí es el orador por antonomasia de este continente. Cuando se lee su prosa se le siente la voz. No hay, sin duda, en América española un hombre que haya dicho sentencias más medulares, más nobles y más bellas, tan henchidas de sentido entrañable, de tanto amor por el hombre y el destino de nuestros países que aquel que confiaba el 7 de julio de 1894 a su amigo José Dolores Poyo toda una filosofía de desprendimiento y una moral de la responsabilidad:

> La única gloria verdadera del hombre —si un poco de fama fuera cosa alguna en la composición de obra tan vasta como el mundo— estaría en la suma de servicios que hubiese, por sobre su propia persona, prestado a los demás. Lo que ciega a los hombres y los hace llegar tarde, o demasiado pronto, es la preocupación de sí. Yo ya sé cómo voy a morir. Lo que quiero es prestar el servicio que puedo prestar ahora.

Hacer el elogio del orador latinoamericano resulta empresa equívoca, signo de mal gusto. «La oratoria carga con una cadena de fatalidades» certifica la Mistral, quien se ríe del recitador de espectáculos, regodeándose deleitado ante su timbre, que a ratos se echa a gritar y halaga al auditorio, que pasa de la voz tonante, de los gestos violentos y los secretos públicos a las calamidades de la gesticulación y el desprecio por el vocabulario. Ella como que se alegra de no tener amigos oradores y desdeña ese «lirismo impotente que no llegó al poema».

Un día alguien debería estudiar el tono y el estilo en la Mistral. Encontrará más de una afinidad con el de Martí, no por obra imitativa sino porque estuvieron animados por el ángel de la elocuencia poética.

Nuestro latinoamericanismo

Más de algún investigador ha buceado ya en el asunto. «Estirpe martiana de la prosa de Gabriela Mistral» es el título de un estudio de Juan Loveluck:

> Sale Gabriela Mistral de Chile y va a México, donde empieza a codearse con el influjo más poderoso que estilo alguno ejerció sobre su escritura: el de José Martí. Este pone en su mano doble don: el *nuestroamericanismo,* la devoción por lo propio, el infatigable indagar en la condición mestiza; y una concepción de la escritura-prosa en que la búsqueda sin fatiga de la originalidad expresiva la hace tan creadora como el ejercicio del verso. Si Chocano, Nervo y Vargas Vila la extraviaron un día, será la obra martiana —poesía y prosa— la que la devuelva al camino [...]. Por 1925 el culto a Martí se alía a su madurez primera y la llevará años después a reconocer en el autor de *Nuestra América* su maestro americano por excelencia.[152]

Hablará del orador Martí. El género tiene mala fama, confirmada por tanto vozarrón vacío y los gesticuladores de feria. Para ella Martí es el «orador honrado dentro de un gremio fraudulento». En las antípodas del demagogo, su ardor brota verdadero. No hace arenga sino argumentación encendida; y la prueba suprema de sus quilates la da la comprobación aúrea, la más difícil: la lectura de sus discursos no deja en frío. El hielo se funde tras la primera frase. Su majestad expresiva no emana de una catarata retumbante sino que nace de la fuerza viva de la verdad, de la razón revolucionaria, o sea, aquella que quiere cambiar un estado de cosas injusto. Hay una sintaxis perfecta entre la verdad y la fuerza, entre la claridad, la belleza, el acto y la trascendencia del concepto. Aunque ambos despiden semejanzas proféticas, nunca se desgañitan ni se pierden en el trance. Al fin y al cabo él está hablando del drama real de un pueblo, del suyo y los de América Latina entera. Ella, a su vez, en su poesía está hablando de su tragedia y no lo hace como comediante o bufón. Hay en ambos una aleación preciosa de clásico y romántico. En el discurso de Martí se cruzan rayos y fulguran relámpagos; tiene adjetivación rica, girando siempre en torno a un núcleo central de ideas, que no se empequeñece en relación con la profundidad del deber libertador. Ella se adentra en su odisea personal. Sustenta en lo social un puñado de ideas que a retazos podrían calificarse de martianas.

El léxico copioso es inherente a un hombre hecho para el pensamiento y la acción mediante un uso vivificante del término. Martí habla y escribe como un castizo del idioma tanto español como cubano. Gabriela, una castiza española chilena, lo siente suyo, andando por su camino. Precediendo a Rubén Darío, quien le reconoce el derecho a la primogenitura, Martí es también el adelantado de Gabriela. Se dedicó entre otras cosas de más bulto a cubrir los déficits lingüísticos. Realiza estos depósitos inéditos en el diccionario sacándolos de la cuenta corriente del pueblo, de la vida cuotidiana, pero conforme a la lógica y la filosofía de la lengua castellana. Sus neologismos no serán mera destreza o acrobacia verbal sino necesidad de una expresión más exacta, trátese de sustantivo, adjetivo, verbo o adverbio funcionales.

Gabriela es asimismo una aportadora a la lengua, colmada de voces tradicionales y nuevas, de plebeyismos y americanismos que traspasan la acepción peyorativa gracias al rasero de la poesía.

> Algo quiero deciros de los americanismos. Tuve que hablar una vez en la Sorbona, e hice una confesión desnuda de mi criollismo verbal. Comencé declarando sin vergüenza alguna que no soy una purista, ni una pura, sino una persona impurísima en cuanto al idioma. De haber sido purista, jamás entendiese en Chile ni en doce países criollos la conversación de un peón de riego, de un vendedor, de un marinero y de cien oficios más. Con lengua tosca, verrugosa, callosa, con lengua manchada de aceites industriales, de barro limpio y barro pútrido, habla el treinta por ciento a lo menos de cada pueblo hispanoamericano y de cualquiera del mundo. Eso es la lengua más viva que se oye, sea del lado provenzal, sea del siciliano, sea del tarahumara, sea del chilote, sea del indio amazónico. (Además, ustedes no van a quedarse sin el *Martín Fierro* y sin los folklores español y criollo).[153]

Cada cual en su ámbito y todos en el español de España y de América.

Gabriela estima que una de las pérdidas que tuvo en su vida fue no haber escuchado su voz. Cuando Martí murió ella tenía diez años. Era una niña perdida en el Valle del Elqui. Seguramente no había oído nunca mentarlo, pero con el tiempo algunos amigos de Martí le hablaron de su voz, que desgraciadamente no fue fijada, según su conocimiento, en ningún disco. No había llegado aún el tiempo de las grabaciones, pero le supone gracia de voz. Ella confiesa que le gusta, como a Emerson, la voz grata. No le agradan las que acarrean piedras. Lamenta no haber percibido su acento y su mímica, pero da gracias a Dios porque quedó la letra de sus discursos, que deja constancia «de la noble anatomía [...] de su oración cívica o militante».

Martí, a menudo, es orador de períodos extensos, medida que exige un control mucho más difícil que el de la frase corta. Pero en el cubano la oración brevísima o largamente compuesta se caracteriza porque está viva de cabeza a pies.

Gabriela tiene prisa por llegar al fondo de la cuestión y éste se refiere a la trascendencia del mensaje, que en cuanto a su forma parece estar libre de declamación. Ella desconfía del enfático y del patético, del arrebatado y del que cae en éxtasis o en trance como orador. Prefiere más bien la buena conversación doméstica. No recomienda a nadie que emule a Cicerón. Y además hay que saber mudar de tono y turnar las palabras solemnes con «un adjetivo de lindo sabor popular». Su adorada Biblia pasa de un profeta a un evangelista. No se puede estar echando siempre por la boca fuego y hierro derretido.

Esas dos dimensiones de Martí, la política y la literaria, se complementaron mutuamente. El tono natural, de tanta fuerza y originalidad, se afirma y se torna más convincente por la soltura del vocabulario, a juicio de Gabriela, uno de los más intensos y extensos de la literatura y ¿por qué no? —sin duda— de la política latinoamericana. Es un poseedor absoluto del castellano. A diferencia de Montalvo, a quien ella le sospecha el comercio diario con el diccionario, Martí es la expresión más radiante y fluida del castellano universal y del castellano cubano.

Comparándolo con Darío, la Mistral prefiere a Martí, porque lo encuentra más libre de galicismos, rechaza mejor el cosmopolitismo y el prurito de fineza. Pero que nadie se mueva a engaño: si la lengua de Martí no es nunca «extravagante, pirotécnica», él sí es un inventor del idioma, autor de adjetivos, verbos. Y la chilena piensa que «Nadie entre nosotros llevó más lejos la ceñidura del apelativo de la cosa».

En su elogio del buen trópico, Gabriela compara a Martí con Bolívar:

> Cuando me encuentro a un hombre semejante a Martí o a Bolívar, que en su Trópico, de treinta años, no se descoyunta y se mueve en él lo mismo que el esquimal en la nieve, trabajando sin agobio y rindiendo la misma cantidad de energía que el hombre de climas medios, vuelvo a pensar en que lo elefantiásico y monstruoso del Ecuador no existe. José Martí cayó en el Trópico como en molde cabal: él no rezongó nunca contra la latitud, porque no se habla mal del guante que viene a la mano.[154]

Gabriela subraya una segunda manifestación del trópico, que vale tanto para Martí como para Fidel Castro, ambos cubanos hijos de españoles: la abundancia. «El Trópico —sostiene— es abundante por esencia y no por recargos de bandullos y perifollos; ... la abundancia es natural por venir de adentro, de los ríos de su savia interna». Concluye que «lo hicieron en grande».

Manifestación específica de su personalidad es la lengua metafórica. La imagen no sabe a lujo ni complemento ornamental; se desprende con verdad de la naturaleza tropical; presta servicio y deslumbra a la vez. Así es la naturaleza de Martí. Sembrador de ideas, profesor de pueblos, conductor de hazañas libertadoras, simultáneamente se alza como maestro total de la forma, artista del «canto absoluto». Así es su poesía, así es su prosa. La Mistral tiene la impresión de que Martí pensaba mucho en imágenes. Pero no se trata de la alegoría asiática, provista sobre todo por la fantasía. La metáfora martiana sale precisa, guardando la relación que en el cuerpo humano tienen el hueso y la carne.

O sea, es verdadera. Gabriela decía:

> Confesarles a ustedes mi fe en este Martí sobrenatural viene a ser solamente decirles que yo juro a puños cerrados por la veracidad de su poesía. Y es que ella, entre su cadena de virtudes, tiene la de un tacto particular, que raramente entrega el poeta, el tacto de lo veraz, de una verdad de ver y tocar, aunque se trate de lo inefable.[155]

Otro rasgo que anota en Martí es su don de entrega, lo que llama la generosidad del hombre. Trabaja por una buena causa, que siente también suya.

> Estamos llenos de injusticias sociales, pero ellas derivan más de una organización torpe que de una sordidez congenital; andamos buscando un abastecimiento racional de nuestros pueblos, y cuando lo hayamos encontrado, los sistemas económicos de la América serán mucho más humanos que los europeos.[156]

Naturalmente la lengua es el hombre, y por allí Gabriela se acerca a la persona. Rechaza el desmembramiento entre individuo, obra y palabra. Gran parte de Martí quedaría amputada si se desvinculara su acción política de su escritura. Gabriela intenta el rastreo de sus orígenes. Atribuye su fuerza viril a la sangre catalana y la ternura al ambiente antillano. Habla de «José Martí el Bueno», pero además del joven maduro, del sujeto cenital, porque encarna por su conjunción de cualidades positivas un punto mágico en que se unen «las dos mitades del cielo». Este hombre sabe el negocio complicado «de vivir, de padecer, de caer y levantarse».

Gabriela le reserva unos párrafos para «alabar también al luchador sin odio»:

Empujado a la cueva de las fieras, constreñido a buscar fusil y a echarse al campo, sin que se le pongan sanguinosos los lagrimales [...]. Todo es agradecimiento en mi amor de Martí: gratitud hacia el escritor que es el maestro americano más ostensible de mi obra, y también agradecimiento del guía de hombres que la América produjo en una especie de *Mea culpa* por la hebra de guías bajísimos que hemos sufrido, que sufrimos y sufriremos todavía. Angustia siento yo, americana ausente, cuando me empino desde la tierra extraña hacia nuestros pueblos, a mi gente atollada todavía en las viscosidades acuáticas de las componendas y en las malquerencias fronterizas que tijerean el continente de todos lados.

Cuando los ausentes hacemos estas asomadas penosas al hecho americano, necesitamos acarrear de lejos a Bolívar para que nos apuntale la fe, y de menor distancia a Martí para que nos lave con su lejía las roñas de la criollidad [...]. Hemisferios de agradecimiento son para mí la literatura y la vida de José Martí.[157]

V LA ORIGINALIDAD DEL CONTINENTE

GABRIELA PREFIERE VIVIR en el campo o en ciudades provinciales.

Le place enormemente Italia; por ello tiene un alegrón cuando el 26 de setiembre de 1928 el Consejo de la Liga de las Naciones le asigna un puesto en el Consejo Administrativo del Instituto Cinematográfico Educativo, en Roma. A la salida de la oficina se sumerge en los milenios, peregrina por los siglos. Va durante las tardes a los Foros Imperiales y vagabundea por las callejuelas junto al Panteón.

Vuelve una noche de 1929 a casa y un golpe le suprime el arraigo a la vida; recibe una noticia que la encierra por días desconsolada en su habitación: su madre ya no está en este mundo. Llora. Más tarde escribe, evocándola, invocándola, tratando de resucitarla con su desesperación, sus rezos y sus palabras.

Su reacción es telúrica, la de un tallo que con su muerte se queda

... como las plantas de agua cuando se les corta el pobre péndulo y van y vienen; y me siento desposeída de esta dignidad que da un arrimo de este tamaño, especie de vagabunda que no tiene más que el aire y la luz en este pobre mundo.[158]

Con el tiempo, asomándose por encima del nivel de las lágrimas, dice cosas duras sobre la dictadura militar aposentada en el poder. El coronel Ibáñez le suspende la jubilación. De nuevo el fantasma: no tener con qué vivir. ¡Dios Santo!

No se pondrá de hinojos. Echa una maldición. ¡Que caiga! Es como una imploración al Altísimo.

El 26 de julio de 1931 el coronel Ibáñez tiene que escapar a Argentina y Gabriela respira aliviada.

Es elegido Presidente de la República un hombre de «orden», pacato abogado del Banco de Chile, Juan Esteban Montero. Gabriela recibe una comunicación oficial del Ministerio de Educación.

«Vuelta la patria a su normalidad institucional, y en el conocimiento de que su amor al terruño ha de pesar por sobre todas las consideraciones, las autoridades educacionales y el Gobierno piden a usted que ponga al servicio de la patria su espiritualidad y sus conocimientos excepcionales de maestra, aceptando la Dirección de Educación Primaria, puesto en el cual usted contribuirá en forma decisiva a la formación del alma de los niños y con ellos a la futura grandeza de esta tierra». Contestó con un No rotundo, que no excluyó cavilaciones y perplejidades.

El rechazo no le valió la indignación ni la represalia. Dos meses antes que ese Gobierno fuera derribado y reemplazado por la fugaz «República Socialista», recibe otra comunicación.

N° 327, Santiago, 15 de abril de 1932: decreto:
Nómbrase Cónsul particular de Chile a la señorita Lucila Godoy y destínasele para que preste sus servicios en Nápoles (Italia). Montero, Carlos Balmaceda.

Ahora dice que sí. Adiós penurias, tribulaciones económicas. Además vuelve a Italia, país predilecto.

El gobierno de Mussolini frunció el ceño. El fascismo machista no aceptaba mujeres cónsules. Eran funciones viriles. Pero la razón más fuerte que se escondía tras el disenso fue el informe policial sobre peligrosas opiniones de esa cónsul que, además, escribía en los diarios cosas que sonaban desagradables a los oídos del régimen del Duce.

Poco antes, en julio de 1930, desde Santa Margarita Ligure da cuenta de un gran duelo que le ha caído encima al continente: el deceso de José Carlos Mariátegui. Lo honra como un «noble maestro de la juventud peruana». Y habla de su interés por el indio. Es su propia causa. Reclama a nuestros países que se han dado en la tarea una pausa larga. (Ella dice de cien años. En verdad son quinientos). A los que así piensan ella les llama «indiófilos que exageran por generosidad». Tiene razón cuando sostiene que el indígena no desapareció en el período colonial «como si se lo comiera la tierra», aunque fuera diezmado por millones. Ella lo ha visto caminando por las afueras de las capitales del Perú, Ecuador, Colombia, cabalgando por la sierra. Ahora los indios están también en muchas de esas capitales formando numerosas espinas en la corona del calvario que rodea las urbes macrocefálicas.

El medio milenio del arribo de Colón a América reenciende la polémica sobre el significado del descubrimiento y de la conquista, la «llegada al Extremo Oriente», que resultó ser la punta del Occidente. Ella no es discípula de la leyenda negra. Admira al buen misionero y le parece bien el conquistador español que, cohabitando con la mujer india, aunque sea por la fuerza y mezclándose con la sangre indígena, lava sus muchos pecados.

Se siente mestiza como Rubén Darío.

Pero la entristece «la vergüenza del mestizo», que está convencido de la verdad de tres mentiras: la falsedad, la pereza y la perversidad del indio. Y todo parte de un concepto inculcado sobre la belleza, la civilización y la historia que es bien unilateral y egoístamente condicionado. Al niño se le educa teniendo por arquetipo el tipo caucásico. No se dan cuenta que así se fabrican categorías de inferioridad que incluso terminarán por deteriorar su propia imagen. Así es fea una Venus maya o un Apolo tolteca.

Ella encuentra que la hermosura anda en todas las razas; sólo que su belleza es diferente, no sólo en los rostros blancos, negros, amarillos o cobrizos sino también en los espíritus. Y en las distintas profesiones o quehaceres. Dice que tal vez el único oficio del cual «haya sentido envidia o saudade, deseo o tristeza de que ya no existe más» sea el que llama «lindo oficio del hombre». Le hubiera gustado ser Amauta, deseo que, desde luego, Mariátegui celebraría de corazón. Veía una civilización muy alta en esa que tenía un funcionario que recogiera la crónica de las ciudades para perpetuar la historia y enseñar civilización quechua, los principios revelables y propagandísticos del Incanato y de su teología, porque había una zona iniciática, que debían conocer sólo los elegidos. Para mayor fascinación de la Mistral, el Amauta solía ser poeta y, en algunos casos, filósofo de la tierra y el cielo.

Algún día esta mujer autodidacta recibió doctorado Honoris Causa de universidades. Se reía de sí misma y subrayaba que no había hecho méritos para ello, pero se estimaba perteneciente a un continente de viejas culturas. Ante el título discernido por la Universidad de Guatemala, recordó que se la tenía por enemiga de la educación superior a fuerza de ser demasiado amiga de la educación popular. Llevaba sobre su frente, más que una estrella, el estigma de Sarmiento y de Vasconcelos. Una apasionada de la escuela primaria no tiene por qué odiar la universidad. Al fin y al cabo, una y otra son parte de la misma pirámide. La educación la concibe como la dimensión moral de un territorio, que debe darle al país la posibilidad de la formación de hombres que le aseguren el profesional en todos los órdenes: el científico, el investigador; pero también el humanista y el artista, aunque estos últimos no se forman en los claustros sino que, nutriéndose de ellos, expresan su propia potencia interior.

Su tribu de huesos sueltos

Le recomienda especialmente a la Universidad de Guatemala estudiar a fondo la raza aborigen, y pide que le den un cronista enamorado del asunto de los mayas.

Ella tiene una clara noción de que los continentes están desnivelados. Su obsesión la llama América Latina y el hombre de estas tierras es distinto del de otras, del norteamericano de Estados Unidos y del europeo. En noviembre de 1926 toca el tema en París y lo hace a partir de la reflexión de un intelectual, un ultrarrefinado del Viejo Mundo que, casi veinte años más tarde, escribirá un prólogo para la edición de una obra de Gabriela Mistral en francés, como preparación artillera en la batalla para conseguir el Premio Nobel. Ella rechazó esa introducción, si no ditirámbica, al menos elogiosa, porque se sentía llevada por la mano de un espíritu que no era el suyo, sino a su juicio incompatible, Paul Valéry. Pontífice mayor de la Poesía Pura, ha definido así, más o menos, al hombre europeo: «Es el ser capaz de desarrollar el maximum de actividad, el maximum de conciencia, el maximum de esfuerzo, el maximum de pensamiento, el maximum de trabajo, el maximum de riqueza, el maximum de creación...». Tantos maximums la abruman.

El contratipo que señala Valéry es el asiático. Ella considera semiasiático en sus orígenes no tan remotos a la mayor parte del pueblo latinoamericano. En consecuencia, siente que le viene el sayo y rechaza la definición, aunque le resulta dolorosamente aceptable en lo tocante al sentido del tiempo y su traducción en labor útil, que entre nosotros es más discontinua. El feudalismo, el señor que hace del ocio un negocio, en medio de una economía invertebrada, sumergida en el atraso, imprime su marca de hierro sobre la irregularidad en el uso del horario y en la responsabilidad del trabajo. Somos —agrega— todavía una buena parte del continente donde se llega tarde y el esfuerzo debe codearse con largos intermedios.

Deslizará un párrafo sobre una tribu de huesos sueltos, que no ha reconocido aún su columna vertebral, poseída por sueños, desventuras, suicidios, vanidades locas, individualismos desatados. Son los doblemente suyos, en este caso, los escritores.

... vivimos sin núcleo que nos afirme y nos sustente; desconocidos por las patrias materiales que aceptan como suyos cerros y ríos, pero no sus realidades espirituales, a las que declaran montón aéreo de palabras.

Habla igualmente por pintores, escultores, por los músicos. Y ruega que le disculpen esa especie de lamento.

Se refiere a la falta de espíritu y disciplina de trabajo de muchos de nuestros escritores. Calcula que en Europa el autor se concentra por lo menos cinco veces más que en América Latina. Tiene más sentido del oficio y en ello influye, desde luego, el hecho que escribir constituye su profesión, mientras entre nosotros en la mayoría de los casos es un hobby de fin de semana o un robo al tiempo que consume el puesto alimentario.

Naturalmente hay unos cuantos latinoamericanos fecundos y organizados. Por principio, escribir debería ser un producto pertinaz. Gabriela cita a Barbusse: «Yo trabajo todo el tiempo. Ensayo sacar de mí todo el rendimiento posible». Otro exclama: «Tengo horror al literato que no escribe».

Desde hora temprana Gabriela Mistral se sintió deudora de Rubén Darío. Según ella «la tentó y la empujó a escribir». Es verdad. Eugenio Florit anotaba: «... precisamente se ha publicado hace poco una carta conservada en el archivo de Rubén Darío en España, y firmada por "Lucila Godoy, Profesora de Castellano del Liceo de Niñas, Los Andes, 1912", dirigida a "nuestro grande y nobilísimo poeta", enviándole "un cuento original muy mío y unos versos, propios en absoluto", y en la que agrega: "Yo, Rubén, soy una desconocida; y no publico sino desde dos meses en nuestro *Sucesos;* yo maestra, nunca pensé antes en hacer estas cosas que usted, el mago de la *Niña-Rosa* [sic] me ha tentado y empujado a que haga...". En el año siguiente, siempre con el franqueo de Los Andes, llega otra carta: "Lucila Godoy (Gabriela Mistral) saluda muy afectuosa y respetuosamente al grande i caro Rubén y le agradece la publicación en *Elegancia* de su cuento i sus versos...". La aparición del seudónimo data, como se ve, de 1913...» ¿O de 1912?

Cuando ella ganó la Flor Natural al autor de *Cantos de vida y esperanza* le quedaban sólo dos años de vida. Gabriela lo había leído íntegro y con pasión. Aprendió una universidad en su poesía.

Por naturaleza fueron personas muy diversas. Más allá de lo literario, Martín Taylor puntualiza convergencias y divergencias entre ambos referentes a una esfera singularísima: una común fascinación por «lo oculto». A partir de su estancia bonaerense y parisina, el hombre de «Azul» se dejó seducir por tendencias en boga dentro de determinados círculos: telepatía, astrología, hipnotismo, onofrismo, espiritismo, pitagorismo, culto de la palabra como expresión mitológica. Gabriela —dentro de un área no del todo distinta—, sin dejarse dominar por «las ciencias ocultas», se inclina parcialmente por formas de religiosidad esotéricas, influida durante un período por lecturas particulares de Rabindranath Tagore y Amado Nervo, a quien tanto admiró cuando joven. No hace misterio de dichas atracciones en una época pasajera de su vida, que la volvieron por un tiempo practicante de la meditación trascendental, del naturismo, el yoga, los baños de sol, la vida natural. Registra en su obra su conocimiento y relación con Annie Besant. Se acercó a teósofos en Santiago y Antofagasta (Logia Destellos), pero nunca abjuró de su culto sin Iglesia por un Cristo personal, el primitivo. Darío, en cambio, cuando lo sobrecogió la visión de la muerte que se le acercaba, retornó con desesperación al catolicismo, como última esperanza.

La mujer que abrevó en la fuente del modernismo y le dice en un recodo de su camino adiós, desenvaina espada de letras para defender al poeta señalado como su jefe no tanto en lo literario —que para ella es de valor indiscutible y soberano—, sino en el campo minado de su vida bohemia y respecto a la versión muy difundida de su alcoholismo y sus delirium tremens. A Gabriela este problema le recuerda el destino de su padre. No. Para ella es inconcebible que un individuo de «botella cotidiana» deje tras de sí 35 volúmenes.

Gabriela predica contra los estragos de la bebida casi como un soldado del Ejército de Salvación. (Vuelve tal vez a atormentarla la imagen del progenitor resbaladizo por los pícaros grados del pisco y del pajarete). Darío no tuvo nada de abstemio. A su juicio, su embriaguez es la típica del hombre de nuestras latitudes. En su alegato apologético, la Mistral compara el tamaño de su obra con la de dos ilustres dipsómanos de la literatura mundial: Edgar Allan Poe y Paul Verlaine. Estos dejaron mucho menos producción; en cambio, el poeta nicaragüense escribió, se informó con ritmo ininterrumpido. «Leyó lo clásico sustancial y leyó todo lo moderno; tanto leyó que no hemos tenido cabeza más puesta al día que la que nos prueban *Los raros* y los libros numerosos de crítica literaria».

En febrero de 1932 anota en su haber otra virtud, que pone de relieve su calidad moral: Darío no enturbió con pequeñeces la vida literaria. No practicó dos envidias clásicas que hacen nata espesa en tanta gente de nuestra habla: la envidia española y la envidia latinoamericana, que Gabriela compara al paludismo, por sus tercianas recurrentes, que exigirían para tratarla muchas toneladas de quinina diaria.

Ella respeta a Darío por un motivo más. Porque siendo poeta de «capacidad verdadera, cabeza confesada de vasta escuela literaria...», no despreció a ninguno de sus discípulos declarados o crípticos, «a ninguno quiso aplastar con su nombre de vieja madre literaria». Si tuvo en esto un desliz, tal vez sería —según ella— el espaldarazo que solía repartir a escritores que no valían tanto como para intentar consagrarlos. Pero incluso en este rasgo, Gabriela simpatiza con su excesiva bondad literaria. En el autor de «Lo fatal» palpa al hombre de «una prodigalidad de niño cariñoso».

El del «pequeño ejército loco»

Rubén Darío, cuando preguntaba en su retadora oda «A Roosevelt»: «¿Tantos millones de hombres hablaremos en inglés?», señalaba una inquietud que angustió a su compatriota Sandino y afligió a Gabriela Mistral.

La escritora chilena lanzó un día, precisamente el 17 de abril de 1922, «El grito»:

> ¿Odio al yanqui?, ¿por qué le odiaríamos? Que odiemos lo que en nosotros nos hace vulnerables a su clavo de acero y oro, a su voluntad y a su opulencia.[159]

La epopeya de Sandino le completó el cuadro. El mal venía no sólo de adentro sino también de afuera. «Hombre heroico, héroe legítimo, como tal vez no me toque ver otro». Cuando el Presidente Hoover lo llama bandido y *The New York Times* lo califica de «insignificante jefe desequilibrado», Gabriela responde: «Para mí Sandino es todo un héroe». Ella fue quien bautizó su tropa montañesa con un apelativo que hizo fortuna y hoy está en muchas bocas: «Pequeño ejército loco de voluntad de sacrificio». Fue coronación de un llamado a la solidaridad.

> Los hispanizantes políticos que ayudan a Nicaragua desde su escritorio o desde un club de estudiantes, harían cosa más honesta yendo a ayudar al hombre heroico, héroe legítimo, como tal vez no les toque ver otro, haciéndose sus soldados rasos [...], para dar testimonio visible de que les importa la suerte de ese pequeño ejército loco de voluntad de sacrificio.[160]

Le indigna el entreguismo criollo de los serviles que odian al nacional digno.

> Los desgraciados políticos nicaragüenses, cuando pidieron contra Sandino el auxilio norteamericano, tal vez no supieron imaginar lo que hacían, y tal vez se asusten hoy de la cadena de derechos que han creado al extraño y del despeñadero de concesiones por el cual echaron a rodar su país.[161]

La encoleriza la calumnia orquestada de la prensa: «Sandino carga las dos o tres pistolas que le dan las fotografías malignas de los semanarios neoyorquinos».

Quiere que la palabra ayude a los hechos, que la simpatía se torne solidaridad concreta. Solicita al continente contribuir con dinero a la lucha sandinista.

> Nunca los dólares, los sucres o los bolívares sudamericanos, que se gastan fluvialmente en sensualidades capitalinas, estarán mejor donados.
>
> Sandino —según parece— no ha visto llegar hasta hoy los mozos argentinos, chilenos, ecuatorianos, que son su misma carne y que le deben una lealtad temeraria y perfecta que sólo la juventud puede dar. ¿Dónde está la naturalísima, la lógica Legión Hispanoamericana de Nicaragua?[162]

Para ella, la solidaridad debe llegar hasta el fin, entregando incluso la vida. Pide que centenares de jóvenes dejen familias y universidades «para ofrecerle a Sandino lo mejor que puede cederse».

El jefe guerrillero distingue a Gabriela con el título de «abanderada intelectual del sandinismo, benemérita del ejército».

Siente como un escalofrío el peligro que ronda al hombre de las Segovias, presintiendo: «Tal vez caiga ahora esa cabeza sin peinar que trae locas las cabezas acepilladas de los marinos ocupantes».

Para ella, el nicaragüense desborda fronteras geográficas «porque este héroe no es local, aunque se mueva a un kilómetro de suelo rural, sino rigurosamente racial». Sandino para ella no sólo trasciende el espacio patrio, sino que encarna los héroes del tiempo pasado y futuro. «El guerrillero es, en un solo cuerpo, nuestro Páez, nuestro Morelos, nuestro Carrera y nuestro Artigas. La faena es igual, el trance es el mismo».

Cuando Tacho Somoza lo hace matar, Gabriela Mistral no se ahorra la maldición pública: «Mala mirada vamos a echarles y un voto diremos bajito o fuerte, que no hemos dicho nunca hasta ahora: ¡Malaventurados sean!».

«El general Sandino —añadió poco más tarde— carga sobre sus hombros vigorosos de hombre rústico, sobre su espalda viril de herrero y forjador, con la honra de todos nosotros».

Franca hasta la desgarradura, detestaba la hipocresía ambiente. Le repugnaban los chovinistas y los pateros, que abundaban no sólo en su país, vendiéndose por un puesto o haciendo zalemas y reverencias al de arriba. Nada de eso iba con ella.

> Todavía gusta mucho allá dentro el patriotismo de aleluyas y de crasa adulación. Cree nuestro criollaje que ayudar a vivir consiste en pagar sueldos o escribir un parrafillo de elogios descontrolados…[163]

Abomina de los envidiosos, de los que se mueren de despecho por la obra de otros y se lo pasan desparramando sus complejos de inferioridad, escupidos por lenguas viperinas.

> Hay que cuidarse de los temibles criollos amargados, que suelen ser los mismos que escriben anónimos; viven en los subsuelos del mero existir, asistidos cotidianamente de malos humores, repletos de aquellas bilis amargo-acres que conoció también vuestro Virgilio.
> Soy modesta hasta la humildad y altiva hasta el orgullo.[164]

Modesta, pero no mucho, y orgullosa para responder a algunas damas chic que quisieron tocar su cabeza con una clocha a la última moda: Señoras, a la Cordillera de los Andes no se le pone sombrero.

Se sentía la Cordillera de los Andes. No está mal. Sabía quién era.

La Cordillera de los Andes tiene sus volcanes y echa sus fumarolas y regocija con sus remansos, bien escasos es cierto. Como Gabriela Mistral.

Su amiga Doris Dana recuerda que en una mesa redonda académica, de gran estilo, celebrada en Roma, un participante italiano le dijo con la exuberancia del admirador rendido:

—¡Qué tesoros literarios guardará usted en su cartapacio!

—Es por eso que lo cuido tanto —contestó—, y no lo suelto.

El cartapacio contenía una sola hoja de papel; pero estaba lleno de cigarrillos. Como Los Andes, ella arrojaba sus humaredas, desde los quince años, todo el día y a veces por la noche. En los últimos tiempos encendía un cigarrillo en la colilla del otro, mientras solía acariciar en su falda a Jonás, el «perro de moledera», según lo recuerda Gastón Von Dem Bussche.

El cuerpo a cuerpo con las palabras

Lee en Montevideo un «Cómo escribo» revelador. No se pone para ello la chaqueta de terciopelo de Maquiavelo. Simplemente escribe en ropa de casa. Es autora doméstica. ¿Y a qué hora lo hace? «Escribo —explica— de mañana o de noche, y la tarde no me ha dado nunca imaginación, sin que yo entienda la razón de su esterilidad o su mala gana para mí».

¿Cuál es su tema?

> Mientras fui criatura estable de mi raza y mi país, escribí lo que veía o tenía muy inmediato, sobre la carne caliente del asunto. Desde que soy

criatura vagabunda, desterrada voluntaria, parece que no escribo sino en medio de un vaho de fantasmas.

¿Perfeccionista? ¿Mucha guerra con el idioma? ¿Vive el cuerpo a cuerpo en la brega con las palabras? ¿Sostiene a través de ellas un combate físico con el alma? Ella lo siente así.

En el tiempo en que yo me peleaba con la lengua exigiéndole intensidad, me solía oír, mientras escribía, un crujido de dientes bastante colérico, el rechinar de la lija sobre el filo romo del idioma.

I NGRESA AL SERVICIO consular chileno, aunque en categoría *ad honorem*. Sólo en 1951 el Congreso aprobó la ley que le concedía consulado vitalicio. Es un primer paso, económicamente parco, pero pone al menos un pie dentro del Ministerio de Relaciones. Será cónsul en ciudades de Italia, después de vencer el rechazo inicial del régimen de Mussolini que, informado de sus antipatías respecto al fascismo, no da el beneplácito a su designación como cónsul en Nápoles, pretextando su condición de mujer.

A raíz de la crisis económica, el cónsul Neruda tuvo que volver a Chile en 1932 y Gabriela Mistral —designada ese mismo año en Italia como cónsul de elección—, no percibió sueldo. El cónsul chileno en Génova, Carlos Errázuriz, le ofreció su casa mientras duraba la emergencia.

Años más tarde, Olaya Errázuriz —hija del anfitrión— se casó con un brillante político de la nueva generación que, en 1970, sería candidato a la Presidencia: Radomiro Tomic. En el ambiente familiar intimaron Gabriela y el joven demócratacristiano (falangista chileno de ese tiempo). Su cuarto hijo hombre se llama, por ella, Gabriel y es su ahijado. Para él escribe un «Recado sobre los ángeles».

Ella envió a Radomiro muchas cartas a lápiz. El grafito —decía— no le daña los ojos como la tinta.

Italia es a su entender el país de los pequeños reinos. La historia es tan fuerte que funde civilización antigua, condado medieval y vida moderna, atemperada por ese andar natural y el paso quedo de los siglos. Sin violentarse, circulan del campo a la ciudad. Esta se alimenta de la ubre rural, aunque está vertiginosamente cruzada por millones de pequeños Fiats. Para ella es un país clásico, parecido a su provincia por el enclave de comarcas bien señaladas, pese a que en el caso de Italia éstas no reconocen los deslindes de los montes sino más bien la acumulación de civilizaciones superpuestas. Se siente encantada palpando la amalgama, los legados confundidos y a la vez diferenciados, coexistentes en las edades sucesivas. El Imperio Romano, lo que llama la latinidad virgiliana, se agita junto a antecesores etruscos, en el fondo del légamo original. Concentra y compendia toda la historia de Occidente en la pequeñez de diámetro de cien ciudades provinciales. Llevan impreso el sello de la crónica regional grande y menuda. Se transita de pueblo en pueblo, de un dialecto a otro dialecto. Advierte un corazón de músculo y sangre, un hombre con vísceras, capaz de todas las pasiones y de vivir la vida conforme a la ley del cuerpo.

A ella, casi ascética, le gusta Italia porque —al revés de los taciturnos cazapecadores— celebra en los italianos que le hayan pintado al cristianismo «el festón de oro de la alegría».

Le hechiza su habilidad de manos, esa perfección de artesanía fina como tallista o labrador, como tejedor o forjador de exquisiteces. Allí se aposenta el museo de todos los oficios.

Pero nada la extasía más que verlos en la vendimia, trenzando las gavillas o recogiendo los frutos. Lamenta que esta Italia tan poblada de presencias admirables, por problemas de hambre tuviera que exportar a tantos hijos a tierras lejanas. A su juicio, el italiano expatriado, sin su paisaje, pierde. Su sangre se le adelgaza un poco.

Adora sus pueblecitos. Y ella habla de uno suyo, que no tiene más de sesenta casas, tres iglesias, salidas de una lonja de Los Alpes, espigadas y blanquísimas, «como las muchachas a los dieciséis años». La bautiza «iglesia de los empeñosos». Ella lo sabe bien porque en un mes ha hecho treinta «mandas» de subir que no cumplió.

Cavi se llama su pueblecito. Se extiende junto al Mar Ligúrico. Los bañistas vienen por los dos meses de verano y se van, pero todos los días del año los pescadores recogen las redes. Y si el pez de la zona es bueno, el pan sabe todavía mejor. Poca miga y mucha cáscara. El agua puede ser sabrosa o pésima. Es detestable a orillas del mar; se saborea espléndida y deleitosa en la altura. La sociabilidad de la gente le trae a las mientes su Valle de Elqui. En Francia se olvidó de los buenos días, pero la boca italiana de esas aldeas lo dice como si fuera una alabanza hacia la vida y las dos palabras se impregnan de ternura.

Se siente a gusto en Cavi, entre la playa y los olivares; vagabundea por Liguria; es mujer de la tierra. La convence la filosofía de los habitantes de Zoagli, que tratan de morirse lo más tarde que pueden; van sorbiendo con voluptuosidad los jugos de la naturaleza, que hacen buen matrimonio con el clima y predisponen a los humores contentos. Son longevos. Pero su cementerio, a juicio de la cónsul de Chile, es lindo porque tiene una dimensión de patio, alameda de cipreses, unas lápidas agachadas y se hace una cama en el fondo de las colinas. Lo mira desde la altura y le parece que han lanzado los muertos en un aluvión y que alguien se ha cuidado de ordenarlos con mucho esmero y sentido de la simetría, a fin de producir la impresión de que están sencillamente durmiendo la siesta.

Alguna vez hemos hecho en automóvil el viaje de Génova a Sestria. Es un hilo continuo de balnearios surgidos de antiguos pueblos de mar, que se suceden tan prestamente como para dar la sensación de una ciudad junto al agua que congrega barrios diminutos. Dos son los de más nombre y Gabriela vivió en ellos: Rapallo y Santa Margarita.

Así está compuesto Sestris, que a su vez, según su ojo exacto y abarcador, está dividido en tres planos. Uno es el más feo. Está echado a orillas del mar y es la parte «donde los burgueses toman su legítima cara de hongos lamentables».

Otro Sestris es el que se dispersa sobre el lomo redondeado de las colinas. Si las de Florencia son famosas, éstas las superan, acota ella. ¿Hay en alguna parte tantas colinas? Se trata de una interrogación autorizada, porque antes se preguntaba si existen en alguna parte más cerros que en torno a su pueblo natal. No termina de contarlas.

Y el tercer Sestris es un jardín municipal, donde a ella le gusta leer más que en su cuarto.

Allí los lomajes son siempre miradores al mar. Se siente pastora. Le danzan, porque los olivares movidos por el viento le dan una ilusión movediza. Es un experimento que ella hizo en Magallanes, donde se entregaba al vicio de fijar los ojos «en las cascadas de la cordillera para ver danzar los cerros». Y lamenta, con largo remordimiento,

> ... no haber caminado Chile zancada a zancada, de poseer en mis sentidos unos rumbos de mi tierra y unos cuantos colores organizados en mi recuerdo, y unos pedazos de carreteras.[165]

Porque con todo, la echa de menos.

> En muchas tierras yo he querido clavarme a vivir, a esta edad de cuarenta años; pero en algunas donde los cerros o la extravagancia de la costa son una mesa puesta para la fábula en que la mentira coma a su gusto, lo que yo quiero, lo que yo pido es echar atrás treinta y cinco y quedarme ahí con el tamañito de la vara de San José.[166]

De la aldea pasará repetidamente a una célebre ronda de colinas. A su juicio, Anatole France acierta al decir que éstas han sido hechas a mano una por una, como sintiendo el tacto de la palma, en un juego alegre. ¡Qué diferentes de los picos agudos, del roquerío infranqueable y los abismos temibles de la Cordillera de los Andes, con aire de fortalezas trágicas, murallas de piedra, más largas y más altas que las de China! Los Andes son macizos, con el espesor de un planeta hecho de dólmenes y cavernas. En cambio, las colinas toscanas son tan redondas como seno de mujer, de una altura esbelta y se trasmutan pronto en el reino de los cipreses.

Si las montañas son diferentes, los ríos también han de ser

diversos. Aquí pierden la locura de cascada; no son ese despeñadero de agua que se precipita desde la cumbre de la montaña erguida y trata de llegar al mar en un minuto. El Arno camina reposadamente. Es como un esposo de Florencia, que goza quedándose en el lecho muelle. Por allí anda Gabriela atravesando el Puente Viejo, el de los Plateros, de la Trinidad y de la Gracia. En uno de esos puentes evoca el encuentro de Dante con Beatriz. Cuando se produjo tal vez a nadie le llamó la atención; la vida continuó en apariencia igual, pero apenas se separaron, Alighieri escribió el soneto en que quería vaciar su júbilo y escribió una *Divina Comedia,* que cambió la historia de la literatura e hizo del toscano la lengua de Italia.

Un día la chilena va a Ravena. Allí quedaron las cenizas del desterrado perpetuo. Como ella, el poeta del exilio no era perdonador: negó a su Florencia natal el honor de guardar sus huesos. Gabriela bautiza a Dante Alighieri «el magnífico rencoroso». Tal vez burila la frase con tanta precisión y vivacidad porque le descubre un rasgo autobiográfico común. Ella también condenará hasta el fin los agravios reales y las ofensas imaginarias sufridas en su patria. Agrega respecto al deportado toscano una expresión que también le vendría como anillo a su dedo del corazón: «Es de aquellos que se señalan mejor por la ausencia».

El fluir florentino le saca chispas a su imaginación: la capilla de los Médicis, la Sala de Donatello, el Campanille del Giotto, el Convento del Beato Angélico, la Plaza de la Señoría, el Baptisterio, la Galería Pitti y de los Oficios y la Colina de San Mineato. Se detiene largamente ante *La noche,* de Miguel Angel, recordando un verso: «La mayor misericordia concedida por Dios a los hombres es el sueño».

La *Divina Comedia* le desordena el pulso. Para calmarse debe leer unos versos de Petrarca o contemplar las vírgenes de Juan de Fiésole, anunciaciones, calvarios, éxtasis, retablos, pintura de ángeles. Siente la fascinación de los colores puros. No le atrae el rostro del santo sino del ángel que redime del dolor.

La Plaza de la Señoría será para la viajera del sur antártico una silla de descanso. Confiesa que, como antigua maestra de Historia, se aburrió de la guerra de los grandes, de las peleas entre los Strozzi, Médicis y Orsini. A su entender se ha partido de una anomalía: concebir la guerra como una actividad natural de los hombres. Prefiere la bondad, sobre todo cuando ésta es recia. Ella domina el rectángulo con el estatuario David y el Perseo, de Cellini. Verdad que éste no resulta muy tranquilizador: sostiene en la mano una cabeza cortada.

Es muy particular en el mundo esta galería a la intemperie. El museo al aire libre señala la atmósfera única de la plaza. Pero el transeúnte que se ha parado durante siglos junto a la acera es ese *David* de Miguel Angel, que a Gabriela le produce una sensación de amanecer. Allí se queda largo rato y vuelve a contemplarlo una y otra vez; se sienta en las mesitas del frente a sorber un helado, en esa plaza sin vegetación, de piedra desnuda, donde se ha aposentado como un ser que camina por la calle el Renacimiento. En agosto de 1927 recomienda que cuando el viajero llegue a Florencia lea el terceto de Dante sobre el agua del Arno.

Al año siguiente retornará a la que llama la ciudad perfecta, entre otras cosas porque no es viciosamente grande. Regresa como a un patio familiar, donde conviven, después de su muerte, en una segunda vida perenne, el Beato Angélico y Savonarola, San Antonio con Aretino, y pide a Dios que la deje volver todavía algunas veces más. Enumera los deleites que quiere repetir. Regresará para saborear la paciencia microscópica del orfebre que trabaja amatistas, esmeraldas y platería en el Puente Viejo. Alaba la cerámica, la cultura del barro, de las gredas esmaltadas, ese color en blanco y azul que ensayó Della Robbia. Un argentino le dice que el Arno es gredoso y plebeyo como cualquier Mapocho. Y ella, que le estaba celebrando ese color de terracota, insiste: le encuentro algo de joya. Su agua no se ve transparente porque es mundana y suntuosa.

Santiago no es Florencia

Si Fiodor Dostoievski llama a Petersburgo «la ciudad más premeditada y abstraída del mundo», Gabriela Mistral considera a Santiago alevoso y maledicente, una ciénaga, no tanto por los barriales y avenidas de agua que la lluvia forma en muchas calles, sino por la sobreproducción de chismosos que llueven noche y día cuentos malignos sobre el prójimo. Crecen como callampas venenosas en el bosque asfaltado de la capital. Si el pueblo chico es infierno grande, la urbe criolla tendrá que multiplicar los infiernos. En círculos literarios y sociales se da rienda suelta a las lenguas vitriólicas.

Cuando Gabriela por las noches siente dolores que no la dejan dormir, sospecha que en Santiago la están «pelando, sacándole el cuero a tirones». Por eso quizás se siente tan extenuada y adolorida.

Constantemente se está introspeccionando. Es una forma de autovigilancia. Que nadie la tome por una trepadora. En un momento se promete no hacer nada dirigido a personas de otra clase. No se cansará en decir *soy* y en usar la palabra *tengo*. En su primera madurez sostiene: «soy una maestra sin nada de arribista». Luego, siempre recurriendo a la autorreferencia, se describe socialmente:

> ... tengo una actitud de perfecta indiferencia para las personas que aunque en un círculo de esplendor se agiten; no me interesan, porque no viven para las cosas que yo vivo.[167]

Tiene menos de cuarenta años cuando escribe cartas a Eugenio Labarca. En verdad fue aquel un pequeño epistolario, que le sirvió para retratar su espíritu y su credo artístico.

> Yo no admiraré nunca una obra literaria en que no haya esa amistad honda y ardiente con las ideas. La mejor camarada de la belleza puede ser la verdad y el verso que está rico de parábolas es santidad, temblor de alma en temblor de carne.[168]

Cuanto más conoce a los hombres, más se acerca a la naturaleza. «Para vivir dichosamente, yo necesito cielos y árboles, muchos cielos y muchos árboles. Sólo los ricos tienen en ésa estas cosas». La opulencia permite tener muchos árboles y vivir más cerca del cielo. El actual Santiago lo prueba con sobrada añadidura.

Ya se sabe que ella no quiere a Santiago. A su juicio envenena la vida de la gente. En este caso la gente son los literatos. Pide reserva a su corresponsal pero también le exige que la justifique. «Cómo se muerde y se hace toda clase de daño esa "casta divina".»

La «casta divina» le ha hecho mal. El contacto comenzó aquella malhadada noche de los Juegos Florales, cuando fue ungida con el aceite de la asquerosa palabra poetisa. Tuvo relaciones con

> ... luminosos cerebrales que tienen el corazón podrido y que no conocen la lealtad; me pusieron entre ellos y cada vez que estoy entre ellos, quisiera no haber sido otra cosa que Lucila Godoy.

El corazón le está sangrando y gotea sobre el papel de esa carta que dirige a Eugenio Labarca a causa de un *luminoso* cerebral: Manuel Magallanes.

Sabe que su vida será siempre angustia y camino accidentado. Para ella está desbordando lodo y la salpicará, porque tal es el precio de su peregrinaje a campo traviesa. La impureza nos llega fatalmente. Quien vive no podrá evitarla, salvo que renuncie a vivir aunque siga deambulando. Es preferible a vegetar en la calma del indiferente; lo dice hablando de la supuesta paz del escritor chileno Pedro Prado:

La abstención de la vida por voluntad de pureza total no me convence. Cada vez que me paro a mirar los albañiles en Petrópolis —ciudad donde se construye mucho— los veo, cual más cual menos, embarrados y hasta caricaturescos. Prefiero esas trazas a la de los intelectuales tan *comme il faut*. La vida como la tierra es cosa que altera y descompone y afea, y yo quisiese ser un albañil hasta los últimos días. El aroma de mi infancia me acompaña hasta ahora.[169]

Tres años hacía que salió de Chile. Venía de México cuando se fue a Europa. Posiblemente no haya países más dispares que Italia y México, pero ambos son cunas de civilizaciones antiguas. En ellos la historia es un rascacielos de muchos pisos. La parte de los cimientos asoma a cada rato tanto en uno como en otro. Encierra un elemento común que sobrecoge a la autodesterrada. En México irá a muchos villorrios indígenas, en Italia recorrerá cien aldeas ilustres. Pero Asís la conmueve sobremanera, porque aquel santo tiene algún parecido con ella, no por olor de santidad, sino por el amor al pequeño y su acercamiento no sólo a la bestia mansa sino también al lobo. Por allí anda contrastándola con una ciudad belicosa, soberbia, colmada de palacios, con un aire fastuoso que el tiempo no ha descaecido.

Cuando Gabriela deambula por Siena tiene la sensación de internarse en la Edad Media, de la cual es expulsada con violencia al advertir que casi todos los palacios regios se han convertido en oficinas públicas ordinarias.

Como es porfiada, visitará castillos medievales. Caza de altanería, cielos de halcones, son la imagen de la dureza. A Siena la ablanda, a su juicio, el hecho de que en ella nació Santa Catalina y que en una iglesia suya va a encontrar el *Juan Bautista* de Donatello, que admiraba desde pequeña contemplándolo en una reproducción que había perdido su brillo. El aire de pronto transmite relentes mefíticos; provienen de las lagunas pútridas. Ella no le pide a las ciudades perfumes franceses, sino que sean inodoras. Así podrá percibirse su color, ir de sala en sala mirando los cuadros de la escuela de Siena, de una Siena que huele mal, pero que se baña.

Su pasión por Santa Catalina tiene algo que ver con su culto a los muertos trágicamente. En este caso se trata de un caballero ejecutado en la plaza pública, convertido en el último minuto a la gracia por la persuasión de esa mujer, a condición que ella lo sostuviera en su hora final, acompañándolo hasta el lugar de la decapitación. Catalina recibió en sus manos la cabeza destroncada y la sangre bañó su pecho. Luego escribió a su confesor la «Carta de la sangre». La Mistral murmura: «No sé de palabras más intensas exhaladas por mujer». Es una escena digna de su carácter, por eso la hace suya. Léase *Desolación* y no se tardará en descubrir reacciones análogas.

Anónimos.

La perseguían los fantasmas de los anónimos, que podían ser reales o imaginarios. Chile era para ella un país donde se cultivaba afanosamente el género. Tal vez volvería por un rato a su tierra, sólo por un rato porque la última vez que estuvo «no menos de sesenta cartas "bajas y sucias" trataron de ensuciar mi pobre vida».

Estaba convencida que ella era el ejemplo vivo de la efectividad de un dicho: el pago de Chile. En una carta que escribió en 1938 a Laura Rodig, este «complejo de persecución» o relato de una cacería que no le daba tregua vuelve a manifestarse.

> Yo le di a este país mi vida en vano. No me quedo por no volver a vivir defendiéndome de los odios sin cara, de los odios hipócritas con los cuales no es posible la lucha honrada [...]. Este odio se llama mujer mejor que hombre.[170]

No obstante su larga ausencia, sabe que los pobres no experimentan mejoría.

> He visto, menos que usted, naturalmente, la miseria de nuestro pueblo, pero la he visto bastante. Y lo he dicho en público y en privado cada día y varias veces al día.[171]

Pero antes de llegar a Siena, en junio de 1924, desembarcó en Nápoles. Como encuentra que navega por un mar femenino, propone llamarlo «la mar Mediterránea». Agua voluptuosa, gran parte de la literatura greco-romana la tiene por escenario. No es temible como los grandes océanos, quizás por eso Homero la llama «pradera de violetas». Las tonalidades cambian: tienden al morado en la primera hora de la mañana y vuelven a la misma coloración en el atardecer. Las violetas muestran una gota de leche durante los días nublados, pero su pigmento habitual es un azul alucinante, que parece inmóvil, para volverse todavía más hermoso. Así por este mar, que es como una mujer vestida con un traje violeta, que nada tiene que ver con el océano violento que baña su tierra, ella había hecho un tiempo atrás su entrada a Europa. Toca Sicilia. Se encuentra más a gusto en este mar que siente leve, hecho de superficie, como si olvidara la dimensión de sus profundidades. Y es tanta su alegría que se instala sobre cubierta y escribe una «Canción de marineros».

Lo surca muchas veces durante años. En diciembre de 1930, desde Gibraltar, escribe una «Despedida del Mediterráneo». (No será tampoco un adiós definitivo). Había zarpado de Génova a Nápoles y de allí hasta Cerdeña. En este viaje de regreso a América le nota una cara huraña. El aire taciturno se lo da la niebla, que no le permite divisar la Isla de Capri ni el Vesubio ni Córcega. O sea, ese mar que describió tan brillante y soleado ahora la despide de mala manera.

Gibraltar es el cuello estrecho de la botella mediterránea. Atravesado su corcho, llega al océano. Se acaba el juguete, se abandona el lago antiguo. Dice hasta luego al mar latino. Ahora comienza el reino del agua salvaje, que

... desde esta misma noche nos golpeará la nuca con su ritmo brusco, en la pobre cama de dormir mal y de soñar sueños asustados.

E L TRATADISTA ESPAÑOL Menéndez y Pelayo estaba persuadido de que Chile no producía poetas por razones históricas. «Una tribu de bárbaros heroicos gastó allí los aceros y la paciencia de los conquistadores y manteniendo el país en estado de perpetua guerra, determinó la peculiar fisonomía austera y viril de aquella colonia». Tal base, en su opinión, determinó el carácter de su cultura y la pobreza de su poesía. El chileno no está para versos. «El carácter del pueblo chileno —agregó Menéndez y Pelayo— como el de sus progenitores vascongados en gran parte, es positivo, práctico, sesudo, poco inclinado a idealidades [...]. El predominio del positivismo dogmático, triunfante al parecer en la enseñanza oficial durante estos últimos años, contribuye a aumentar la sequedad habitual de la literatura chilena, sólida por lo común, pero rara vez amena».

Gabriela Mistral, que se decía descendiente directo de indios bárbaros, con apellidos originales vascos, es un primer buen desmentido a la tesis de Menéndez y Pelayo, para no hablar de un segundo apellido, Reyes Basoalto, alias Pablo Neruda. Hay terceras, cuartas y enésimas excepciones a su teoría.

Ella sintió a España como contradicción seductora y anonadante. Tuvo conciencia de que existen varias Españas. La mediterránea tiene poco que ver con el paisaje de Castilla que a veces percibe de color ceniza. «Como Kempis, deprime en un versículo». Tremenda tierra, propicia a la abstracción y a la metafísica. Acude necesariamente al Escorial, «una estrofa en la meseta». Se sintió absorbida por el frío de los corredores, causándole la impresión de que ya conocía todas las fortalezas y que cargaba una túnica de bronce sobre sus espaldas, extrañas a la grandeza del poder. La piedra, el pudridero, donde se corrompen y se deshacen las carnes más solemnes de reyes y príncipes, le habla del dominio final de la muerte y la sombra. Felipe es un rey envuelto por la tristeza. Ante el dueño principal del mundo, ella, pequeña sudamericana, oriunda de países ultramarinos, que fueron parte de su patrimonio personal, no sintió el orgullo del poderoso sino su temor a la muerte, el imperio de la severa religión de la austeridad, que la inclinaban a contemplar largamente la mesita, el pequeño escritorio minúsculo en que el hombre solitario firmaba el despacho y decidía el destino de su patria lejana, estremecida por la guerra secular contra los indios. Luego se detiene ante el lecho,

donde el amo del orbe fue devorado por el cáncer. El hombre que
había en el rey sintió que se descomponía su carne. Así moría el
«demonio del mediodía», ese pecador antilujurioso, esclavo de un
Dios hosco y sangriento, que quemaba herejes para salvar su alma.
Hizo del cristianismo el culto de la verdad que se abre paso por el
camino de la violencia y practicó el poder al modo de un ejercicio
tan duro como melancólico, porque creía en la bondad del cielo y en
la maldad humana. Gabriela se detiene ante el hombre que se volvía
cada día más putrefacto, que tiene por trono ambulante una incó-
moda silla de montar, a horcajadas de la cual viaja desde Madrid
a la fortaleza, sintiéndose morir en el camino por los estragos de
una enfermedad de origen aún más desconocido entonces que hoy.
La chilena siente que Felipe II es uno de los rostros de España, el
más sombrío, el poseído por un sentido sobrenatural de su misión
en la tierra, al estilo de los fanáticos fundamentalistas que con-
ciben la alegría de vivir como un crimen. La mole de piedra la
abruma. El personaje le da miedo y su rostro huraño le inspira
piedad.

Otra monja escritora (bien distinta de la mexicana) le dice que
Castilla es como un vino fuerte. Esa religiosa que entabla con ella el
diálogo imaginario es Santa Teresa. A aquel rey lo poseía una pasión
creadora que pasaba por la destrucción. Ella conversa con la monja
de Avila, que tiene el semblante «rojo como un cántaro castellano».
Compara las tierras de ambas. Para Gabriela, Castilla no tiene
regazos; en cambio sus cerros elquinos hacen «cobijaduras por todas
partes». La Santa no ama las tierras grasas, los hombres y las mujeres
blandos, habituados a la complacencia, que se traduce en «vicio de
palabras grandes». A su entender, la naturalidad es hija de Castilla.
Gabriela contraataca, pero ¿el Escorial no es un monumento a la
soberbia? La monja responde, atribuyéndole responsabilidad al carácter de los tiempos. España cumplió con América; fundó a lo
gigante; que los americanos hagan lo suyo. Tal es la orden de trabajo
teresiana.

Se trata de una conversación sostenida en 1925. Viajará a través
de Castilla por consejo de la monja castellana. Irá a su ciudad. La
Sierra de Guadarrama le recuerda a su Magallanes, no a Manuel sino
a esa ciudad del Estrecho donde reina largo la escarcha. Cuando llega,
Avila también está blanca de frío. El paisaje semeja un «cuello de
buitre». La Santa lo sentirá como campo de labor. Prefiere una página
de *Las moradas* a la iglesia dedicada a ella. Se siente hermana de
aquella «majadera del Señor». La fantasía de la conversación la
induce a preguntarle por qué se puso a escribir versos, por qué se
dedicó a las rimas. «Se me cayeron de entre los dedos —dice—, que

eso también viene del amor y no del pensamiento con jadeo». Penetra en la zona explicativa del arte poético. «Oye: en cuanto vuelves y revuelves lo que vas a decir, se te pudre, como una fruta magullada; se te endurecen las palabras, hija, y es que atajas a la Gracia, que iba caminando a tu encuentro».

Andalucía es distinta, no castellana; medio española y medio árabe. Encuentra que en Sevilla y Córdoba (dice que a Granada no ha ido)

> ... lo español retrocede; estorban un poco sus injertos intrusos; a trechos se le olvida. Tan impetuosa es todavía la presencia semita. Se miran con un impertinente cariño los rostros árabes rezagados que encontramos.

Ella se declara más cerca de Andalucía y de su mezcla que de Castilla. Sentía que lo andaluz iba más derecho a sus raíces y a su noción de cultura. Así es también con el habla popular chilena. La cultura es para ella «la manera de vivir», pero con paralelas que se encuentran en el camino: redescubrimiento del mueble de la casa, del mueble que viene del Oriente y que le recuerda al indio mexicano; de la lencería, del manto árabe, del labrado de los materiales finos, de la talabartería cordobesa. Esto la hace decir que el gaucho y el huaso han acariciado en su montura, sin saberlo, una «cosa árabe»; la lleva a acentuar esa idea casi doméstica de la cultura.

> Raza más acendradamente culta que las del árabe-español y del judío-español, que aquí se enderezaron, no las ha repetido el Oriente en ninguna de sus acampaduras geográficas. Ni en Africa, donde se quedó, ha conseguido duplicarla. Con razón se ha dicho que, lo mismo árabes que judíos, en España lograron sus generaciones mayorazgas y que su aristocracia aquí se obtuvo como una gota de esencia, de cuya destilación se hubiese perdido el secreto.[172]

La aproxima su pasión por el agua, su cultivo del lenguaje de la fuente, metido dentro de sus salas; los patios con espíritu de jardines, donde siempre está sonando suavemente el líquido como una música que sale de los aljibes.

También siente cercano el parentesco por el oficio hortelano, que le recuerda su tierra, la selección de las especies botánicas, el sentido de la fruta dulce, ese amor por la pulgada de tierra que la traslada a Elqui. La interpreta como una lucha contra la sed de tanta gente suya que recorre el desierto.

La música de la fuente. El joven García Lorca, en esos años tiene la revelación de lo árabe-español. Forma el cuerpo y el alma de su poesía.

> Un solo pez en el agua
> dos Córdobas de hermosura
> Córdoba quebrada en chorros.
> Celeste Córdoba enjuta...

Gabriela Mistral alcanza a nombrarlo. Siendo escritora contumaz hablará, por cierto, de sus colegas españoles y portugueses. Y sobre todo de los que pertenecen a su gremio por partida doble: los poetas inevitables y necesarios. Para ella, el misterio de la península lo ahondan Maragall, Carner, Unamuno, el que denomina segundo Valle Inclán, Guerra Junqueiro, Eugenio de Castro, García Lorca, Alberti, Gerardo Diego y los demás. Es una lista justa y arbitraria a la vez. Tiende a compararlos con los de su ultramar americano. Los llama *alumbrados* de la lengua. Invoca algunos nombres: «José Martí, Alfonso Reyes, Eduardo Barrios, Vicente Huidobro, Teresa de la Parra y otras gentes queridas...» o no tan queridas.

Advirtamos que nombra en buena compañía internacional a Vicente Huidobro, quien no la respeta. Un día, Mathilde Pomes, traductora de la Mistral al francés, conversando con el autor de *Ecuatorial*, llama grande a la chilena. Su compatriota «creacionalista» discrepa: «Grande por la talla —ironiza—. No es más que una maestra de aldea».

Huidobro escribe a Rosamel del Valle: «Esa pobre Mistral, lechosa y dulzona, tiene en los senos un poco de leche con malicia».

La preceptora de villorrio perdido no se inmuta. Anota que:

> Pedro Salinas tiene leídos su Max Jacob y su Apollinaire.y su Huidobro; le gustan; seguramente les reconoce, como yo les reconozco, que nos han sacado las manos del caramelo por fundido intolerable, de la falsa sentimentalidad, y nos han curado del alarido.[173]

Rememora a los que se quedaron allá, en el áspero terruño y constata lo que estima un período estéril:

> Vuelvo a sentir hacia Chile lo rijoso y lo voluntariamente amojamado. Parece que se escriben menos versos que en los buenos tiempos de Cruchaga (¡tan aristocráticamente desconocido!), de Hübner, de De la Vega, de Guzmán y los otros de su Cábala. Parece, digo, que volvemos a la tradición fea del pueblo que no quiere aventuras con la poesía y se

ha casado, para toda la vida y no por un matrimonio a plazo, a lo yanqui, mientras le convenía, con la historia y el folklore.[174]

Sin quererlo, parece que le diera un poquito de razón a Menéndez y Pelayo.

Mantuvo larga admiración por don Miguel de Unamuno. La conmueve el desterrado.

Me han contado que su casa de París (de su apartamento sobrio y casi pobre) se iba por el Metro a un café en que tenía españoles e hispanófilos franceses. Para conversar, y que de ahí volvía a su casa por el mismo camino sin ver París, sin pedir noticias de music-halls, con una indiferencia fabulosa de la «Ciudad de las Complacencias». Y un día no pudo más con los bulevares y la Plaza del Carrusel, y se fue a su Hendaya casi española. Hendaya le ha dado, entre otros, un poema que no he podido leer sin llorar, desgarrón de ese corazón sesentañero, tan robusto como el algarrobo chileno...[175]

La bomba

Gabriela era muy susceptible. Según su traductora Mathilde Pomes sufría a ratos delirios de persecución. Durante una comida de escritores en Madrid, le pareció que alguien pronunció un discurso «muy especialmente endilgado a mí». Escucha decir —según explicó más tarde— que ella siente gratitud porque los conquistadores españoles entraron en contacto con las indias, cosa que efectivamente no sólo había dicho sino también escrito. Algún exagerado —que los hay no sólo en Andalucía— o algún chusco —que sobran en España— o un mal pensado —que tampoco faltan— hizo en voz alta una aclaración muy específica: «Lo que sucede es que esta señora no sabe que si los españoles tomaron indias, fue porque allí no había monas». Gabriela se pone fuera de sí. Pretende replicar. ¡Imposible! Todo es risotada, burlas, chistes, comentarios jocosos y picantes.

No puede decir lo que piensa y lo que siente. Enardecida, se dirige al que le parece el más noble de los presentes, moral e intelectualmente hablando, la «conciencia de España», don Miguel de Unamuno. Este no le da la razón. Ella quiere argumentar pero la atmósfera ha perdido toda seriedad. Dice algo en favor de los indios y de los mestizos de América; nadie la escucha; alguien (ella lo atribuye a Unamuno, lo cual resulta casi inverosímil) responde: «¡Que mueran!»

Después confesó que en ese momento preciso sintió que se le cortaba el cordón umbilical que la unía a España. Amargadísima, escribió cartas a Chile contando lo sucedido. Su decepción se agravaba por la persecución y las groserías que le llovían en ese último tramo de la dictadura. En su correspondencia a Armando Donoso le confidencia su desengaño. Esa carta no estaba destinada a la publicidad, pero se filtró. Una mujer alta, maciza, cegatona, de torpe andar y voz de niñita, que entonces era considerada una escritora significativa y dirigía la revista *Familia*, Marta Brunet, tiene tal vez involuntariamente algo que ver con el asunto. Conversaba entonces amable conmigo por los corredores de la empresa Zig-Zag, en los tiempos que allí se editaba nuestra *Antología de la poesía chilena nueva* (en colaboración con Eduardo Anguita), que injustamente, por prurito de extremismo literario o vanguardismo poético, excluía a Gabriela Mistral. Supongo que no figuraba en los planes de Marta Brunet desatar una tormenta eléctrica; el caso es que ella encargó a Miguel Munizaga —un crítico de cine, oriundo de la misma región de Gabriela— que escribiese un artículo sobre su coterránea. Solicitó aquél antecedentes nuevos a Armando Donoso; este le entregó un cartapacio donde iba la carta dinamita.

Era dable suponer que ese artículo no llegaría a España. (Aunque, al parecer, había en Santiago gente que despachaba rápido toda información explosiva. Gabriela se refiere a una española santiaguina que «me hizo dejar los Madrides»).

En España vivía el almirante del barco fantasma, el Hermano Errante, a quien Gabriela no había escatimado la palabra acogedora, llamándolo por escrito «nuestro compañero ilustre».

> A mi paso por Madrid, él me dio una tarde inolvidable en la Residencia de Estudiantes con la lectura de su Milosz familiar. Pocas veces el poeta de Kabala ha encontrado garganta digna de él en un Augusto d'Halmar, que nos trajo de la India una voz extraordinaria, ensayado en un yo no sé qué de grutas de cuarenta ecos. Me preparaba a la lectura con un exordio de comentaristas del Zohar: «Esta vez será verdad, Gabriela; usted va a oír a un poeta que maneja materiales inéditos del misterio y cuya palabra de cuarenta años podría ser de setecientos. La promesa esta vez le será cumplida, cumplida con superación».
>
> Y empezó la jornada, que duró tres horas generosas, que yo le agradeceré siempre, porque quiso, como el huésped antiguo, llevar a su mesa, para mí, su faisán más dorado...[176]

En el trance, el Hermano Errante le sirvió un plato indigesto. D'Halmar abrió los ojos de par en par. No sabemos si sonrió o dijo ¡Eureka! ante el descubrimiento sensacional. Pero sí se sabe que pegó el grito escandalizado y lo extendió por España. El notición saltó a la publicidad. Todo el nacionalismo hispano estalló como pinchado en el sacro. La indignación compuso una furibunda partitura de orquesta. La dignidad española estaba en juego.

Ella quiso de nuevo recordar que no aprobaba la Leyenda Negra.

> Durante dos años yo he escrito una sesentena de artículos sobre asuntos europeos, destinados a cuatro diarios de capitales americanas. Entre ese conjunto, una veintena fue dedicada a actualidades españolas...[177]

Dicho antecedente no le valió de nada.

Se pedía la cabeza de la sacrílega. Tuvo que partir de Madrid y refugiarse en Lisboa. Nunca ella olvidaría el asunto; nunca perdonaría a ninguno de los que tuvo participación pequeña o grande, directa o de soslayo, en aquella que juzgaba «conspiración alevosa». Seguiría denunciándolos.

Una cosa... muy criolla

Pasados los años, desde California, quiere interiorizar a dos españoles que quiere, Juan Ramón Jiménez y su mujer, doña Zenobia Camprubí, sobre ciertos entretelones de su abrupta salida de Madrid y de paso refutar su mala fama de anti. Todo lo mira, naturalmente, con su óptica particular, que en algunos casos no carece de fundamento y suspicacia. Les manda una carta con revelaciones que algunos juzgarían indiscretas, hasta peligrosas:

> Querida Zenobia, muy querida y muy pensada: Estoy traduciendo la carta de nuestro regalón, alias Juan Ramón [...]. Mi leyenda de anti-española tiene poco de verdad. Tal vez venga de que siempre declaro el que mi padre era muy «aindiado»; tenía unos bigotes caídos como el Gengis-Kan. Dicen que mi abuelo era un indio puro, de Atacama. No lo conocí. Su mujer, mi abuela Villanueva sí era una hebrea nata. Mi abuela materna era una Rojas. Este apellido lo da un libro español por hebreo también. No me gusta negar a mi gente. Cuando mis madrileños me echaron por descastada no tuvieron mucha razón. Lo que hubo de verdad en aquello de mi expulsión —como cónsul de Madrid— fue una cosa muy... criolla. Dos candidatos, un colega de letras y una ídem que deseaba mucho ser cónsul y consulesa, respectivamente, allí en Madrid. La segunda fue quien hizo publicar en Santiago una carta mía. Esta pedía que «me sacaran de esta España del momento que era ya el comienzo de la guerra civil». Escribí esa carta un día en que me subieron a la oficina a un hombre apuñaleado en la escalera misma de mi

apartamento; lo llevamos a mi cama sangrando. Pedí mi traslado ese mismo día. Pero los franquistas ya habían solicitado lo mismo, puesto que en el día de esa publicación llegó un gran señor muy cortés con «el papelito» en la mano. Triunfó el colega. Ella fue nombrada para Buenos Aires. Como siempre ocurre, a causa de que Alguien Mira y Ve, ella fue nombrada para la Argentina y expulsada del servicio poco después, a pedido de la Argentina parece. Esta es la historia. Mis españoles no la saben hasta hoy entera...[178]

¡Poco chilena!

No tenía piel de elefante. Era dolorosamente sensible a la crítica. Le afecta mucho el libro de Raúl Silva Castro, quien decidió salir a la arena con todas sus armas para terminar con el mito Mistral. El tumbador de monumentos maneja un bulldozer virtuoso. Arremete la grosería implícita en versos de la impostora que habla de las tribulaciones de la carne, emplea palabras tan chocantes como herida, llagas, sangre. Nada con las funciones corporales. Para el exégeta puritano y antianatómico dichos términos no son sino muestras de delectación morbosa y de pésimo gusto. Lo peor reside en que se le ha fabricado una aureola intocable. Ella es dogma sagrado en escuelas y liceos. Se le ha otorgado licencia absoluta para cantar, incluso con impudicia. Mereciendo la cárcel o el destierro, en cambio se la premia con elogios desmesurados y delirantes panegíricos, «... se ha llegado a disculpar cada uno de sus extravíos y a encomiar todas sus audacias como *summum* del arte poético y hasta el evangelio de la poesía». Lo saca de quicio que haya gente que la encuentre genial. Le hace dudar de su limpieza de sangre y le indigna que en el poema «Mis libros» dé «paso a la sospecha de una ascendencia hebrea. De allí acaso su inclinación vehementísima hacia la Biblia, de la cual no escoge el Nuevo Testamento —fuente de principios morales incorporados al alma del hombre mediterráneo—, sino al Antiguo, que refleja la turbulenta sensualidad y el materialismo del pueblo judío en todo lo que tiene de inadaptable al espíritu occidental».

La acusa de no temer, de no detenerse ante el límite, de ser brusca, directa, desvergonzada, de llamar sangre a la sangre y a las entrañas, entrañas. No tiene recato en exhibirse al desnudo en sus sentimientos y pasiones. El crítico le descubre otro defecto: «Falta de castidad». De allí deduce el crimen antipatriótico, la *sin chilenidad* de la temeraria. «Con el ardor en que se consume, la elección no siempre afortunada de palabras, una exaltación inmoderada del tono que corre entre un ditirambo excesivo y un realismo rastrero, los rasgos en los cuales se ve más profundamente *cuán poco chilena* es la poesía de Gabriela Mistral.»

¡Poco chilena! Además, burda y pedante.

No le perdona «sus increíbles vulgaridades y sus errores presuntuosos».

En el fondo, toda su obra es una impostura, afeada por una falta de decoro, que quizás no se explique por las sinuosidades de un espíritu oscuro sino también por la carencia de tranquilidad y sentido de las proporciones. «En otras composiciones pasa con facilidad peligrosa de lo rudo a lo grotesco, de lo turbulento a lo grosero y rompe el ritmo y descoyunta la imagen, porque no se conforma con trabajar en paz y calma su estrofa y su verso».

Silva Castro condena a los que admiran estos versos demoníacos. El galardón de 1914 lo juzga un crimen de lesa poesía. «Sólo en momento de prisa, o dominado el criterio del jurado por un mal gusto deplorable, pueden haber sido premiados tales sonetos. Carecen de todo aliño, de todo arte literario, y son tan oscuros y retorcidos como si fuesen la caricatura de una poesía.»

De fiscal acusador ante el tribunal literario, Silva Castro, acto seguido, pasa a formar parte de la Santa Inquisición o de la Sagrada Congregación de la Fe. No dejará que prospere el engaño de la impía. «Gabriela Mistral ha pasado como poeta cristiana a los ojos de mucha gente. Es curioso que nadie haya reparado en estos graves olvidos de la doctrina de su religión en cuestiones elementales.»

Uno de sus pecados capitales es el realismo indecente, su no esconder nada, su franqueza descarada que linda con un inconsciente cinismo. «En su realismo, como se ve, no encuentra límite ni estorbo; todo le parece bien con tal que le permita decir lo que las demás mujeres ocultan por pudor, y sobre todo lo que ocultan los hombres, cuando hacen poesía, por pudor reflejo, porque al fin y al cabo no hay poeta que llegado el caso no recuerde que es hijo de mujer. Afortunadamente —salvo manifestaciones aisladas— la poesía americana no ha seguido esa poesía realista que señalara Gabriela Mistral en poemas que llegan a parecer impúdicos.»

Silva Castro tal vez sólo sea citado en el futuro por lo que escribió contra Gabriela Mistral. No consiguió derribar el ídolo.

Portugal le fue grato, hospitalario. En un congreso internacional de escritores —donde había grandes de las letras— el honor fue para ella.

En Santiago —menos mal— el Congreso Nacional aprobó un mensaje, designando a Gabriela cónsul vitalicio con derecho a elegir residencia. Era el primer chileno que obtenía tal designación. Dicho reconocimiento no la reconcilió con el país, pero le aseguró cierta base material que le permitiría vivir lejos sin sobresaltos económicos. En 1938 asumió el Consulado en Niza. Pronto siente que le hace falta el calor. Volvería hacia el trópico.

¿Cuál sería ese primer lugar que elegiría en el mapamundi? La pregunta cabe porque se sabía de antemano que la patiloca no duraba mucho en ninguna parte, pues ni siquiera las ciudades más bellas nos deben hacer olvidar que el paraíso no existe en este perro mundo. Ella señaló con un dedo en el globo: marcó Niteroi; cónsul general en Brasil. Luego iría a Petrópolis, donde estuvo instalada en el siglo pasado la Corte del Emperador de la Casa de Braganza.

Un abogado y amigo llamado Frei

Eduardo Frei Montalva sostiene con Gabriela una correspondencia forjada por mutuas simpatías y la atención de encargos de índole práctica encomendados por la ausente. El político fue amigo y abogado suyo. No es extraño entonces que el epistolario esté cruzado por escuetas descripciones de tramitaciones oficinescas y sea un pequeño monumento al «vuelva mañana» chilensis. Pero por ese epistolario circulan también ideas, informaciones nacionales, preocupaciones por un mundo hundido en la Segunda Guerra, mezcladas con liquidaciones de cuentas, anuncios sobre despachos de sueldos, giros telegráficos a Niza, posibilidades de compraventa de casas, amén de la árida prosa referente a hipotecas y gravámenes, testamentos; envío de dólares y problemas con los cambios diferenciales. Todo lejos de la poesía.

Frei consigna datos de su conversación con Emelina. Ella quiere comprar la casa que su media hermana Gabriela posee en La Serena, pero en la Caja dispone sólo de 65 mil pesos. Es curioso: a estas gestiones está vinculado el Presidente de la República de aquel entonces (1940), su amigo y protector Pedro Aguirre Cerda. Pero en su despacho jurídico un ayudante desubicado y de poca nariz se niega a atender al abogado alto y narigón, que patrocina los asuntos de la Mistral, sin olfatear que éste en 1964 será elegido, como su patrón, Presidente de la República.

No todo es en ese intercambio de cartas moneda de vellón y abominación de la burocracia. Frei le pide a Gabriela que le consiga con Jacques Maritain un retrato dedicado. Además, le solicita un prólogo para «un librito que tengo ya terminado» (*La política y el espíritu*).

Pues no sólo de pan vive la mujer y... el hombre. Ella siempre está autorretratándose: «yo voy con paso de indio en los asuntos». Y quejándose, criticando. «Ay, el mal mayor, mi amigo, es la pobre madera infeliz que da nuestra clase media».

No le agrada el nombre inicial del partido de su corresponsal. Le habla de «la doble equivocación bautismal: la de llamarse conservadores y el denominarse falangistas». Ella, por su parte, seguirá ensayando autodefiniciones políticas, influidas por su indigenismo:

> ... suelo darme cuenta de que soy una socialista; pero no de Blum, ni del sanguinoso Stalin, sino [...] del Imperio de los Incas, o de su plagio, las Misiones del Paraguay [...] o de cualquier buen convento italiano [otro de sus amores].[179]

Y en la cara opuesta de la moneda divisionaria, el ojo profético vuelve a sus fobias crónicas:

> Pero milicos para hacer una trastada los hay y los habrá [...]. La gente fascista que quiere gobernarnos se estrena con los escritores [...]. Es una pena que algunos de ellos se dejen envolver [...]. El que ha naufragado en la seudohispanidad de Franco es Scarpa a quien estimo mucho literariamente, pero a quien no he tratado.[180]

El carteo es parte de la biografía. Las epístolas son como las lámparas que los mineros llevan en la frente para descender por piques y galerías a los socavones de la vida oculta.

PETROPOLIS ES PARA ella un «derramamiento de colinas, danza desordenada que por tal, parece de mujeres, y de mujeres felices [...], con sus percales coloreados». La llama «fiesta perpetua». No tiene estaciones perfiladas. Allí siempre es primavera.

Sin embargo, una mañana..., precisamente la del «horrible día 23» de febrero de 1942, sintió que hasta allí llegaba el estruendo y la carnicería de la Segunda Guerra Mundial.

Poco antes, unos diez días, estuvo almorzando en la casa de su amigo Stefan Zweig, avecindado en Petrópolis. Había sido —como de costumbre— un encuentro cordial, muy a su gusto. Ella le anunció la venida de Waldo Frank, que se alojaría en su casa. Zweig le propuso compartirlo unos días. El preparó un almuerzo austríaco y lo sirvió entre risas, comentarios culinarios e intercambio de noticias.

Después, en la terraza, donde le agradaba trabajar, él le leyó una carta de Roger Martin Du Gard. La guerra era el tema de la correspondencia de aquel entonces.

Después se buscaron para asistir a una recepción en la Gobernación. Hitler parecía triunfante y en ello residía la mayor angustia de Zweig. Escribía su autobiografía, los años de Viena y la Europa de preguerra. Era nostálgico. Gabriela pensaba descubrir en ella muchas cosas que no sabía de su buen amigo.

Siempre lo acompañaba su mujer. Tenían casi treinta años de diferencia. Ella treintaitrés; él sesentaiuno. A Zweig le gustaba decir: «En años soy más que su padre». Pero ella lo cuidaba como a un niño. No necesitaba protegerlo del clima, pero sí del mucho escribir y del exceso de caminar, que, según Gabriela, era su «único vicio». También tenía que fortalecer su ánimo y los nervios ante los cables fatídicos.

¿Confiaba en la caída de Hitler, a pesar de tantos anuncios de su victoria? Esperaba con ansias el fin de la guerra. «Basta de horror», repetía.

Le dolía mucho su separación del idioma alemán. No oírlo a su alrededor, no comprender todo lo que se decía en la conversación, en los libros y periódicos, en calles y noticiarios, le causaba una sensación de inferioridad y de aislamiento deprimentes. En el caso de un escritor, esa privación es más aguda y torturante.

Al mediodía del 23, Gabriela pasó en autobús frente a la casa de la pareja Zweig, ubicada a media colina; divisó sus columnatas.

Supuso que él estaría escribiendo su autobiografía. Se acostaba y levantaba tarde. A las nueve de la noche, ya en cama, la sobresaltó el teléfono. Se oía mal; pero —¡qué horrible!— por fin logró entender que los Zweig habían fallecido. Pensó en un accidente de automóvil; partió como un bólido hacia su casa, trastornada, «con una sensación de sonámbulos que hacen cosas absurdas; saberlos muertos no era posible para nosotros, y muertos por suicidio, menos».

Supo que cuando ella por la mañana, cerca de las doce, pasó frente a la casa, ya habían expirado, pero nadie lo sabía. La empleada no se extrañó mucho por el retardo de la pareja en levantarse. A mediodía puso el oído en la puerta y tuvo la impresión que escuchaba la respiración del «señor Zweig». A las cuatro de la tarde se atrevió a abrir la puerta; dio cuenta a la policía; en ese momento llegó de visita un arquitecto francés y preguntó por los dueños de casa; ella le dijo, señalando el dormitorio: «Sí, allí están; pero están muertos».

Gabriela se reprochó no haberlos visto más, tanto como para avizorar su secreto. Sentía que «ese hombre llano como una criatura, tierno en la amistad como no sé decirlo y realmente adorable», le trasmitía a ella una sensación de cariño y ternura. «No pudimos hacer nada por él, aparte de quererle...»

De nuevo la había tocado de cerca el suicidio, esta vez en la ciudad de la «fiesta perpetua».

Su leal amiga y secretaria, la diplomática mexicana Palma Guillén, está recordando:

> Para que se vea hasta qué punto Gabriela era apasionada y firme en sus principios, he aquí un hecho: lo que la decidió a dejar Lisboa y venir a América, fue que Juanito, un chamaco todavía, se mezclaba con sus amigos de la escuela, en las «Mocidades», la organización fascista de juventudes, y Gabriela quiso sacarlo de ese ambiente...[181]

¿Quién era Juanito? ¿Un inesperado sobrino suyo, que un día un hermano de padre le entregó, casi recién nacido?

Ella pasaba entonces por amarillos aprietos. Se sabe que el gobierno del general Ibáñez —contra cuya dictadura escribió unas cuantas claridades— le quitó la jubilación. Tenía una ocupación incompleta en el Instituto de Cooperación Intelectual, en París. En esa ciudad, o en Marsella, adonde ella solía viajar por razones de clima, recibió la visita inopinada de un joven desconocido. Al verlo percibió un aire vagamente familiar. Tenía su apellido y el mismo nombre del descubridor de Chañarcillo, Juan Godoy. Pero éste no había hallado ninguna mina y no tenía un cinco. Se presentó como su hermano o hermanastro. El padre común, en sus andanzas, embarazó a una joven argentina. La historia no extrañó a Gabriela. Su simpático e irresponsable progenitor, armado de la guitarra, solía hacerlo cuando se le presentaba la ocasión. Además, la crónica registraba el hecho como realmente acaecido. No dudó de la veracidad del parentesco; el hermano se convirtió en persona de su confianza.

Gabriela se desplazaba también con frecuencia a Barcelona, donde se movía entre escritores y maestros, los dos gremios de su vida. Era virtualmente un ídolo para profesoras secundarias, que admiraban su poesía. Su hermano Juan participaba en las reuniones como cazador de altanería. Fijó la puntería en una bella catalana, María Mercedes. (Los nombres varían según las fuentes: Palma Guillén dice que su nombre era Martha Muñoz; otros —como Juan Mujica de la Fuente— sostienen sin absoluta certeza que se llamaba María Mercedes Font. Isolina Barraza de Estay, pariente de Emelina, la hermanastra de Gabriela, afirma que su nombre era Marta Mendoza).

Gabriela se dio cuenta de la relación amorosa. Creyó su deber poner en guardia a la incauta: le dijo sin rodeos que su hermano era una bala loca. (¡Tenía a quién salir!) Carecía de profesión conocida, salvo su enrolamiento en la Legión Extranjera apostada en Africa al servicio de Francia. Le recomendó que no se embarcara en un matrimonio sin futuro. El sólo tenía presencia; dinero ninguno. Pobre de solemnidad. Y ella también andaba a palos con el águila, rasguñando cómo subsistir, lo que hacía gracias a sus artículos periodísticos, conferencias y esporádicos cursos o charlas en las universidades.

Le habló a una pared, pero a una pared enamorada. El matrimonio se hizo... Tal vez ella decidió casarse porque quería vivir el amor y dejar un hijo. El hijo llegó. El acta de bautismo en 1925, en Barcelona, registra el nombre de Juan Miguel Godoy.

La madre —que se apresuró a vivir porque se sabía sentenciada a una muerte temprana— falleció tuberculosa poco tiempo después. El medio hermano de Gabriela, a principios de 1926, le llevó el niño. Le dijo que no podía tenerlo, se lo dejaba a ella. «¡Bien —dijo ella—, pero a condición que no vuelvas nunca a reclamarlo!»

Palma Guillén evoca el episodio:

Yo no estaba con Gabriela en esos momentos. Ella, por el frío, estaba en Marsella y yo había ido a París por un asunto de trabajo al Instituto de Cooperación Intelectual de París, que tenía sus sesiones en el Palais Royal y en donde ella trabajaba, y yo con ella. Ella era jefe de la Sección de Letras. Me llamó por telegrama y cuando llegué me la encontré muy atareada porque no tenía práctica alguna de cuidados de niños y no sabía qué hacer con un crío de meses, porque Yin-Yin tenía menos de un año

—nueve o diez meses tal vez— cuando se lo llevaron. La vida de Gabriela, aunque muy dura desde el punto de vista económico —porque durante la primera infancia de Yin-Yin ella vivió de su pura pluma, escribiendo artículos—, su vida, digo, fue plena y feliz porque tenía aquel niño que adoraba y porque trabajaba para él. Prácticamente vivía para él.[182]

Gabriela lo llama Yin o Yin-Yin. Y lo mimó con todo el exceso de su carácter y la pasión de una madre frustrada que por fin tenía un hijo de su sangre, aunque no lo hubiera parido.

El escritor mexicano Andrés Iduarte aporta datos complementarios en su artículo «En torno a Gabriela Mistral», aparecido en *Cuadernos americanos*. Refiriéndose a su permanencia en casa de la Mistral en Bedarrides, Vaucluse, reproduce en pocas palabras la importancia que atribuía al niño como parte de su vida: «Dios ha de darme salud —me decía en 1939— para velar por él unos años más».

Sobre su parentesco con Yin-Yin hubo toda clase de versiones. Su media hermana Emelina se muestra muy escéptica: «Mire, hijita, ese hermano natural no existe. Si Lucila quiere adoptar un niño, no tenía por qué inventar ese hermano». Son varios los que piensan que Yin-Yin es hijo de la carne de la Mistral.

María Urzúa —escritora que fue secretaria de Gabriela en Petrópolis de 1944 a 1945— cree derechamente que Yin-Yin es hijo de la Mistral. «Nació posiblemente en Africa. Tal vez en Argelia, a fines de 1925».

El desenvuelto Ricardo Latcham, conocido crítico —quien estudió literatura en España— descubre al padre con nombre y apellido: «Yin-Yin es hijo de Gabriela Mistral y Eugenio D'Ors». No le caben dudas.

Yin-Yin tenía aficiones literarias. Escribió una novela. Gabriela le deslizó en confianza unas observaciones críticas y él hizo pedazos el texto.

Le dejó un carta muy lacónica:

Querida mamá, creo que mejor hago en abandonar las cosas como están. No he sabido vencer. Espero que en otro mundo exista más felicidad; cariñosamente Yin-Yin. Un abrazo a Palma.

Se me mató

Cuando aún suele volverle la imagen del dormitorio de Stefan Zweig, con los dos suicidas, el 14 de agosto de 1943 muere en Petrópolis, a los dieciocho años, Juan Miguel, envenenado con una dosis de arsénico.

«Suicidio», certifica el acta de defunción.

Gabriela, aturdida, ensimismada, muda, acepta esta versión en los primeros meses. Luego reacciona. Comienza a hablar de asesinato o «suicidio inducido».

Más tarde agrega en carta a Alfonso Reyes:

Lo importante es que me liberé de un país lacio y de boca pegada. Donde me suicidaron a Juan Miguel —porque resulta que no se suicidó...[183]

Años después, en un Oficio Consular (Nº 17/10, 1947) al Ministerio de Relaciones Exteriores de Chile, informa:

Mi experiencia trágica del Brasil —la muerte de un deudo mío provocada por el hecho de que «ele era branco de mais»— dura como una llaga en mi memoria.[184]

En otra carta a Alfonso Reyes, escrita desde Roslyn Harbour, New York, en 1954, repite su acusación:

... y me fui a Brasil donde me asesinarían a mi Yin y me lo darían por suicida. Caí en un amargo resentimiento hacia él, por meses. Al llegar la Navidad, la banda que lo perseguía en el colegio llegó a mi casa, entera, los cuatro. Tuve el coraje de preguntarles por qué habían matado a un ser tan dulce y tan noble amigo para cada uno de ellos. Y ésta fue la respuesta:

—Nosotros sabemos que la señora sigue pensando en eso. Pero eso tenía que pasar.

Salté en mi silla y le respondí.

—¿Por qué «tenía que pasar»?

—Porque él tenía cosas de·más.

—¿Qué tenía de más ese niño al cual yo tenía que engañar para que saliese conmigo diciéndole que yo iba a comprar zapatos y ropa para mí?

—El tenía el nombre de él y el nombre suyo de usted que le daba prestigio. También él era blanco de más.

—Villanos —les dije—; él no tenía la culpa de ser blanco ni de que ustedes sean negros.[185]

Su amiga cubana Dulce María Loynaz alude a ese capítulo con información extraída de conversaciones, en un «recuerdo lírico»:

Yin-Yin era, como todos saben, hijo de un hermano semifabuloso de la poetisa, que se lo trajo cuando aquél era tan sólo un tierno infante. Dejarlo al fraternal rescoldo y desaparecer fue un todo.

Júzguese la emoción de esta mujer ávida de maternidad, hambrienta de una ternura que sólo a ella parecía vedada, cuando, de pronto, se sorprende con un chiquillo que le cae del cielo, en sus mismos brazos.

Lo crió y educó amorosamente. Era la única criatura suya en el mundo, y ella aceptó la soledad si entre su escarcha podía florecerle el viejo sueño.

Pero he aquí que la misma tragedia que ensombreciera sus años juveniles le acechaba otra vez en el crepúsculo de su existencia. Pronto habría de salirle al paso, le hincaría de nuevo los colmillos, como si se hubiera aficionado al sabor de su sangre.

Era Yin-Yin, en el decir de la poetisa, dócil de índole, despejado de habla, sensible, inteligente; era también vivo y alegre como un cervatillo.

Cumplía ya sus quince años, y aquella Nochebuena quiso ir a una fiesta de compañeros de colegio.

Fue su primera y última fiesta, porque Yin-Yin murió aquella misma noche misteriosamente envenenado.

Los anales policiales registraron el caso como suicidio, y el mundo entero se estremeció al conocer el triste fin del niño amado por Gabriela: otro suicidio en su vida, otro perder de igual manera la criatura de su corazón.

Sin embargo esta vez se resistió a admitir que voluntariamente había sido de nuevo abandonada, reclavada en la misma cruz.

Sostuvo siempre, hasta el final —y no a mí sola—, que el niño aquel había sido asesinado, aunque nunca nos dio explicación cumplida de tan inconcebible crimen.[186]

Ella practicaba no tanto el culto de los muertos como el culto al dolor por los muertos. Empezó así su carrera literaria. Pero su vida misma se poblaba con la memoria pertinaz y detallada de la «mala muerte». Más atenazante que el fin de Romelio, de su madre, de su hermana, fue para ella la muerte de Yin, «mi niñito», ahora más niñito que nunca. Vuelve a contarlo mil veces, como si el carrusel fúnebre no se detuviera nunca. «Y escribir estas tres palabras todavía me parece un sueño: "se me mató"». Lo repite tres meses más tarde. Y volverá a decirlo tres años después. Siente que está loca porque lo que ha pasado es una locura. El gran, el pavoroso absurdo del mundo. Su mente comienza a hilar la madeja de las causas. Para ella, más que un suicidio fue un crimen. La culpa la tiene «una banda de malvados que

le maltrataba de palabra en un colegio odioso lleno de xenofobia».
Ella se disculpa ante Yin. Conversa con él. Le aclara su equivocación.
«Yo no te mandé a ese colegio y tú hubieras podido dejarlo en
cualquier momento». Habla del racismo al revés, de los que hostilizan
al que ven distinto, con esa despiadada crueldad de las bandas
juveniles, en este caso de los «hooliganes mulatos». «Le decían el
francés»; se reían de su joroba, que para Gabriela no era sino un
«lomito doblado». Las que podían ser riñas de muchachos o celos por
jovencitas, o bromas pesadas, lo afectaban a morir. Cuando en un
salón de baile invitaba a una pareja a una samba no faltaba el amigo
infeliz que denunciara a gritos sus aventuras con mujeres de la vida,
cuidando que lo escucharan las mamás o las chaperonas vigilantes,
las *señoras bigotes,* como llamaba Gabriela a las aristócratas de la
antigua ciudad imperial.

Ella estaba segura de entenderlo, porque él se le parecía en la
susceptibilidad. Le chocaba y mortificaba la rudeza, que lo trataran
mal o le dijeran cosas desagradables. Su tía agrega que su sensibilidad,
por lo exagerada, «parecía la de un desollado». Le dio todos los
consejos de una madre preocupada; le rogó que saliera menos, que se
quedara en casa. Pero era imposible retenerlo. Convivía en él un
doble peligro: no podía estar sino en medio de la gente y no se hallaba
preparado para ello porque no tenía ojos para la perversidad o para
advertir el engaño. No se percataba que de todos modos era allí un
extraño; aunque perteneciera a la familia de un cónsul, era un
forastero. El arrepentimiento de Gabriela se hace más agudo por
haberle impuesto su «vida errante», un deambular de país en país,
mudando continentes, impidiéndole echar raíces. El pobre estaba
enamorado de una joven alemana. Verdad o mentira, la bandita de su
escuela le contó y lo convenció de que esa muchacha lo consideraba
un antipático. Era mucho para él y nunca lo aceptaría. Gabriela salta
indignada como una tigresa a la cual le tocan el cachorro. Falso: su
niño es superior a ella en todo, en calidad humana, en recursos, en
cultura, incluso físicamente. Pero Yin cayó en la celada porque nunca
tuvo la conciencia de su propia valía. Lo sintió sufrir terriblemente en
aquel año de 1943, pero no por la Segunda Guerra Mundial, que
mataba en su furibundo apogeo, ni por la fobia antigermana que
dominaba a su tía. Ella le vio tan desesperado que se armó de
resignación para decirle que, a pesar de que ella era alemana y no la
conocía, podía casarse con la muchacha y vivir juntos en la casa,
donde había unos cuartos desocupados. Yin le respondió que no se
casaría.

Electra y Edipo - Sobrino

En las complejidades de sus sentimientos no se excluye el amor de la tía al sobrino, de la madre por el hijo. Aquella prueba aumentaría su soledad, pero los uniría de un modo profundo.

> Vivíamos una especie de idilio, porque el estar solos nos había ligado mucho más; él sabía de mi dolencia del corazón y me cuidaba como un primor, con una ternura indecible. Y no hay quién me haga comprender que ese niño que se levantaba a medianoche por haberme oído respirar mal, se haya matado en estado normal sin que lo hayan enloquecido con una droga cualquiera de las que abundan en los trópicos o de las que manejan otras bandas de hoy. El vivía ahora a todo su gusto: no gustaba de las visitas y tenía un sentido de la casa que parecía árabe.[187]

El dolor es mayor por su afán de identificación. Más de alguien le explica que la raíz de la tragedia radica en el carácter del muchacho. Gabriela rechaza con vehemencia el argumento del «temperamentalismo» porque siente que es un ataque directo en contra suya y de toda su tribu. Su gente era, es y será así mientras exista.

Y si dudan, mírenla a ella y se convencerán. Acaso aquello de la índole fatal es un mal de los Godoy. Todos viven torturándose.

> Es nuestra normalidad y yo no me inquietaba demasiado de las pequeñas rarezas de Yin. Peor soy yo misma.

Pero ese muchacho tiene algo singularmente extraño. Tal explicación no la rechaza del todo. Al fin y al cabo el parto fue con fórceps, que dañó bastante a la madre y al niño. El pobrecito quedó con cinco o seis magulladuras en la cabeza y una gran cicatriz en la nuca. Tal vez ese percance le afectó el sistema nervioso.

El joven se ha visto asediado por las tentaciones del mundo. Según Gabriela, una francesa madura anda rondándolo. Viene a verlo desde Sao Paulo. Y lo tienta. Le insiste en que abandone a su familia, o sea a su tía Gabriela, y se vayan a vivir juntos. Yin le ha dicho que no; prefiere seguir con su tía; se ha puesto casero; cambia los muebles; se inscribe en clubs, cancela cuotas anuales. No piensa en matarse.

Gabriela no cree en la droga asesina; en cambio, culpa a los que le perturbaron el cerebro. Los responsables, a su juicio, no son sólo los «tres de la banda»; acusa también a unos de las dos mafias que lo cercaban. «Corresponden a las serpientes que trabajan el mundo hasta en sus mínimos rincones». Ella embiste contra los malhechores. Los expulsa de la casa. Cuando su «chiquito» ya había muerto dos de la banda golpearon a la puerta. Ella estaba paralizada en su cuarto. Apunta que durante nueve días no pudo andar. Por eso los recibieron «dos bobos», dos amigos sin malicia que dejaron irse a los sospechosos sin averiguarles nada.

Mujer de premoniciones, olía que el peligro flotaba en el ambiente. Movida por signos funestos en la última semana de su vida, como para arrebatarlo a un sino mortal, sostuvo conversaciones con él y le propuso planes que le pusieran a cubierto del riesgo que lo rodeaba. Le dijo que a la postre había juntado el dinero necesario para que él se fuera a estudiar o, si lo prefería, para disponer de un capital inicial que le permitiera embarcarse en pequeños negocios que le dejaran horas libres para leer y escribir, como le gustaba. Gabriela subraya que su dinastía literaria tenía en él al representante de una nueva generación. Cuenta que el muchacho escribía

> ... muy bien; pero muy bien sus novelas de ensayo en una lengua limpia y sobria, sin un solo lugar común, con un fondo de pesimismo muy Godoy, con una rara elegancia de sintaxis, sin vicio de sentimentalismo, con ironía, y adentro con una agudeza y una sutileza que nunca vi en gente de su edad.[188]

En su eterno devanar alrededor del tema, ella volverá a sumergirse en conjeturas sobre el conflicto de las civilizaciones y las fallas del continente. Yin había nacido y vivido en naciones donde no imperaban ciertas feas costumbres de nuestras tierras. Por eso:

> Yin no embonó nunca con el país ni con los sudamericanos en general; nuestro confusionismo y nuestro hábito de mentira y de hipocresía le repugnaban vivamente.

Gabriela dice una breve frase de mea culpa y luego expone su descargo.

> Yo tal vez le sacrifiqué con traerlo de Europa. Pero, ¿cómo iba a quedarme o a dejarlo en medio de la guerra sin superlativo que vino?

Si el conflicto mundial alcanzó en Europa y en Asia el clímax del horror, tampoco perdonó a América, aunque fuera de otra manera.

> La guerra me ha desnudado tantas tristes verdades de mi gente criolla americana, me ha hecho verlas tan ciegas y tan sin remedio próximo, que

la pasión de ellas que me había absorbido y gastado fue abajándose y apagándose.[189]

Vuelve a la lamentación. Doña Job Mistral está llorando, y tal vez exagerando. Porque el niño —impreca— no era una porción de su vida; era la vida misma. La suya se había terminado. «Vida personal no tuve de hace tiempo. Menos que nunca en estos años de Brasil». Cenizas sobre la cabeza. Elegía tras elegía. Adoración sin remedio.

La casa era él, el día él, la lectura él. Yo sé que Dios castiga rudamente la idolatría y que ésta no significa únicamente el culto de las imágenes.

El sufrimiento incontrolable la vuelve verdaderamente idólatra. Se aferra otra vez a la doctrina de la reencarnación. Yin debe vivir de nuevo. Recae en la herejía que había abrazado fugazmente en su juventud. Torna a hablar del Karma. Enseguida se vuelve en demanda de consuelo a los griegos, invocando el estoicismo, al evocar el silencio o las palabras del joven muriendo de arsénico en el hospital. Loca por recuperarlo o sentirlo o entender lo sucedido, prestará oídos a los hechiceros de la macumba. Ha caído en las manos del misterio y se dice como una oración pagana una y otra vez: «No viene de ahora ni de aquí, sino de una orilla oscura que usted no sabe, este golpe, este hachazo y esta ceniza».

Le ha dado vuelta la espalda al cristianismo y rechaza el consuelo. Ya que no lo tiene en la vigilia quiere tenerlo en el sueño, provocar la sensación de su presencia, porque sólo así se siente viviente. Imagina que si Palma Guillén hubiera estado en casa tal vez su destino sería distinto. Pero «Palmita llegó tarde para salvarlo». Gabriela reconoce que su secretaria mexicana profesaba por el muchacho un «amor lúcido», en cambio el suyo era insensato. Se contempla a sí misma y se conduele de verse tan quebrada. La enamorada ha quedado sola. Nada ni nadie puede reemplazarlo. Tiene ganas de morirse pronto para juntarse con él. Hay cierto placer casi estético y masoquista en el modo cómo se observa y siente lástima de sí misma.

Ahora no me queda sino una hermana tendida, postrada y con setenta y dos años. Nunca la poesía fue para mí algo tan fuerte como para que reemplace a este niño precioso con una conversación de niño, de mozo y de viejo, que nunca se me quedaba atrás en ella. Otro no me puede encandilar como él; no hay compañía que me cubra el costado derecho como él, cuando yo iba por esas calles de las extranjerías heladas y duras; no hay tampoco don de olvido en mí para semejante experiencia. La tengo trenzada conmigo en cada cinco minutos. Y yo voy viviendo

en dos planos, de manera peligrosa. Decirles más es inútil, porque no les
he dicho nada en tres páginas. Ustedes recen por él alguna vez, hasta
aquellos de ustedes que no creen mucho. Yo vivo mejor que nunca en
la incertidumbre de la vida eterna y un pensamiento único me aplaca y
me pone a dormir cada noche; el que yo iba a dejarlo pronto y a vivir sola
mi trasmundo con él en poco tiempo, a corto plazo.[190]

Aquella noche aciaga llamó a la Embajada para conseguir automóvil
a fin de trasladarse al hospital. Pidió hablar con el embajador, Gabriel
González Videla. No le dieron con él, ella lo anotó en la lista de sus
llagas.

Cuenta que, pasado un tiempo, dos miembros de la pandilla
juvenil vinieron a decirle que los otros lo habían asesinado. Esto, que
ella llama confesión, lo sintió como una liberación de su propia culpa.
Como se proclamaba predestinada a la desgracia, temió que el niño
se hubiese matado porque se sentía desdichado con ella. Ahora sabía
que eso no era cierto o, por lo menos, que ella no lo había impulsado
al suicidio. No, Yin «fue feliz conmigo». No quiso ni fue a la muerte
voluntariamente. ¡Se lo mataron! «¡Lo mataron!, pero fue feliz
conmigo». Lo repite como una cantinela en una velada de confidencias
a su amiga Matilde Ladrón de Guevara.

La Mistral estuvo a punto de enloquecer. Llevó esa muerte a
cuestas en lo que le tocaría todavía vivir. Y se dedicó por un tiempo
a escribir oraciones a Yin-Yin, su sobrino e hijo adoptivo. Transcribió
«Cinco sueños» con Yin. Se dirigió a Cristo y a la Virgen. Se reconoce
cierto tono registrado ya en *Desolación*.

Oído divino de Cristo, escuchad y acudid a la voz y a la búsqueda tuya
que va haciendo Juan Miguel. Suavidades y blanduras que están en
Cristo, curad como hijo herido a Juan Miguel... Ruego por él al Espíritu
Santo, a Dios Padre y a la Santísima Trinidad.

Luego eleva «Oraciones a las Potencias Angelicales por Yin» y
«Oraciones a los muertos y a los santos por Yin».

IX LAS VISCERAS DE LA GLORIA

AL PARECER, las dignidades del Premio Nobel atraviesan por los intestinos de la burocracia y se cuecen en la cocina de la literatura. El palacio esconde rincones reservados. Al escenario brillante y magnífico, con la presencia del rey, se llega por corredores secretos, donde se discuten las vísceras de la gloria. El trámite atraviesa el proceso de premiaciones que muestra cierta analogía con el de santificación o las consagraciones religiosas. No faltará en ninguna de ellas el Abogado del Diablo, ni las presiones, las recomendaciones, las maniobras y la competencia encarnizada entre los patrocinantes de los candidatos. Los nobelizables deben recorrer un camino a través de sucesivas alambradas de púas. Ya Gabriela había explicado muchos años antes «por qué las rosas tienen espinas». La gran mayoría no alcanzará la meta. Antes llega el fin de la vida.

El Premio Nobel nace por una crisis de conciencia. La origina una especie de catarsis o autopenitencia que se impone el inventor de la dinamita. Gracias a ella acumula una fortuna astronómica. Fabricante de la muerte en grande, tal vez lo visitan por las noches los difuntos, multiplicados, como si fuera poco, en escala geométrica por su comercio con la nitroglicerina. Alfred Nobel, prototipo del pecador semiarrepentido, quizás acepte la convivencia de la virtud y el crimen. Con el dinero de las matanzas, acumulado en casi todas las guerras de la época, decide premiar el aporte a quien rinda mayor provecho a la humanidad. Filántropo, pero no tonto ni tanto, respetará el capital. Apartará simplemente una fracción de sus rentas —treinta millones de coronas suecas— a fin de instituir un galardón bautizado con su nombre. Este efecto publicitario lo convertirá ante las generaciones futuras en un benefactor del hombre y la cultura. No olvidará a sus colegas de profesión. El Premio Nobel recompensará cada año a quien haya realizado el descubrimiento o invento químico más sobresaliente. Lo mismo en el terreno de la física, fisiología y medicina. Pero hay en su espíritu una zona admirativa que mira más allá de las ciencias de la naturaleza. Cierta atracción contradictoria por la expresión hermosa y una debilidad hipócrita o sincera hacia lo que él llama el mundo de los ideales. Por lo tanto, reservará también una parte de los intereses de su imperio mortal a exaltar la «hermandad de los pueblos», la supresión o reducción de los ejércitos permanentes y la celebración y fomento de conferencias de paz. Es decir, premiará a su contrario. El diablo pone una tienda de cruces y exalta el vuelo de los ángeles. Instituye además el que pronto sería el más ansiado de los laureles literarios del mundo.

Como cumple a un temperamento nórdico, exacto y previsor, Alfred Nobel establece en su testamento del 27 de noviembre de 1876 especificaciones minuciosas. Define con precisión notarial quiénes compondrán los jurados en las distintas ramas de su Premio.

El hombre cuida la moralidad. Reitera que su otorgamiento se hará con entera independencia de influencias políticas o estatales.

Algún sicólogo encontraría materia sugerente de análisis penetrando al interior de uno de los mayores propagadores de muerte del siglo XIX, que resuelve quedar en paz con el mundo sobreviviente destinando parte del dinero amasado con la sangre de millones para que éste lave su frente culpable, la cubra con una inocente guirnalda de pacifista supremo, amable protector de las ciencias y favorecedor humanitario de las bellas letras.

El Premio Nobel de Literatura ha sido la aspiración máxima de multitud de escritores en el siglo XX. ¿Pero es cierto que su adjudicación siempre se ha mantenido al margen de «influencias políticas y estatales», a presiones de grupos e instituciones, a simpatías o malquerencias ideológicas? ¿Nadie que ansió ser agraciado nunca realizó una gestión para conseguirlo?

¿De quién fue la idea?

El tramo que antecede a la concesión del Nobel a Gabriela puede arrojar clarificadores destellos sobre ese espacio secreto, que gira en sordina por pasadizos oscuros y despliega en la sombra una serie de movimientos escondidos antes que estalle la luz espléndida en el Concert Husset, la gran sala de Estocolmo donde se hace la entrega solemne.

¿De quién fue la idea de proponer el Premio para la escritora chilena? ¿De un compatriota movido por la admiración? ¿Se le ocurrió a un político criollo, buscador de nombradía o amante de la justicia literaria?

Ni por pienso. El proyecto no brotó en el magín de un chileno. Fue la escritora ecuatoriana Adela Velasco la madre del empeño. El hecho revela que si nadie es profeta en su tierra, puede serlo un poco más en la casa grande. Gabriela Mistral por ese entonces gozaba de mayor reconocimiento en el resto de América Latina que en su país.

Pero había un chileno bien puesto para el cual el nombre de Gabriela Mistral no era desconocido ni indiferente: el Presidente de la República. Pedro Aguirre Cerda recibió una carta fechada en Quito solicitándole que auspiciara la candidatura de su antigua amiga para el Nobel. La proposición le pareció lógica y merecida; puso en movimiento el aparato del Estado; instruyó al servicio diplomático; solicitó a Carlos Errázuriz, embajador de Chile en Suecia, que dedicara sus mejores desvelos a esa misión. Este respondió que era amigo de Gabriela hacía diez años y nada le sería más grato. El Presidente pidió un plan, previo informe sobre los requisitos, usos y costumbres del jurado para discernirlo. Vale decir, se convirtió en tarea oficial del gobierno chileno, sobre cuyos pasos, naturalmente, debía guardarse estricto sigilo. Ella, al parecer, no era consultada de antemano, o tal vez se hacía la desentendida, la que no sabía, aunque vigilara de reojo los movimientos y estallaba en rabietas cuando se hacía una gestión que le disgustaba o juzgaba torpe.

Sin embargo, no todo es silencio. En *El Mercurio* del 17 de agosto de 1939, aparece un suelto de crónica en que se informa que se ha iniciado en Chile un movimiento a fin de obtener el Premio Nobel de Literatura para Gabriela Mistral. Se anota que el ministro de Educación Pública, don Rudecindo Ortega, ha dado ya los primeros pasos en tal dirección.

Por aquel tiempo Gabriela Mistral trabajaba como cónsul en Niza, donde una comunicación oficial le anunció el interés del gobierno chileno. La leyó con cierta turbación. Se demoró en contestarla. En la respuesta se muestra reticente. Sí, ha sabido algo. La iniciativa surgió en Ecuador. Luego tuvo acogida en Argentina. Hubiera preferido que en primer término le informaran desde Santiago. Pero esto no le extraña. Las cosas son así. Lo que sí le importa es que nadie piense que ella anda detrás de dicha petición. Algo la inquieta aún más: ¿los que proponen la tarea sabrán enfrentarla? A continuación Gabriela Mistral explica el procedimiento con soltura de experta en la materia, lo cual indica que, pese a su proclamado desinterés, está perfectamente enterada. Recomienda que no se peque por ingenuidad o ignorancia. La Academia Sueca no premia autores desconocidos, que no estén traducidos al idioma del Nobel o, al menos, a lenguas de uso común en el sector culto de la sociedad, inglés o francés. Ella conoce tan bien el modus operandi que incluso proporciona ejemplos. Recuerda que cuando la escritora española Concha Espina quiso lograr el Premio encargó traducciones de alguna de sus obras al sueco. Gabriela se sabe casi inédita en otras lenguas. Uno que otro poema suelto ha sido traducido en revistas. (No se ha descargado todavía el aluvión de traducciones de su compatriota Neruda). Es raro que se editen poetas extranjeros. Por ahora en Francia sólo registra el caso de libros publicados de Rabindranath Tagore y Rainer María Rilke. En cuanto a su poesía, cuatro traductores franceses han manifestado interés, Mathilde Pomes, Francis Miomandre, Pillement, Max Daireaux. Por el momento en París, no hay ningún libro suyo publicado. Repetirá que nunca hará nada por promoverse. Como diciendo «esto no lo veo para mí», nombra a tres escritores latinoamericanos que, a su juicio, merecen el Premio: el venezolano Rómulo Gallegos; el mexicano Alfonso Reyes y el brasileño Casiano Ricardo.

Se manifiesta escéptica en cuanto al éxito de la gestión. Habla sin estusiasmo respecto a tres o cuatro biografías escritas sobre ella, amén de un «panfleto» —agrega— que una editorial chilena publicó

> ... a la mala persona que se llama en Santiago don Raúl Silva Castro y que él ha distribuido en el extranjero en una empresa de denigración literaria.

Un plan de operaciones

Pese al examen de los reparos o enumeración de dificultades, Gabriela pasará a exponer, como un general en campaña, el plan de batalla.

La segunda movida táctica acostumbrada por los gobiernos que se embarcan en la aventura del Nobel es subvencionar editoriales francesas o inglesas para que publiquen al escritor que desean auspiciar. Un escritor chileno que trabajaba entonces en la Legación en Francia, Salvador Reyes, se permite deslizar tímidamente a Gabriela una insinuación: ojalá diga en su apoyo una palabra favorable el Instituto de Cooperación Intelectual de París. Ella aclara enfática que conoce la institución por dentro —porque trabaja en ella— y conmina a no cometer tal error. Es territorio neutral y se cuidará de no recomendar a nadie. Sería preferible que el gobierno chileno se preocupara de cualquier otro escritor aceptable. A su entender hay no menos de cinco o siete que lo merecen. Ella misma ha conseguido que el Instituto publique un libro de historiadores chilenos y otro sobre el folklore nativo. Pero el principio institucional es trabajar con muertos, omitir a los vivos, para qué meterse en líos ni correr el albur de la corrupción que desata el olor del dinero.

Más influyentes, por supuesto, serán las voces premunidas de autoridad literaria que apoyen la sugerencia de su nombre. No necesitaba ella pedir que lo hicieran. Contaba con el apoyo de admiraciones tan intensas como espontáneas. Un puñado de entusiastas creía a pie juntillas que Gabriela Mistral merecía este reconoci-

miento. Comenzaron a movilizarse. Alguien organizaba el movimiento desde bambalinas. Cartas iban y venían. La campaña se puso
en marcha. Duró años, tiempo suficiente para que Gabriela sufriese,
desesperase, olvidase, se preocupara de otras cosas, maldijera a su
manera, agradeciese, rectificase, aprobara o desautorizara iniciativas
que la sacaban de quicio.

A partir de 1938, el movimiento entró en su fase más alta. Se
trataba de conseguir esta distinción por primera vez para un latinoamericano. Se gestiona el respaldo de las cancillerías. No es fácil.
Competían 17 países. El apoyo de América Latina es unánime,
inclusive del Brasil.

Repite que para ganar el Premio Nobel es requisito indispensable
—la primera movida táctica— estar traducido al francés, lengua
puente para una posterior versión sueca. La versión francesa se
encarga a Mathilde Pomes. Ella le pone punto final en junio de 1940,
cerca de París, bajo los bombardeos de la aviación nazi. Horas
después la traductora emprende el éxodo.

Decidieron solicitar la introducción consagratoria a Paul Valéry.
El autor de *Cementerio marino* dijo con toda franqueza, literalmente,
que no conocía la literatura chilena ni la de Gabriela Mistral. Le
dejaron unas traducciones para que supiera sobre quién escribiría.
Cuando las leyó hizo una segunda confesión: esa poesía le resultaba
completamente lejana; nada más extraño a su temperamento. El
representaba el orden, también en el reino de la literatura. Era como
esos mandarines chinos que dibujaban sus ideogramas en una pintura
refinada, con una caligrafía artística y pulcra trazada a pincel, a
semejanza de esos orfebres que ensartaban versos bien unidos como
si fueran perlas legítimas, previamente mordidas y confirmadas en su
verdad y espesor, deslizadas en el hilo de bramante de un collar
milenario. Y ahora le pedían un prólogo sobre una escritora de las
antípodas, oriunda de un país a medio hacer, saturado de volcanes,
terremotos, maremotos, inundaciones, desórdenes no sólo de la
naturaleza sino de la conducta cívica y literaria. El pertenecía a un
espíritu diametralmente distinto.

A Valéry se le consideraba cabeza de serie de la poesía pura. Y
ahora venían a solicitarle que escribiera una presentación que sirviera
de abrepuertas ante la Academia Sueca a esta escritora chilena que era
exactamente un reverso de todo lo que él personificaba.

Sin embargo, entregaría su prefacio en el plazo convenido. Exacto
como el pensamiento de su padre. Y además verídico, hasta sincero.
No diría nada que su autor no sintiera. Dejaría estampado de entrada
que la poesía de Gabriela Mistral le resultaba tan remota como Los
Andes, hecha con peñascos de montaña. No es la mía. Tal vez no la

entiendo a fondo porque está integrada por abismos que nunca he visto. Sin embargo la respeta. Intuye su valor intrínseco como representante de un continente que está en el segundo o tercer día de la creación.

Valéry pertenece a una civilización madura, siglos de pensamiento cartesiano *avant* Descartes, madurado no sólo en la cabeza sino en el cuerpo, en la mirada, en las costumbres, en la forma de apreciar la vida y también de concebir la literatura. Europeo, hijo del viejo mundo, se encuentra un poco perplejo y desconcertado ante tanta expresión primitiva, ante coordenadas que se rigen por leyes sicológicas y mentales diferentes.

El poeta francés descubría en ella —a partir del «Poema de la sangre»— una «mística fisiológica en estado puro, exaltándose en términos líricos y realistas». Subraya que la intimidad con la materia es sensible en toda su obra. Esto es la purísima verdad, pero como Gabriela sabe que Paul Valéry es el pontífice de la poesía pura, desdeñoso de la materia, dicha certificación le sabe a injuria.

Valéry le había caído mal en el Instituto de Cooperación Intelectual, donde compartían sillones contiguos. Valéry era amante de la parodia, le gustaban las caricaturas y bromear. Riéndose trató en cierta oportunidad de corregir el castellano de Unamuno. Gabriela no le perdonó su falta de respeto.

Para Neruda, tan plebeyo como Gabriela, la materia era una esencia fundamental de la poesía. Ambos están de acuerdo en la premisa. Siente que tanto ella como el autor de *Residencia en la tierra* son el contratipo del poeta puro, por excelencia, Paul Valéry. Este otro Pablo chileno se propone —como ella— la poesía impura, «rodeada y gastada como los útiles, impregnada de sudor, manchada de alimentos y de gestos vergonzosos, una poesía que no excluya nada».

¿Qué tiene que ver con ella el señorial autor de *Monsieur Teste*?

La actitud de la Mistral respecto a Valéry está hecha de distancia.

El gobierno chileno ha financiado la traducción de sus poemas al francés. Valéry no olvida que aceptó escribir el prólogo solicitado y que fijó de entrada sus honorarios en cincuenta mil francos, con un anticipo. Es hombre honesto. Cumplirá su compromiso.

Poco después que recibe el cheque, con cargo a los fondos reservados de la Legación, envía la introducción prometida. Texto de noble factura, no omite, como se sabe, la confesión de sus radicales diferencias con la escritora, que presenta a conciencia fría. Para destacar el relieve de las diferencias, habla de cuán remota le resulta la sensibilidad de la chilena; pero a renglón seguido ratifica su deber de comprender a los ajenos.

Tenemos el imperativo de vivir también la vida de los otros. Y si esto no es posible, al menos hagamos un esfuerzo por sentirla y respetarla. Nadie, sin duda, parecerá menos calificado que yo para presentar al lector una obra tan distante como ésta de los gustos, ideales y hábitos que se me conocen en materia de poesía. Lo que he dicho y he vuelto a decir sobre este tema, lo que he podido hacer, las condiciones que he creído mi deber imponerme, los ensayos que he publicado, todos ellos frutos de un espíritu nutrido por la más vieja tradición literaria europea, parecen designarme lo menos del mundo para apreciar una producción esencialmente natural, abierta más allá del océano, por el solo llamado, choque o designio de lo que es. Mas, ¿qué valdría la cultura si no enseñara por fin a volver sobre ella misma y si, por la generalidad de sus ambiciones, nos hiciera perder la fuerza de considerarla como un caso muy particular? Creo que un hombre no podría vivir su vida si no fuera capaz de vivir también una infinidad de otras, completamente diversas, y siento que algunas circunstancias, del todo externas, me habrían llevado a producir ciertamente obras muy distintas a las que he escrito. Nos empobreceríamos cruelmente si quisiéramos ser nosotros mismos hasta el punto de no ser sino nosotros mismos.[191]

La autora y su prologuista se conocen personalmente. Como se ha dicho, suelen coincidir en las reuniones del Instituto de Cooperación Intelectual, una especie de Ateneo, con ciertas facultades resolutivas, antesala de lo que más tarde sería la UNESCO. Valéry recordará con cortesía a su colega de sesiones.

Madame Mistral representaba a su país con una gracia y una simplicidad que la rodearon del respeto y de la simpatía de todos los que participábamos en nuestros trabajos. Me daba cuenta de que había en ella esa alianza de atención y de ensueño, de ausencias externas y de luces inmediatas, que son características de la naturaleza de los poetas, pero debo confesar que entonces no conocía nada de su obra, y que he debido esperar hasta la presente traducción para apreciar en ella lo que se puede apreciar de una poesía en su traducción a una lengua extraña.[192]

El poeta francés apunta al eterno drama de la traición implícita en las traducciones poéticas. Envuelven un riesgo muchas veces «mortal». En la prosa el peligro no parece tan grave, pero es raro, excepcional, el verso que sobrevive a la prueba de fuego al mudar el vino de la vasija.

¿Cuál es la imagen que el prologuista traza de esa mujer que declara extraña? ¿Por qué le resulta tan excéntrica? Pertenece, para comenzar, a una nación lejana. Por su padre le circula sangre vasca, negra y también indígena. Ello explicaría que la sensación inicial provocada por el texto sea descubrir un objeto misterioso, digamos un sujeto exótico, aunque animado de verdad. No se la confunda con una extravagancia literaria, en la cual se especializan ciertos poetas. Simplemente responde a una naturaleza diversa. El asombro deriva de un mundo y de una vida muy intensa, regida por coordenadas insólitas. Subraya un rasgo característico esencial: la fuerza de una sensibilidad que puede llegar al paroxismo, hasta extremos celosos, excluyentes, salvajes.

En ella es visible —hasta chocante— la rudeza hacia el hombre, que se torna dulzura cuando se vuelve al niño. Denota algo muy prolijo y de otro mundo cuando habla de las formas de la materia, de la humanidad. Tiene el don de penetrarlas. Ella establece con su entorno y las entrañas de las cosas una relación de secreta intimidad.

Valéry no puede ni quiere ocultar que los separa un muro. Advierte que el material de construcción de este edificio a ratos enigmático y abigarrado le debe muy poco a la tradición europea, aunque está escrito en una vieja lengua del continente central. Ella maneja ese idioma como si viniera de otra matriz, o de un laboratorio primitivo donde el barroco latinoamericano y la cristalización de los sueños en palabras se fragua con elementos vírgenes naturales de una tierra inédita.

Por eso la obra que introduce Valéry ante el público francés le causa entre deslumbramiento y pavor. Culminará su diálogo confesando miedo y atónita sorpresa:

> La poesía tierna y a veces feroz de Gabriela Mistral, se me aparece, en el horizonte de Occidente, ataviada con sus singulares bellezas, pero, por otra parte, cargada con un sentido que le da o que le impone el estado crítico de las más nobles cosas del mundo.[193]

La rebelión de la mestiza

Entregado el prefacio, había que conseguir la publicación del libro por una editorial de peso. Tan de peso es Stock que pide diez mil francos adelantados. Por añadidura deja pasar un tiempo sin lanzar la obra. Luego comunica que el precio ha subido en treinta mil francos más, aparte de la obligación que el cliente compre el papel. De súbito Stock da un giro en 180 grados: retira sus condiciones. No aumenta el precio ni exige la entrega del papel. ¿Por qué este vuelco? Porque acaba de leer en los diarios una noticia que cambia totalmente su cuadro del mercado. Gabriela Mistral ha recibido el Premio Nobel de Literatura de 1945. El editor ordena terminar a toda máquina la impresión y lanzar la obra sin demora.

Pocos días antes, Gabriela viajó a París e inquirió por el libro aún en prensa. La información la puso fuera de sí. Contrastando con la opinión de Valéry, que en su prólogo elogiaba la versión de Mathilde Pomes, la autora sostenía que la traductora, aparte de transgredir el sentido de los versos, introducía añadidos ajenos al original. Irritadísima, le pidió a Oscar Schnake, hacía poco designado ministro de Chile, que impidiera la publicación del libro. En esta demanda intervino también el escritor Georges Duhamel. El editor no los escuchó. La obra apareció llamando la atención sobre el mérito de la mercadería fresca: se trataba del recién anunciado Premio Nobel.

Gabriela se sabía de mal genio; cuando estallaba podía ser agresiva.

¿La razón del nuevo enojo? El prólogo de Valéry. Desencadena su molestia en una carta indignada que escribe precisamente a su anterior agredida, Mathilde Pomes. Vale por un texto de interpretación literaria a la luz de la antropología.

> Usted conoce mi carácter: no tengo cortesía viciosa y digo mi pensamiento con una derechura un *poco brutal*. No entiendo que se haya pedido ese prólogo a Paul Valéry. El no sabe español. Es lo más serio del asunto; él debe leerlo un poco, como yo leo el inglés, sin entender los modismos.[194]

Ella ha leído a Dostoievski. Cada hombre es superficie y mundo subterráneo. Además tiene conciencia de ser extranjera, de tierra y de sangre. Por lo tanto, de una personalidad dominada por impulsos que pueden parecer extraños. Es difícil que la comprendan,

> ... porque esto de entender almas ajenas, amiga mía, no tiene nada que hacer con el talento y con la cultura [...]. Perdone el atrevimiento de esta afirmación [...]. Las razas existen y además de eso, hay los temperamentos opuestos.[195]

Toda esta diversidad se traduce en otro ojo para mirar, sentir y contar el mundo.

> No puede darse un sentido de la poesía más diverso del mío que el de ese hombre. Yo le tengo la más cabal y subida admiración, en cuanto a la capacidad intelectual y a una fineza tan extrema que tal vez nadie posea en Europa, es decir, en el mundo. Eso no tiene nada que ver con

su capacidad para hacer prólogos a los sudamericanos y, especialmente, uno mío; yo soy una primitiva, una hija del país de ayer, una mestiza y cien cosas más que están al margen de Paul Valéry.[196]

La campesina, la mestiza, con sus cien cosas más, no quiere ser lo que no es, también por orgullo subido de la dignidad. No le gustan los pedigüeños de elogios ni los traficantes de reputación internacional en el mercado parisiense.

Pero eso no es todo: en cuatro ocasiones, dos recientes, me he burlado en artículos de prensa de la gente nuestra que se hace dar prólogos o críticas en Europa, a base de paga y por gente que ignora sus libros y no sabe pizca de esta América.[197]

Ella no quiere hacer papeles desairados y quedar en vergüenza. «Un prólogo de Valéry me dejaría en ridículo soberano. Nadie puede saber que yo no lo he pedido, que no lo he buscado».

Prefiere el anonimato o la muerte antes que el compromiso con esos menesteres grotescos. Que el Virgilio francés se quede con su plata, pero que aquella introducción no se publique.

Por todo lo cual, cara Mathilde, le pido, le ruego, le suplico, que usted, haciendo pagar a Valéry su prólogo, pues se trata de un trabajo ya hecho y el pago es legítimo como el que más, no incluya el prólogo y le explique al ministro González lo ocurrido. Si no lo hiciera, me obligaría usted a algo muy feo: a cortar el prólogo de los libros uno por uno.[198]

Ya se ve con las tijeras en la mano.

Parecería inverosímil que este arranque de ira se lo produzca un prólogo desconocido. Subraya con trazo neto la reciedumbre de su carácter el hecho que lo rechace por principio y no por conveniencia. Emite un juicio anticipado desechándolo porque considera al hombre que la analiza un extraño que no puede comprenderla.

Usted ya sabe que yo no he leído el texto; no se trata de que me espere alabanzas y que esté defraudada; se trata de honradez de campesina y de mujer vieja; yo no puedo aceptarlo.[199]

Entiéndase que no está repudiando todos los prólogos. Pero si alguno se publica que sea escrito por alguien más vecino a la lengua que ella habla, que la conozca un poco, que se haya sentido más atraído por el imán de América Latina y sustente un concepto de la poesía que no sea exactamente el opuesto al suyo. Tiene un nombre de reemplazo in mente: sugiere a Francis de Miomandre. Fundamenta su proposición: sabe algo de Sudamérica y conoce bastante el español. No es un Papa de la poesía pura como Valéry, respecto del cual ella alienta una desconfianza intuitiva, sobre todo cuando se dedica a hacer prólogos por encargo. En carta a la escritora argentina Victoria Ocampo, publicada en la revista *Sur* de Buenos Aires, en octubre de 1945 (la comunicación tiene fecha del 16 de mayo de 1943), el autor de *La joven parca* le confidencia que lo distrae de la labor literaria (está enfrascado en una interpretación personal de *Fausto*) el hecho que vive «devorado por trabajos sin gracia y sin valor. Dicto mi curso en el Colegio de Francia. ¡Hago prefacios! Nadie en el mundo ha hecho tantas cosas como yo». Conste que esta declaración está escrita en una Francia ocupada, cuando la Segunda Guerra Mundial tiene atenazada a Europa. Valéry no es el más indicado para conducir de la mano por los círculos entonces dantescos de Europa y llevar hasta el «paraíso neutral» de Estocolmo a esta mujer pura tormenta.

Ella prefiere la introducción informativa, sin mucho vuelo, de Miomandre. Este afirma que a la gran desconocida en Francia, en Europa, en cambio toda América Latina la conoce. Anota datos sicológicos. Reservada, modesta, no trata de imponerse ni le gusta hablar de sí. Lo último acójase con beneficio de inventario. Porque la mujer es locuaz y a menudo emplea la indetenible primera persona, no para decirse linduras, sino para contar sucedidos, desgracias que le han acontecido, explicar su filosofía de las cosas, pequeñas o trascendentes, sin desdeñar frases agrias a propósito de sí.

El prologuista destaca la fuerza de su vida interior. Percibe su temperamento místico, receptáculo de la humanidad sufriente. Su poesía le parece un mensaje que América envía en una botella arrojada al mar del espíritu hacia las costas de Francia, del llamado Viejo Mundo en una palabra.

Lacónicamente, el introductor tendrá que ensayar un somerísimo perfil biográfico. Se trata de una chilena montañesa, condicionada por dos sangres. Encarna una manifestación del Nuevo Mundo. Le parece su poesía presagio de un humanismo sui géneris en comunión directa con la naturaleza. Prefirió este prólogo bien intencionado, casi intrascendente, inofensivo. El texto rechazado alcanzaba una profundidad mucho mayor. Es explicable. El nuevo no significaba un choque entre dos personas; el otro era un conflicto de civilizaciones. Por eso ella montó en una cólera sagrada. Tenía sus razones, pero Valéry no era culpable. Simplemente fue la colisión de dos mundos.

Valéry representa una quintaesencia intelectual europea, cuya filosofía poética ama las abstracciones de las grandes ideas. *Charmes* contiene su *Cimitière Marin*, meditación bergsoniana sobre el Tiempo. El rostro de su obra a Gabriela le parece impasible, con una pupila de iris congelado. Sin embargo en *La crisis del espíritu* como en sus *Miradas sobre el mundo actual*, Paul Valéry, que ella juzga un poeta de mármol, «sin corazón», cede el paso al ensayista desazonado frente al curso de ese río demasiado turbio y revuelto que es la época contemporánea. Pero ella no olvida que al verlo por primera vez supo de inmediato que pertenecían a dos hemisferios diferentes, no sólo terrestres sino también cerebrales.

Quiso Valéry detener el tiempo, pero no pudo culminar *Mi Fausto*, obra en que ansiaba expresar su sueño de perennidad.

Sólo por meses no alcanzó a conocer la noticia que aquella campesina, un poco desastrada en el vestir, medio gigantona, venida de un país de volcanes y montañas, para la cual le contrataron un prólogo que la lanzara al conocimiento europeo, había ganado el Nobel, ese premio que él ambicionó y creía merecer más que nadie y nunca recibió, hecho comprensible en tiempos de guerra y barbarie. Paul Valéry murió el 20 de julio de 1945, a los setentaitrés años. Fue enterrado, conforme al título de su poema, en el Cementerio Marino de Cette, donde surcan las palomas.

Tranquila, mirando un niño

Está sumergida en el dolor por Yin-Yin cuando llegan al consulado de Chile en Petrópolis dos periodistas. Acaban de recibir un cable acogiendo el rumor que el nombre de una ex maestra de una escuela rural de Chile, señorita Lucila Godoy Alcayàga, que usa el seudónimo de Gabriela Mistral, se baraja como probable Premio Nobel de Literatura. Ella contesta que no sabe, no cree nada de lo que se dice.

> En 1944 se dijo lo mismo [...], en verdad algunos países americanos presentaron mi candidatura. Eso es todo. Yo no creo que tengan éxito. Por mi parte tampoco he tenido la menor participación de esa idea.[200]

Juzgaba insensato el afán de algunos amigos de sembrar estatuas con una loca generosidad, a diestra y siniestra.

Matilde Ladrón de Guevara le pregunta dónde estaba y qué hacía cuando supo la noticia del Premio Nobel:

> Estaba sola en Petrópolis en mi cuarto de hotel, escuchando en la radio las noticias de Palestina. Después de breve pausa en la emisora, se hizo el anuncio que me aturdió y que no esperaba. Caí de rodillas frente al

crucifijo de mi madre, que siempre me acompaña, y bañada en lágrimas oré: «¡Jesucristo, haz merecedora de tan alto lauro a esta humilde hija!» Pero en esa época vivía la espantosa tragedia de mi Yin y estaba al margen de la vida. Todo me era indiferente. Aun esto...[201]

El 15 de noviembre de 1945, la casa se puebla de reporteros y se colma de telegramas. Tiene que descolgar el teléfono. «Felicitaciones, Gabriela Mistral». Es la primera vez que alguien de México al sur recibe el Premio. ¡Cómo no! Es el triunfo de la América india. Esa mañana, en muchas escuelas del continente se entonan sus rondas. La gente a su alrededor espera que el bullicio contribuirá a mitigar su angustia por Yin-Yin.

En Estocolmo el *Dagens Nyheter* la llama «símbolo maternal de las ambiciones culturales del continente americano».

Una semana más tarde se recibió en Suecia su telegrama de agradecimiento. Luego avisó que arribaría en barco a Gotemburgo. Pedía que la esperaran y le reservaran habitación en un hotel. Anunció que viajaría con su secretaria.

El pandemonium en Petrópolis fue la imagen perfecta del caos. Parabienes por un lado y nerviosismo incontrolable a raíz de los preparativos del viaje, por el otro. Contratiempos, amnesias, suspensos, atrasos. Cuando llegan al puerto la nave ya había zarpado. Vuelve el transatlántico a la Bahía de Río de Janeiro para que se embarque la señora que llegó tarde. En Gotemburgo la aguarda una secretaria de la Embajada. En la estación ferroviaria de Estocolmo la reciben enviados de la Academia Sueca y funcionarios chilenos. Cuenta en confianza que el elegante abrigo que lleva se lo prestó la embajadora de Francia en Río de Janeiro. Se aloja en un departamento del Gran Hotel, desde cuya ventana puede mirar los barcos. Los que la rodean advierten a primera vista que viste con visible desaliño. El embajador Gajardo se arma de coraje y se atreve a hacerle una pregunta escabrosa:

—¿Ha traído traje especial para la ceremonia de la entrega del Premio?

—No. La ropa de siempre.

—Pero van a estar el Rey, el Príncipe heredero, los miembros de la Familia Real y de la Corte, la crema del Estado, los académicos, la flor y nata de los escritores y científicos. Tiene que usar un traje largo, negro, ojalá de terciopelo.

Finalmente, la tienda más afamada —ahora sería una boutique de moda— le confeccionó un vestido de terciopelo negro. Anunció que no cobraba nada. Lo anotó en el ítem de sus gastos de representación. La joyería Jensen no quiso quedarse atrás y entregó un prendedor de plata, labrado por un orfebre. Así nuestra heroína quedó presentable ante la gran sociedad de la nobleza y de la intelectualidad suecas.

Cada vez que en Estocolmo cruzo frente al Concert Husset, nuestro acompañante chileno o sueco, casi siempre diferente, nos dice lo mismo: «Aquí recibió el Premio Nobel Gabriela Mistral«. El vasto edificio con paredes en tono rosa está emplazado en el corazón de la ciudad, frente a la plaza con las esculturas de Carlos Milles.

En aquel 10 de diciembre de 1945 (la Segunda Guerra Mundial había terminado hacía pocos meses), esa sala de conciertos, inaugurada recientemente, resplandece con todas sus lámparas iluminando la granada concurrencia. Son las cinco de la tarde. En el centro del escenario hay dos marineros con sendos clarines de plata. Sobre un telón verde, un par de banderas suecas circundadas por las de los países de los distintos agraciados. Tres filas de hombres vestidos con elegancia y una sola mujer, corpulenta, de ojos verdosos, con traje de terciopelo. Son los miembros de la Academia de Letras y los laureados con el Nobel. En una esquina la tribuna del orador. Resuenan unas notas vibrantes cada vez que se vocea el nombre del premiado; desciende acto seguido a la platea para estrechar la mano del anciano Rey y recibir el premio. Gabriela Mistral resulta la tercera en ser nombrada. Quien traza su semblanza es el poeta sueco Hjalmar Gulberg. No sólo es secretario de la Academia sino traductor al sueco de muchos de sus poemas. «Yo presenté —dijo— una antología directamente en sueco, *Dikter* (Poesías)». El hecho hacía innecesario atravesar el puente de la versión francesa. La conoce más que otros. Su discurso tiene algo de informal; lo pronuncia parte en sueco, parte en castellano. Otra vez el son agudo de los clarines. Gabriela con tranco moroso, la frente despejada, echa la cabeza hacia atrás, lo cual pone de relieve su estatura en un país de mujeres altas; da unos pasos por el estrado y baja cuidadosamente los peldaños para encontrarse con el Rey, que espera a la campesina chilena de pie. El monarca Gustavo V es más viejo que su interlocutora. Se inclina amable y murmura algunas frases en inglés; después le entrega el diploma, una medalla de oro macizo y un cheque por ocho mil libras esterlinas. Ella agradece con una sonrisa y vuelve a su asiento ante un teatro que la ovaciona, especialmente los suecos que de algún modo ven en ella una hermana o una prima sudamericana de su Selma Lagerlöff, fallecida cinco años antes.

De vuelta a la Embajada Chilena, le preguntaron si se sintió nerviosa durante el acto de entrega.

No. Estuve tranquila mirando a un niño que estaba en un asiento de balcón y que se parecía mucho a mi sobrino.[202]

Por lo visto, el fantasma del joven muerto también estuvo presente en medio de la radiante ceremonia, ocasión que cualquiera pensaría que para ella sería un momento de dicha; simplemente había controlado sus nervios.

> Pero cuando regresé a mi asiento, después de recibir el Premio de manos del Rey, al subir la escalerilla del proscenio, sentí que se me fundían las rodillas.[203]

Como se sabe, era la primera vez que se le otorgaba a un latino-americano. Si alguien la felicitaba, ella trataba de rebajar su mérito diciendo que había ganado por transacción. El premio se disputaba entre dos grandes países y dos grandes escritores de nuestro continente, el mexicano Alfonso Reyes y el argentino Jorge Luis Borges, que murieron sin conseguirlo. Para evitar el choque de los poderosos —explicaba— escogieron un poeta nacido en un país pequeño.

La Segunda Guerra Mundial no era el clima más propicio para otorgar el Premio Nobel de la Paz. Ni el de Literatura. Ninguno. Se suspendieron. ¿Iba a concederse el de la Paz en una Noruega ocupada por los nazis en los años 40 ó 43? Tampoco el 44, porque el conflicto proseguía. Pero el 45, cuando Hitler, igual que su «milenario» Tercer Reich ya se habían vuelto cenizas, se entregaron dos Premios Nobel de Literatura. Uno, con efecto retroactivo, el de 1944, concedido al escritor danés Johannes V. Jensen. El de 1945 fue para una chilena poco conocida, Gabriela Mistral. El veredicto de la Academia habló de su «lirismo inspirado por un vigoroso sentimiento [...], que ha hecho del nombre de la poetisa un símbolo del idealismo del mundo latinoamericano». En el discurso de agradecimiento, ella desarrolló ese pensamiento. «Hoy Suecia se vuelve hacia la lejana América para honrarla en uno de los muchos trabajadores de su cultura...»

Subrayó su pertenencia a un Chile no dictatorial. «Hija de la democracia chilena —puntualizó en aquella ocasión— me conmueve tener delante a uno de los representantes de la tradición democrática de Suecia...»

Algo más. Era también personificación de una estirpe mezclada y expresión de su habla y de su poesía.

> Por una aventuranza que me sobrepasa, soy en este momento la voz directa de los poetas de mi raza y la indirecta de las muy nobles lenguas española y portuguesa...[204]

Después tiene que aceptar festejos nocturnos. Los estudiantes de la Universidad de Upsala la acogieron con respetuosa solemnidad y los académicos sacaron sus togas de los closets. Pero más tarde la reunión perdió el aire estirado. Esa noche de invierno boreal, Gabriela —como de costumbre— se dejó arrastrar por la corriente de la conversación.

Estuvo un mes en Suecia. Tenía que volver a Petrópolis.

Pero en esos días, en esas noches —que para otro en su lugar hubieran sido de redonda felicidad— la visitan sus fantasmas. Se le refuerza la convicción de que Yin-Yin cayó asesinado. Para ella es la muerte de un hijo, el único de su sangre, que fue suyo, y que ella quiso como la madre absoluta. ¿Del duelo vino a sacarla la noticia del Premio Nobel? Ningún premio la cambiará por dentro ni cerrará su herida. Gratitud para quienes se lo concedieron, pero nada en el mundo borrará de su conciencia la culpa de los que mataron a Yin-Yin. Esos días no le han devuelto la calma. La gente que la acompaña la nota agresiva.

En viaje de regreso llega a París sin visa. Tiene dificultades con los funcionarios de Inmigración en el aeropuerto de Le Bourget. No vacila en sostener que las autoridades francesas le tienen mala voluntad. No falta quien, tomando en cuenta su apoyo a la República durante la Guerra Civil de España, la llamó «simpatizante roja».

Después que recibe el Premio Nobel sucede lo inevitable: los periodistas la bombardean con cañonazos de preguntas. ¿Quién es usted? Responde:

Soy una especie de izquierdista tradicional [...]. Soy socialista. Un socialismo muy particular, es cierto, que consiste exclusivamente en ganar lo que se come y en sentirse prójimo de los explotados.

X NOBELES Y ANTINOBELES

CON EL NOBEL se acordaron de ella en Chile. Se apresuraron a invitarla. No quería ir. El Presidente, su tocayo y coterráneo González Videla, no le era grato. No fue él, sino el ministro de Educación de entonces, Bernardo Leighton, quien le extendió el convite. Le contestó declinándolo a través de su compadre Tomic:

Esta carta es para el ministro Leighton, pero va a usted con el ruego de leérsela: mi letra es mala y uso el lápiz por la vista que se irrita un poco. Además Doris no está para copiarla a máquina y la secretaria italiana no entiende español… son tres calamidades. Estimo mucho el convite del ministerio por el valor de quien convida y por la fineza que es el recuerdo de los ausentes. Compadre, yo vivo con una especie de «corazón de vidrio». En subiendo el calor hacia el mediodía yo llevo un paño al corazón que entra en taquicardia. Por esto sólo he bajado en un mes tres· veces a Nápoles. Tengo abajo la oficina y la empleada me llama cuando hay un asunto oficial. En invierno, la taquicardia amaina, pero la simple marcha a pie, aunque un poco rápida, me pone los pulsos al vuelo. Una persona así de achacosa no sirve para viajar un mes. Usted sabe también que mi interés mayor de ir a Chile, después del de ver a los pocos que son míos de frontera adentro y hablar con ellos unas semanas, es el interés, más la necesidad de acabar con ese larguísimo «Recado descriptivo sobre Chile». Sé que no me dejarán verlo; sé que tengo que entregarme a la gente por no herirla; sé que sólo veré hoteles y casas de señoras.

No el paisaje, no los pastos cuyos nombres me faltan, no las cosechas, no la cordillera a la cual no puedo subir, no a los indios, no mi Patagonia querida, no las minas del carbón, no el desierto de sal.

El chileno ve siempre en la negativa una excusa o una hostilidad, y yo tengo allá demasiados seres que me odian, una verdadera riqueza de antipatías sin causa.[205]

Andará por muchos lados, pero a Chile no va, a pesar que casi todo el país quiere festejarla. Vuelve sólo en 1954, cuando le dan, con tonto retardo, el Premio Nacional de Literatura.

A principios de 1960 encontramos al agente presidencial mexicano en el tren nocturno, en viaje de Santiago a Concepción, donde debía realizarse un encuentro de escritores. Nos explicó su plan de guerra contra la Academia Sueca. Los frutos de la tierra americana no son gustados en Europa, salvo si son plátanos, piñas, si tienen el dulzor del trópico o la finura de la zona templada. La primera naturaleza latinoamericana puede ser devorada con fruición, hasta con gula. Pero los frutos de la segunda naturaleza —o sea las ideas de los hombres, los hijos del espíritu, los libros, las obras de arte— parecen productos de otro planeta, aptos para respiraciones que no son las de su pecho. De allí el desdén, de allí la ignorancia enciclopédica del continente que lo sabe todo y lo que no sabe carece de importancia. Que los chilenos no se dejen engañar por el merecido Premio Nobel a Gabriela Mistral. No podían hacer menos, pero es la excepción que confirma la regla. ¿Cómo van a comprender entonces esos libros límpidos del maestro, esa cátedra que no entiende Europa? Es una creatura de la vida americana. En el Viejo Mundo será siempre un extranjero. El cree que América tiene un mensaje que dar a la humanidad y México en particular. Cómo va a entenderse en Europa a un hombre que confía en el valor de las pirámides mayas y de las civilizaciones aborígenes, que incluso propone una doctrina propia para la nueva literatura latinoamericana, la cual, a su juicio, debería

> … buscar el pulso de la Patria en todos los momentos y en todos los hombres en que parece haberse intensificado; pedir a la brutalidad de los pechos un sentido espiritual; descubrir la misión del hombre mexicano en la tierra, interrogando pertinazmente a todos los fantasmas y las piedras de nuestras tumbas y nuestros monumentos. Un pueblo se salva cuando logra vislumbrar el mensaje que ha traído al mundo.[206]

La incompatibilidad es total. Hay que retomar —propuso el apasionado emisario del mandatario mexicano— la Declaración de Independencia Intelectual de América Latina, formulada ya de algún modo, desde Europa, en 1823, por Andrés Bello. Hay que dejar de ser vasallo cultural. Había sonado la hora de la libertad. El tocaría su trompeta en la reunión de Concepción. Debemos sumar a la emancipación política, no dijo la emancipación económica, sino la independencia cultural. Pero se declaró autorizado para ir más allá del rechazo y la negación del Nobel y de la arrogante superioridad del Occidente europeo y anunciar una respuesta de tono afirmativo. México crearía un Premio que no sería el Nobel americano sino el laurel máximo con que estas tierras coronarían la excelencia de un escritor. Este premio se llamaría Alfonso Reyes. Lo propuso, lo voceó en la asamblea, haciendo sonar todos los timbales. Y luego el asunto quedó en nada.

Por ironía irreverente y positiva de la historia, esta mujer que gozó haciendo el ditirambo de Alfonso Reyes —a quien el jurado ignoró desde su Monte Olimpo en Estocolmo— fue el primer latinoamericano que recibió el Premio Nobel de Literatura. Alfonso Reyes todavía vivía. Seguramente no sintió amargura, sino más bien alegría melancólica porque lo estimó justo, porque no parecía hombre para hundirse en menesteres minúsculos ni deambular por los lúgubres pasadizos donde se urden maquinaciones a fin de obtener distinciones y medallas.

Gabriela lo recuerda haciendo su discurso de despedida a José Vasconcelos. Es casi un diálogo entre los dos mexicanos que estima más admirables. Como hemos visto, Vasconcelos, el hombre que la trajo a México y en algún sentido le cambió la vida, había tenido la gran caída, resbaló por el piso de la política de los señores de la guerra o de los traficantes de la revolución y debía partir al destierro que él mismo se había impuesto. En esa tristeza, para decirle la cordialidad que ese hombre en desgracia le inspira, pero también para trazar su fisonomía oculta, su silueta sicológica y la definición del varón dinámico para el cual, sin embargo, su reino no es este mundo:

> En el ocio todos somos iguales. Tú, hombre activo por excelencia, has tenido que acentuar tus perfiles, que provocan entusiasmos y disgustos. Te has dado todo a tu obra —buen místico al cabo— poseído seguramente de aquel sentido teológico que define san Agustín al explicarnos que Dios es Acto Puro. Te has desenvuelto en un ambiente privilegiado en cierto modo, pero en otro funesto y peligrosísimo: removidas profundamente las entrañas de la nación, parece que toda nuestra sangre refluye a flor de la piel, que todas las fuerzas están movilizadas, que se puede hacer todo el Bien y todo el Mal. Pero cuando se puede hacer todo el Mal, ya no es posible —a pesar de la tentación apremiante—, ya no es posible hacer todo el Bien. Ese es el dolor de la patria y ésos han sido, asimismo, tus propios tropiezos.[207]

Hay escritores que no son profetas en su tierra y menos fuera de ella. Alfonso Reyes nunca conocerá siquiera la sombra de esas luces de reflectores a neón que proyectan sobre la marquesina las obras del boom. No es que pertenezca a la línea de los autores herméticos. Su descubrimiento se hará lento, empezará por América y cuando llegue a su máxima extensión será siempre el de un país generoso y reservado que jamás ingresará en la lista de los best sellers de la semana. En este orden Gabriela es un poco su hermana. Con Premio Nobel y toda la algarabía que el hecho supone, también ella pertenece a la categoría de los latinoamericanos esenciales que viven ocultos como una mina (así la llamó Neruda). Sus metales preciosos brillan más en la oscuridad y en el recinto de espíritus discretos y recogidos que en una calle tumultuosa del marketing contemporáneo.

Eran admiraciones correspondidas. Alfonso Reyes, hombre de honda mesura, escribe en prosa un «Himno a Gabriela»:

> Gabriela es un índice sumo del pensamiento y del sentimiento americanos. En ella se da la ira profética contra los errores amontonados por la historia; se da la fe, la esperanza y la caridad; la promesa de una tierra mejor para el logro de la raza humana; la mano traza en el aire los pases mágicos, a cuyo prestigio relampaguea ya la visión de un mundo más justo [...]. ¿Qué sufrimiento, qué alegría la encontraron nunca indiferente? ¿Qué latido de nuestra América no ha pasado por su corazón? Su inmensa poesía está tejida con todos los estambres que hilan el trabajo y la virtud de los hombres. Así creían los antiguos que Heracles había construido el ara de Dídima, con la sangre, los huesos, la sustancia misma de las víctimas ofrecidas. Yo no suelo hablar con tanto arrebato. Yo reservo mis entusiasmos para quienes creo que lo merecen.[208]

Consejos para nobelizables

La experiencia del Nobel la dejó convertida en una experta en el ramo. A Zenobia Camprubí, la esposa de Juan Ramón Jiménez, le dio un cursillo rápido sobre cómo conseguirlo:

> Tan querida Z. de J.R.:
>   Yo soy animal de rumia y a ustedes dos los rumio con frecuencia. Escribo poco, o no escribo, cuando les sé en tal lugar y sin problemas grandes ni chicos [...]. Mi carta es para saber de ustedes, pero también para decirles esto: el próximo Premio Nobel español que venga debe ser para Juan Ramón. Todos sabemos eso. Debe presentar la candidatura alguien que sea muy alto en Europa y Juan Ramón es sabido de gente europea importante. Escogida esa persona por ustedes, tenemos derecho a apoyar la candidatura los otros Premios Nobel. Sólo el año pasado se nos declaró eso oficialmente por la Academia Sueca. No hay franquistas en ella y los miembros que he tratado repudian a Franco. Hablé aquí hace días con una señora sueca que es jefe de la editorial primera de su país; le hablé de Juan Ramón. Lo ha leído —lee español— y lo admira mucho. Ella podrá ayudarnos también a lo de hacer ambiente «con los viejos». Hable usted, querida, con Margot sobre esto. Debería presentarlo al jefe del Departamento de Español de Columbia y añadir a eso los otros departamentos españoles de las universidades

americanas. Sobra recordarles las nuestras. Lo de Gallegos falló tal vez por torpezas. Anduvieron preparando la candidatura unos mozos medio alocados. Parece que Gallegos no se presenta de nuevo. Lo de Alfonso fracasó por la raíz: no premian el ensayo. Solamente lo dieron a Bergson y después advirtieron que «se habían salido de lo dispuesto por Nobel»; que se premie la creación pura y no el ensayo. Se lo hice saber con firmeza a Alfonso, y él tuvo una respuesta dura e incrédula, cosa que me apenó, porque yo lo he tratado siempre con una confianza de hermano. Adhirieron todas las academias y casi todas las universidades de la América Española. Pero la Academia Sueca [...], le importan poco las Academias [...], (la chilena no adhirió a lo mío sino [...] pasado el tiempo y con una exigencia vergonzante de mi gobierno, el cual hizo todo y no por deseo mismo ciertamente).

Dígame cuatro letras sobre este asunto. Si lo hacemos debe ser con miras al año 52 ó al 53. Disponer de mí como una buena criada: mandarme con toda confianza, en toda confianza.

Gabriela.[209]

La traslaticia

Cuando retorna al Brasil siente la casa transida por la presencia ubicua de Yin-Yin. Como su temperamento es algo desmedido no sólo cambiará de residencia; cambiará de país. Pondrá agua, montañas, husos horarios de por medio. Escribe al Ministerio pidiendo traslado. Prefería siempre —subraya— los climas benignos. Quiere irse a California. Solicita que la nombren cónsul en San Francisco. Acompaña certificados médicos sobre su mala salud: diabetes, enfermedad del corazón.

En California se hace amiga de Thomas Mann, personificación del intelectual europeo, pero, a diferencia de Paul Valery, tiene algo que ver con Brasil, lo cual agrega a su carácter una dosis mesurada de locura y fantasía.

Ella no percibe un gran sueldo y reclama por el alto costo de la vida. No tarda en pensar que sería mejor volver a México, un país de su lengua y de sus afectos. De nuevo pide cambio al Ministerio de Relaciones. Parece que la Premio Nobel es una chilena errante, andariega perdida, no se arraiga en ninguna parte —murmuran—. Si ella lo quiere hay que dárselo. Recibe el nombramiento de cónsul en Santa María de la Veracruz. El puerto es húmedo y caluroso. Al Golfo de México lo cruzan turbulencias; pero ella contempla el rostro de la gente en la calle y se siente entre sus indios. Desde Veracruz escribe al embajador Gajardo:

Me han contado esta cosa cómica: el señor Latcham habría dicho en una conferencia de prensa que yo «me he inventado la sangre india». El chileno tonto recorre estos países indios o mestizos declarando su blanquismo. Yo sé algo, espero, de mí misma. Por ejemplo, que mi padre mestizo tenía en su cuerpo la mancha mongólica, cosa que me contó mi madre; segundo, que mi abuelo Godoy era indio puro. Es frescura corregir la plana a los dueños de sí mismos.[210]

Pronto el demonio de la inquietud vuelve a poseerla. El ruido la desquicia y el calor sofocante es un tormento. Encuentra una quinta cerca de Veracruz, ubicada en una colina que es un mirador al mar. Poco después siente que esa mudanza no la calma del todo. De nuevo la eterna vagabunda cambia de domicilio. Se instala en Jalapa, a distancia intermedia entre Ciudad de México y Veracruz. La altura, desde luego, es menor que la de la capital y esto reportará menos trabajo para su corazón gastado. Un rico mexicano aficionado a la literatura le entrega una casa de su hacienda. Ella tiene la sensación plena de vivir a todo campo en esa típica morada rural, de largos y apacibles corredores. Cerca hay una capilla con santos vestidos a contratiempo, completamente fuera de la época bíblica. Gabriela tenía sus habitaciones en el segundo piso, eran enormes, con grandes y repujados catres de bronce y cortinajes claros para evitar la entrada de los zancudos. Esa hacienda había sido hasta hacía poco teatro de escenas revolucionarias. El general Obregón, Presidente de México, pernoctó por lo menos una vez en esos espaciosos aposentos con lechos repletos de historias fantasmales y muebles de caoba, alhajamiento barroco o rococó de otros siglos, junto al sello estampado de la artesanía indígena, donde el mimbre se convertía en silla y en mesa y el olor de las flores de azahar despertaba a primera hora de la mañana.

Allí Gabriela recibía visitas de amigos, sobre todo de escritores. Acogió con señorío de hidalga rural a un hombre que quería, por el cual sentía afecto maternal, a quien estimaba más que nada por su inalterable bondad y decencia, Luis Enrique Délano. Llegó acompañado por el maestro, antiguo fogoso parlamentario, César Godoy Urrutia. Ambos venían a solicitarle su apoyo para un congreso por la Paz que se realizaría pronto en Ciudad de México. Ella dio el sí con un pronunciamiento que se hizo célebre y muy controvertido, «La palabra maldita».

Un día fue Rómulo Gallegos el que se sentó junto a ella en un sillón de mimbre instalado en el corredor que daba a un patio de limoneros, mangos y naranjos. Le preguntó cuál era el procedimiento que seguía la Academia Sueca para discernir el Premio Nobel.

EN CIERTA OCASION esta mujer de pies movedizos —como un Mercurio desgreñado y sin dinero— rehusó (cosa extraña) la tentación de una nueva mudanza. Para otro hubiera sido un ofrecimiento irresistible. El Presidente Miguel Alemán dictó un decreto donando a Gabriela Mistral cuarenta hectáreas de tierras fiscales en el estado de Veracruz, en el lugar que ella deseara, posiblemente cerca de Hermosilla. Rechazó el regalo cortésmente. Las razones de su negativa confirman arraigados temores de su espíritu, el miedo a la envidia y su odio a la maledicencia. Nunca un escritor mexicano había recibido un presente semejante. Además ella se imaginaba el pelambre en los corrillos santiaguinos. Por otra parte no faltaría quien, si aceptaba el obsequio excepcional, pensara que ella había dicho de palabra o por escrito su amor a México tantas veces por vulgar interés y no por un sentimiento que no se cotizaba en tierras ni dinero.

Posiblemente en la declinación del donativo terciara otro motivo. La errabunda impenitente sentía la comezón del traslado subiéndole a las rodillas, hormigueándole el desasosiego y volviéndole los ojos hacia un país fino, locuaz y querido. Confía a su amigo, el embajador Enrique Gajardo:

> ... me llamó la Loba y allá voy. De mis catorce años en Europa es a Italia y sólo a ella a quien llevo en el corazón. Y mi mal sigue, me han dado algunas sorpresas; los pies se hinchan bastante. Quiero vivir a orillas del mar, éste siempre me alivió el corazón.[211]

Decía a su corresponsal Gastón von dem Busche que bastaba con escribir en la vida tres libros que fueran verdaderos. Ella autorizó sólo cuatro: *Desolación*, *Ternura*, *Tala*, *Lagar*. Después de su muerte han proliferado nuevas obras. Sobre todo son recolecciones de artículos y de cartas suyas.

Tenía temor a publicar libros, tal vez por manía perfeccionista, pero el primero no encontraría editor hasta que apareció bajo el título *Desolación*, en Nueva York. Le sucedió a la edad en que murió Cristo, coincidencia que subraya en ciertos recodos ápices de su vida como signo de crucifixión o de ascendimiento. ¿O era descendimiento?

Tanto desconfiaba de sí misma después de aquel volumen, que tuvo que pasar un par de años antes que se diera a la estampa el segundo, *Ternura*, poesía para niños, aparecido en Madrid. Esta vez no fue por falta de editores. Tras *Desolación* podían hasta sobrarle, aunque nunca lloverle. ¿Qué la inhibía entonces? ¿Una autoexigencia paralizante? ¿O quizás la contenía la amarga convicción que no podría escribir una obra superior?

Esto acontece con algunos autores que han tocado divinamente la flauta con un libro y desconfían de su capacidad de reeditar la hazaña haciendo otra vez el milagro, un milagro diferente, desde luego, porque nunca segundas partes fueron buenas. No son pocos los que predijeron que García Márquez nunca podría repetir la proeza de *Cien años de soledad*. Pero el escritor colombiano no se amilanó, aunque supiera que todas las obras que procreara después serían distintas de la primera, versión caribeña de la Biblia, dotada de una pecaminosa y turbadora aura diabólico-celestial.

A Neruda le dijeron en su hora que jamás podría volver a escribir un libro tan bello, un manual de enamorados tan bueno para copiar descaradamente declaraciones sentimentales como *Veinte poemas de amor y una canción desesperada*. El poeta se abanicó. Su obra siguiente fue de ruptura escandalosa. *Tentativa del hombre infinito* señaló un absoluto fracaso de público y ventas. Casi nadie la aplaudió. Quiso escribir un libro iconoclasta, que remeciera la casa de las musas y la terremoteara por dentro. No sólo se dio el gusto de arrasar con los puntos y las comas, sino de incendiar su propio templo en Efeso, pues su divisa de autor y su norma de vida fue quemar con cada nuevo libro su poesía anterior, porque, a su juicio, repetirse es morir.

Gabriela Mistral publica en 1938 Tala. Como sucedió con *Desolación*, más bien se lo publican. Si con el libro inicial el padrino que se encargó de todo fue Federico de Onís, en el citado caso asumió esa misión la argentina Victoria Ocampo, directora de la revista *Sur*, en quien la Mistral percibe una «tragedia idiomática», el «ambidextrismo» de hablar en español y escribir en francés. «¿En qué zona del seso y del alma ella padece su bigamia lingüística?», se pregunta en febrero de 1942. *Tala* tampoco apareció en Santiago sino en Buenos Aires. El producto de su venta lo entregó a entidades catalanas, especialmente a la Residencia Pedralbes, refugio de niños vascos víctimas de la Guerra Civil Española.

Tala también desconcertó. ¿Y ésta es Gabriela? ¿Dónde están las nieves de antaño? ¿Dónde quedó *Desolación*, esa poesía clara y fuerte como un torrente, iluminadora como un incendio, salvaje, filuda como un cuchillo que pega puñaladas al alma, violenta como una guerra, desesperada como la mujer vuelta loca de amor? ¿Dónde está? Alguien hubo que gritó: «Perdimos a Gabriela».

No. Era Gabriela. No una Gabriela perdida sino una Gabriela distinta. O la misma Gabriela en otra etapa de su vida.

¿Había cambiado en «pathos», en furor de sentimiento, en el grito de animal acorralado? Habían cambiado la forma, el tono, la nitidez alucinante. Ahora abandonaba el ascetismo de la palabra precisa. Penetraba al reino barroco del mistralismo, a una poesía donde se pasean fantasmas, donde la imagen se sublima, cobrando distancia respecto del objeto, envuelta a menudo en los primores del arcaísmo y en las neblinas de un amanecer que no termina por admitir la cristalina claridad de la mañana.

¡Por fin en Santiago de Chile! Allá por 1954 apareció primero la última obra que publicó en vida. El editor se dio un pequeño placer sádico o módico: la publicó amputada. *Lagar*. Le gustaba esa palabra. Como el vocablo Tala. Ambos poseen un sentido cortante, terminal, mortuorio, en una de sus acepciones. La escogió tal vez porque en su valle nativo vio el lagar como un lugar de esencias, donde la gente baila sobre la uva dulcísima de la zona para exprimirle con los pies desnudos el zumo que sublimará en un pisco de vértigo. Tal vez era el lagar la imagen que mejor podía representar su suerte. Ella se sentía uva pisoteada por las patadas de la vida y macerada por la muerte. Mortificada. Golpeada. En sus páginas alguien muere, asesinado o suicida. Y ese alguien pisado en el lagar de la vida y de la muerte, vuelto vino primordial de la memoria, embriagado de pena, era uno de su familia, ese sobrino o hijo único, en el cual ella había concentrado toda la ternura de madre o de tía. La muerte de Yin-Yin la enloqueció mucho. Con él había recibido su reino maternal.

> Y Lucila, que hablaba a río,
> a montaña y cañaveral,
> en las lunas de la locura
> recibió reino de verdad.[212]

Lagar era para ella una metáfora personal, donde sus deudos queridos entregaban su sangre. No olvidaba tampoco a su sobrina Graciela: «Y las pobres muchachas muertas, escamoteadas en abril...»

Piensa que la evocación de su infancia le viene porque se siente vieja. Incurre en la coquetería de las afligidas: se duplica la edad.

> Ciento veinte años tiene, ciento veinte,
> y está más arrugada que la tierra...
> Se le olvidó la muerte inolvidable,
> como un paisaje, un oficio, una lengua.[213]

Cuando se publicó *Desolación* —orgullosa de su aparente humildad y pesimista sobre el juicio ajeno—, escribió a Eduardo Barrios: «Todo lo malo que pueden decir de mi libro me lo he dicho yo antes». En carta anterior le había manifestado que se mantenía en pie «El poema del hijo».

Abomina de sus versos que andan por demasiadas bocas. Cita entre los condenados «El ruego», «Los sonetos de la muerte». Son cursis, dulzones—exclama—. ¿Dulzones «Los sonetos de la muerte»? Opinión personalísima, extraña. Porque era una mujer extraña, cuyas reacciones a veces respondían a una lógica o ilógica muy particular, proclive a desampararse.

Una poesía que cambia y permanece

En su obra posterior a *Desolación*, Gabriela Mistral trata de cumplir con el voto que formula al final del ibro. Se esforzará por reemplazar el dolor por la esperanza. Para ello se vuelve a los niños en *Ternura*. (La edición Aguilar hace una reordenación distinta, temática de sus poemas). Comprende «Canciones de cuna», «Rondas», «La desvariadora», «Jugarretas», «Cuenta-mundo», «Casi Escolares», «Cuentos». Allí pide:

> Dame la mano y danzaremos,
> dame la mano y me amarás.
> Como una sola flor seremos,
> como una flor y nada más...[214]

En su «Tierra de Chile», hace a Radomiro Tomic la ofrenda de su «Salto del Laja»: «Viejo tumulto, hervor de las flechas indias...». A su tocayo Gabriel Tomic le entrega en la mano una fucsia convertida en «Ronda de fuego»:

> Esta roja flor la dan
> en la noche de San Juan...
> Flor que mata a los fantasmas;
> ¡voladora flor de fuego![215]

No están mal escogidas estas dedicatorias premonitorias para la estirpe de un hombre que en años de dictadura luchó con denuedo «contra bestia y miedo». Trata de conseguir esa flor y de apretar esa mano. Lo neeesita.

«La desvariadora», la que dice cosas febriles y hace conjuros para que Yin-Yin no se le aleje, es naturalmente una Gabriela trastornada. Que no crezca el niño.

> ¡Dios mío, páralo!
> ¡Que ya no crezca!
> Páralo y sálvalo:
> ¡mi hijo no se muera![216]

La Cuenta-mundo le narra, le traspasa y comunica al hijo un universo suyo, de magia.

Tala encierra un retorno al duelo. Se abre con la «Muerte de mi madre». Se convierte en perjura. Mucho le costará guardar fidelidad a su palabra de desterrar el dolor de su poesía. Escribe una nota reveladora:

> Ella se me volvió una larga y sombría posada: se me hizo un país en que viví cinco o siete años, país amado a causa de la muerta, odioso a causa de la volteadura de mi alma en una larga crisis religiosa. No son ni buenos ni bellos los llamados «frutos del dolor», y a nadie se los deseo. De regreso de esta vida en la más prieta tiniebla, vuelvo a decir, como al final de *Desolación*, la alabanza de la alegría. El tremendo viaje acaba en la esperanza de las Locas Letanías y cuenta su remate a quienes se cuidan de mi alma y poco saben de mí desde que vivo errante .[217]

En «Nocturno de la consumación», dedicado a Waldo Frank, confiesa: hace «tantos años que muerdo el desierto/ que mi patria se llama la sed».

Tala es como una prima hermana de *Desolación*. Pero la forma se ha modificado. En otra advertencia sobre «Nocturno de la consumación», explica un aspecto de esta mudanza.

> Cuantos trabajan con la expresión rimada, saben que la rima, que escasea al comienzo, a poco andar se viene sobre nosotros en una lluvia cerrada, entremetiéndose dentro del verso mismo, de tal manera que, en los poemas largos, ella se vuelve lo natural y no lo perseguido… En este momento, rechazar una rima interna llega a parecer rebeldía artificiosa. Ahí he dejado varias de esas rimas internas y espontáneas. Rabie con ellas el de oído retórico, que el niño o Juan Pueblo, criaturas poéticas cabales, aceptan con gusto la infracción.[218]

En la nota al «Nocturno de la derrota» toca un problema arduamente debatido a propósito de la poesía y la prosa mistralianas: su mentado «arcaísmo».

> No sólo en la escritura, sino también en mi habla, dejo por complacencia mucha expresión arcaica, sin poner más condición al arcaísmo que la de

que esté vivo y sea llano. Muchos, digo, y no todos los arcaísmos que me acuden y que sacrifico en obsequio de la persona antiarcaica que me va a leer. En América esta persona resulta siempre ser una capitalina. El campo americano —y en el campo yo me crié— sigue hablando su lengua nueva veteada de ellos. La ciudad, lectora de libros doctos, cree que un tal repertorio arranca en mí de los clásicos añejos, y la muy urbana se equivoca.[219]

A ratos el lenguaje de sus recados exhala un aroma de antiguo sabor. Sugiere una misteriosa continuidad de los textos clásicos, pasados por el cedazo del folklore pero también por el filtro de una personalidad tan enraizada a la tierra como un árbol de los valles transversales.

En su seguidilla de Nocturnos se vuelve a la figura incoercible de José Asunción Silva, poeta suicida, como la atrajo otro del mismo fin, Anthero de Quental. El gremio de los que se dan muerte ejerce sobre ella un hechizo turbador. La muerte solitaria o la muerte en grande la obsesiona. Hace expresa mención que en «Año de la Guerra Española» escribe el «Nocturno del descendimiento» con ruego al «Cristo del calvario».

Sus «Historias de loca», al igual que «Alucinaciones», ceden a la parte nocturna y fantasiosa de su carácter nebuloso. «Materias» encarna la realidad que la salva de la locura completa: el pan que «huele a mi madre cuando dio su leche»; la sal, «que nos conforta y nos penetra/ con la mirada enjuta y blanca»; el agua: «Quiero volver a tierras niñas,/ llévenme a su blando país de aguas»; el aire: «Entro en mi casa de piedra/ con los cabellos jadeantes,/ ebrios, ajenos y duros/ del Aire».

Mujer de geografías vivas, americana del Sur total, dedicará primero su himno al «Sol del Trópico», tan predilecto. Luego a la impredecible Cordillera de los Andes. «Especie eterna y suspendida/ Alta-ciudad-Torres-doradas...». Retorna a su mitología regional. El canto al maíz, pan y Dios de los indios. «Y al sueño, en vez de Anáhuac/ le dejo que me suelte/ su mazorca infinita/ que me aplaca y me duerme». Toda la naturaleza contemplable y comestible pasa por sí misma.

Ilustrando el por qué de los dos himnos, al «Sol del Trópico» y «A la Cordillera», escribe una nota sustanciosa sobre la necesidad del regreso «hacia el himno largo y ancho, hacia el tono mayor».

El que discuta la necesidad de hacer de tarde en tarde el himno en tono mayor, sepa a lo menos que vamos sintiendo un empalago de lo mínimo y lo blando, del «mucílago de linaza»...

Si nuestro Rubén, después de la «Marcha Triunfal» (que es griega o romana) y del «Canto a Roosevelt», que es ya americano, hubiese querido dejar los Parises y los Madrides y venir a perderse en la naturaleza americana por unos largos años —era el caso de perderse a las buenas—, ya no tendríamos estos temas en la cantera; estarían devastados y andarían entonando el alma del mocerío. Llega el escuadrón de mozos sin mucho gusto que digamos del «Aire Suave» o de la marquesa Eulalia. Tienen razón: el aire del mundo se ha vuelto un puelche violento [su viento de la Patagonia] y el mar de jacintos se muda de pronto en el otro mar que los marinos llaman acarnerado.[220]

«Saudade» es una provincia importante en su territorio de añoranzas, que se reparte por debajo de toda la superficie de su obra. «País de la ausencia», con obsesión del fin: «...y en país sin nombre/ me voy a morir». Como «La extranjera» o «Beber»: «Recuerdo gestos de criaturas, y son gestos de darme el agua». Su mentada «Todas íbamos a ser reinas» merece una nota, que también es nostalgia pura: «... y siendo grandes nuestros reinos,/ llegaremos todas al mar...».

«Locas mujeres», con diversas clases de demencias, «la que camina interminablemente... Ella camina siempre hasta cuando ya duermen los otros». Amén de sus enajenaciones: «Donde estaba su casa sigue/ como si hubiera ardido».

O la sin razón que imponen las cárceles, aquella que padece la «mujer del prisionero»: «Yo tengo en esa hoguera de ladrillos,/ yo tengo al hombre mío prisionero...».

En su poema de la «Naturaleza», habla —así era siempre— de sí misma como parte de la arboleda del mundo. «Mi pecho da al almendro su latido/ y el tronco oye, en su médula escondido,/ mi corazón como un cincel profundo».

El árbol es su hijo. Y vuelta «al desvarío». Y a la guerra insensata que trajo la caída de Europa. No acepta a Hitler. Siente como suya la muerte en Finlandia. Condena a Stalin. La Segunda Guerra Mundial es un luto personalísimo.

Eterno luto. Pasan los años. Y escribe «Aniversario» por Yin-Yin. «Todavía somos el tiempo... sin saber tú que vas yéndote/ sin saber yo que no te sigo...».

Alone afirma que Gabriela Mistral «tiene la palabra siempre lenta, pero segura. Y larga. No se cansa uno de oírla». Quería a su Elqui, pero no quería a Chile:

La apoteosis de Gabriela Mistral permitirá decir sobre ella ciertas verdades, particularmente una, que antes habría debido dejarse en silencio: más allá de cualquier crítica hállase fuera de todo posible daño: los altares son intangibles.

Digámoslo, pues, sin reticencias.

Gabriela Mistral no amaba a Chile. Amaba su Monte Grande natal y, por extensión, el Valle de Elqui, el campo y la montaña, la gente montañesa y campesina, sus días infantiles [...]. Este hecho presentido por muchos, que solían lanzarle como acusación de ingratitud, algunos pudieron comprobarlo personalmente y lo escucharon, no sin violencia, de sus propios labios. Amaba singularmente la tierra de Sarmiento (sin Perón), y don Andrés Bello nunca le inspiró bastantes consideraciones...[221]

Mujer más individual que inexplicable o extravagante; tras la rumia de una mente atormentada, alimentada por el ir sumando muchas iras, sinsabores y enojos ante desaires y «desconocidas», anhelante de esconder algún secreto o pecado capital, ansía iniciar una existencia distinta en otra tierra, como para intentar un nuevo camino. Así —se ha visto— decidió abandonar su patria y convertirse para siempre en una chilena vagabunda.

Esta autodesterrada, quien decidió sentenciarse voluntariamente a exilio perpetuo, anotó por sí misma en su libro de bitácora la pena del ostracismo, sin revocarla jamás. Deambuló de un país a otro, con escasos y brevísimos retornos. Desde su salida a México vivió virtualmente toda su vida en el extranjero. Sin embargo, estuvo condenada a transportar siempre dentro de sí el país que había dejado. La estampa de una maldición bíblica. Ella fue Caín y Abel, juntos. Dondequiera que vayas, pese a todas las distancias, tu alma seguirá estando dentro de la tierra que abandonaste. Y hablarás sobre ella interminablemente, como un tema venturoso o torturante que no te dejará nunca en paz, volviendo por la mañana y por la noche a reiterarlo en variaciones infinitas o con majadería quijotesca.

Así, como otros desterrados de Chile, como los jesuitas Ovalle o Lacunza en la época colonial, sentirá en medio del corazón y en las circunvoluciones cerebrales esa herida que nunca se cierra, por donde manan el recuerdo, la nostalgia, la execración del solar querido y odiado. Ella adora su tierra y tiene poca confianza en el hombre. No los meterá a todos en el mismo saco del desliz original, de la inmundicia del alma. Perdonará a los niños, a los limpios de boca. Morirá en suelo ajeno como su admirado Alighieri. Lo reverencia porque escribió un libro que le hubiera gustado escribir a ella, donde castiga con tormentos en diversos círculos del infierno a sus enemigos personales y a las abominables categorías de individuos falsos y deleznables, traidores, mercenarios y maledicentes. Nunca remitió la pena que impuso a los lenguaraces de su país. No les concedió indulto. Aborreció a los hombres malandrines. También quiso a otros.

Pero sobre todo amó su territorio quebrado. Gastó mucho ojo, pulso y lápiz de mina en describirlo. En verdad se trata de una tierra estrafalaria. Benjamín Subercaseaux la llamó «loca geografía». Más que un país es una playa. Al fondo la cordillera y en plano inclinado hasta el mar, delgado como una lanza, flaco como un hombre famélico, que está en los huesos, como recién salido de un campo de concentración o de las hambres de Biafra. Al sur se hace pedazos, atomizado en archipiélagos, o se extiende por una deshabitada Patagonia donde el personaje principal es la nieve, punteada a lo lejos por rebaños de corderos, por estancias perdidas o por pequeñas ciudades del fin del mundo donde a la noche blanca sucede una noche de tinta negra, en las huracanadas vecindades del Polo Sur.

Pero ella, para su fortuna, es nortina media, neta, del Norte Chico. Porque el Norte Grande sería la otra cara de la desolación, el desierto del Tamarugal, que se parece al Sahara. Oriunda de unos valles transversales de transición, donde el desierto se suaviza, acaba y deja paso a la faz amable de la naturaleza, ella la reconocerá más frutal, pero sin perder lo que llama «sobriedad austera del paisaje, un como ascetismo ardiente de la tierra». Sostiene que esa área ha dado a la raza sus tipos más vigorosos.

Después el panorama insiste en la acogida benévola. La agricultura extensiva confiere color verde a la tierra, pero las ciudades mayores se vuelven grises, acumulando asfalto y muchedumbres. En la capital se concentra un tercio de la población y en la zona central, tres cuartos de todos los chilenos.

Más allá se impone el imperio de la lluvia y de la selva oscura, lo que ella denomina el trópico frío.

Le sale al recuerdo el pequeño y diferenciado territorio patrio con su figura de hilo extendido de norte a sur a lo largo de más de cuatro mil kilómetros. En relación a los gigantes del globo, su dimensión física es reducida y su población exigua. Ella se resiste a aceptar esto como un signo de inferioridad. Si el tamaño del suelo es menguado, el porte de su voluntad —murmura, dando rienda suelta a un orgullo raramente dicho— o la «índole heroica de su gente» es mayor. Se consuela diciendo que la casa chica tiene una puerta grande: el mar.

XII NUEVE DITIRAMBOS

CON EL TIEMPO, de pronto le venían aires de sonámbula que camina, con los ojos cerrados, por la cuerda floja de la subconsciencia, por los corredores de la vigilia y de la noche, sintiéndose alunada, arterioesclerótica en el filo del mundo. Pero cuando la ninguneaban tenía un violento despertar. Mencionaba que poseía una escuela en México con su nombre, otras en Chile. Posiblemente muchas en América Latina. Era una jactanciosa muy efímera; acto seguido se proclamaba pesimista, un sentimiento motor en su creación. También el sufrimiento podía tornarla un tanto muda, inerte como tremendamente activa. Trabajaba con la lengua de Santa Teresa y Góngora, pero aclaraba que era su servidora y no su sirvienta, con lo cual, «a pesar de algunos pesares grandes y livianos», manifestaba a la vez su autorrespeto y el amor por España.

Se proclamaba campesina de terrón y aldea por todas sus generaciones y buscadora de la paz, de la suya y de los demás.

> Y la he adquirido incompleta después de grandes padecimientos; ya he llegado un poco tarde. Vivo días serenos y apacibles; ya nada temo, ni nada espero. Ya me llama el que es mi Dueño...

No demos crédito a sus palabras. No las tomemos al pie de la letra. No tendrá paz y la serenidad se aposentará en ella muy raramente. Porque ella era agitación y descontento crónicos.

Pese a sus ínfulas de eterna labriega y toda su explícita parafernalia de amante de la tierrita, querendona de la casa, carecía de virtudes domésticas. Si alguna vez preparó una comida por sí misma, la estropeó porque su cabeza estaba en otra parte. En confianza se burlaba de sus pobres fechorías de cocinera distraída. Le placía entonces reírse locamente, a boca llena, dando rienda suelta a la autoironía. Porque le gustaba clavarse alfileres, retarse y ridiculizar sus olvidos.

Los sabores chilenos se le han quedado pegados al paladar: cazuela, empanadas, pastel de choclo, pescado, uvas. Ningún racimo será como los de Elqui.

Tal vez nunca su vida fue muy ordenada. Un día podía levantarse con las alondras; al siguiente, la alondra se quedaba en cama hasta la hora del almuerzo. La lechuza no duerme; está devorando un libro o entregada a su pasión de escribir cartas. Así vivió en Italia. En

Rapallo, el consulado funcionaba en el segundo piso; pero ella prefería el primero. Quiere evitar las escaleras. El corazón reclamaba. Se le ha muerto Yin-Yin. Lo persigue por todos los países y los rincones. La consuela un poco Jonás, perro ladrón, traficante de medias y zapatos, arrastrador de faldas largas. El niño travieso la divierte.

Como ella es monumento nacional y para más remate cónsul de Chile, compatriotas desconocidos e intempestivos se dejan caer a cualquier hora, a arruinarle la vida. Los recibe a casi todos. Escucha a unos. La mente se le ausenta cuando le charlan otros. Está en su mundo.

Va a Italia porque la quiere, porque le hace bien, porque le sienta a su corazón, porque su atmósfera es azul y soleada. Le escribe al embajador Gajardo:

> Italia siempre fue para mí la cura del ánimo. No sobra añadir que me deprime bastante el panorama de la América criolla que es la que más me importa en el mundo. Observe usted «la cría» de dictaduras, idéntica a la que vi hace unos quince años desde Nueva York.[222]

Hitler y Mussolini han muerto de mala manera. En cambio, al amparo de la guerra fría, las dictaduras militares y civiles inician una nueva ronda en nuestra América. Esto la enferma. No sabe, pero teme que el carrusel de la sangre siga girando.

Cuando al general de Carabineros César Mendoza, campeón de equitación, quien fuera miembro de la Junta de Gobierno en los tiempos del general Pinochet, hasta que lo tumbó el degollamiento de tres profesionales comunistas, le preguntaron su opinión sobre Gabriela Mistral, esbozó una clasificación zoológica de la humanidad, congruente con su filosofía de jinete machista, experto en el uso del látigo y las espuelas de puntas filudas. «Prefiero los caballos a las yeguas, porque las yeguas son más caprichosas. En serio, tienen reacciones inesperadas; de repente pegan su reventón. El caballo, en cambio, es más parejo. Es decir, es como uno». Tan fogoso equitador, con su visión equina de la vida, definirá sus preferencias literarias y sus opiniones sobre poesía con arreglo a su ecuestre mentalidad de picadero o de cuartel:

> Me carga Gabriela Mistral. Para mí, el más grande poeta chileno es Carlos Mondaca, que fuera rector del Instituto Nacional. Es mil veces mejor que Neruda. Lo que pasa es que no tuvo figuración porque nunca tuvo un partido político detrás. La Mistral no estaba en un partido, pero fíjese que también tuvo su ventajita. No olvide que fue la primera en

hablar de la reforma agraria, de los piececitos de niño y de reformas sociales. Eso pesa muchísimo.[223]

Para referirse a otros países sudamericanos o ciudades de nuestro continente, la retórica continental habla de Atenas. En el caso de Chile, Gabriela Mistral prefiere hablar de Esparta, pues nada le ha resultado fácil. Su prehistoria no es de ricas civilizaciones aborígenes, pero sí está poblada por un indio belicoso en su afán de independencia. Ello generó un hecho insólito: la guerra de conquista más prolongada de América. Duró tres siglos. La guerra —obviamente— no es la madre de la dulzura, ni de las buenas maneras ni propende al desarrollo del espíritu. Fue una Colonia-Conquista o una Conquista acoloniada, como una tormenta secular, en que no cesó ni el rayo de los incendios, ni el relámpago de las malocas, ni el trueno intermitente del más largo conflicto.

Ella dirá que la república es, casi como en todo el resto de la antigua América hispánica, una empresa demasiado azotada por las frustraciones.

Se ganó la independencia institucional de España; pero inmediatamente otros dominadores extranjeros tendieron a ocupar el vacío y se apoderaron de lo más jugoso de la economía. Nuestros países tuvieron algo o mucho de semicolonias europeas en el siglo XIX y bastante de factorías norteamericanas durante el siglo XX. Los libertadores, que generalmente admiraron el gorro frigio de la Revolución Francesa y querían eliminar en nuestros países el reino del latifundio, una vez terminadas las batallas emancipadoras, fueron muertos, desterrados, sacrificados. Habían cumplido su papel y constituían un peligro para la casta de arriba, heredera de los antiguos encomenderos peninsulares, que controlaba, como legado de sus antepasados, el poder principal basado en la gran propiedad de la tierra. Había que eliminarlos por díscolos y peligrosos. Virtualmente lo hizo en todas partes, con una frialdad de hierro puntudo. En esta tarea no omitió ninguna injusticia; no se ahorró crueldad. Así empuñaron también las riendas del poder político. Entre contadas familias y linajes eligieron presidentes, ministros, senadores, diputados, embajadores. Este desfile sin mayor relieve de gobernantes incoloros, Gabriela Mistral lo contrasta con «las presidencias heroicas y ardientes» que son las excepciones confirmatorias de la regla. Dentro del mundo gris de una casta que prolonga la somnolencia colonial bajo la etiqueta republicana y continúa la digestión diaria y centenaria de sus privilegios, surgen unas pocas figuras antipódicas. «Se destacan de tarde en tarde —anota— los creadores apasionados: O'Higgins, Portales, Balmaceda».

Está hablando Gabriela de su país, explicándolo a las mujeres de México en 1924. Habla de Chile como el país con «el mínimo de revoluciones que es posible a nuestra América convulsa». Usa la palabra «revoluciones» en el sentido de cuartelazo. Los hechos de ese momento o del día siguiente la van a desmentir. Ese mismo año aquella delicada imagen de vidrio de un Chile civil se quiebra trizada por el golpe de Estado militar de septiembre. Así, casi mofándose de sus palabras recién dichas, su país se incorpora al círculo de «nuestra América convulsa», expresión muy verídica. Porque el continente, en su mayor extensión, ha sido sórdido escenario del mayor número de asaltos castrenses al poder durante los siglos XIX y XX. Bolivia, que Bolívar creó como concreción perfecta de su sueño, como un modelo constitucional en el corazón elevado de América, detenta el récord mundial en capítulo tan desapacible. La misma Gabriela sufrió de algún modo en carne propia la persecución de la dictadura entronizada en su país. Murió muchos años antes que Pinochet produjera el mayor trauma en la historia de Chile, incorporándolo en la forma más tenebrosa a esa América convulsa, de la cual no sólo ella ingenuamente creía excluida a su patria.

Empatías italianas

No es la única latinoamericana atraída por el imán itálico. Bota verde, tierra nutricia y pueblo vital, allí y con él la historia se ha hecho vida cotidiana. Aunque es un país epicúreo, Gabriela no acude seducida por el hambre de goce. El placer no es su móvil. Hay algo en esta mujer de temple espartano o simplemente se trata de una campesina pobre de Elqui acostumbrada a estrecheces. La llama el saber que allí podrá, si quiere, estar a solas con su alma, incluso en medio de tanto parlanchín y gesticulador de manos. Rodeada, sea por el ruido o el silencio, allí vivirá en el centro del mundo. Siente la tierra y lo humano entre los Alpes y Sicilia como a un amigo con el cual la empatía se establece. Lo siente en los tuétanos y lo confiesa sin rubores.

Desde hace muchos años, hasta viviendo en Niza, yo tuve siempre la nostalgia de Italia como al de un ser, una persona querida y además emparentada con mi cuerpo y con mi alma. Porque en su clima me curé un reuma; porque tengo su lengua y es la que más quiero entre las latinas; porque es país libre de xenofobia, etc., etc. Esto daría para muchas hojas de escritura... Por otra parte, ya le he perdido el miedo a la guerra y al mal comer. Yo tengo una dieta barata y fácil y nunca me mandó el comistrajo. Esa pobre Europa tan caída en la estima de la gente, a mí me ha hecho en gran parte, en unos tres cuartos a lo menos. En Italia se tiene el libro francés y el español. Además hay gente mía en el gobierno. Mucho me cuidaron cuando fui huésped de Roma en el año 46.[224]

Nacida y criada en un cuenco de montaña, tiene conciencia personal del aislamiento de la pequeña aldea natal y también de la aldea larga que es el país. Parecería dar las espaldas «a la vida universal». No obstante, percibirá que no hay y cada día habrá menos naciones exentas de las responsabilidades de vivir en el planeta. La «hora fragorosa del mundo» se impone en todos los meridianos.

Hablando de su pueblo, recalca que es el auténtico marginado dentro de su propia tierra. En «su paso por la vida republicana tendrá siempre lo leonino...». Así ha sido. Pero ella, conociéndolo, viniendo de sus adentros, pondera en él «cierta severidad de fuerza que se conoce, y por conocerse no se exagera». Es una característica de su sicología social que la induce a decir algo premonitor: «El pueblo tiene en su cuello de león un reposo, un jadeo ardiente». Así expresaba un rasgo cíclico de su historia. Durante años, sobre todo en tiempos de horribles injusticias, el león en reposo jadea su desconten-to, hasta que un día pasa a la acción incontenible. Un dictador como Pinochet ha quedado sorprendido de ese despertar y la magnitud de su fuerza.

Ella no aceptará

... jamás la entrega a los países poderosos que corrompen con la generosidad insinuante. El gesto de Caupolicán, impávido sobre el leño que le perfora las entrañas, está tatuado dentro de nuestras entrañas.[225]

Un cuaderno sobre tabla lisa

Sentía una complacencia casi de adolescente en leer sus versos a los amigos. El tono era monocorde y nasal, gangoso, con una cadencia muy particular y una pronunciación defectuosa que no los hacía claramente comprensibles.

¿Cuál era el proceso de su creación literaria? No tenía un esque-ma fijo. Pero solía anotar en una libreta palabras, ideas (posibles embriones de poemas). Dejaba pasar un tiempo y volvía a consultarla. Frotando **vocablos** brotaba a veces la chispa, surgía la poesía. Corregía largo y tendido. Habitualmente escribía en un cuaderno sobre una tabla lisa que afirmaba en sus rodillas. Sí. Era aficionada a hablar en confianza de sus versos, pero no para celebrarlos. Durante años la obsesionó su poema sobre Chile. Se documentaba, pedía información. No creía en la imaginación pura. Sabía que ésta no existe.

Me contaba Luis Enrique Délano, el cual colaboraba con Gabriela Mistral en el consulado chileno en Madrid, que ella siempre estaba pidiendo que le mandaran libros de geografía e historia, volúmenes sobre pájaros de Chile. Curiosa autodesterrada que desde el exilio se vuelve hacia la tierra que abandonó, mostrando tanta necesidad de evocarla. Cuando estaba «allá» no le pesaba la naturaleza sino cierta gente. No toda, pero algunos le bastaban para que desease partir de inmediato, poner cordillera y mar de por medio. Esa misma cordillera y ese mismo mar de los cuales, en la lejanía, no tardará en hacer la alabanza.

¿Cuáles son para ella las cosas mejores de su tierra, después de treinta y tres años de vivirla, de «tenerla contra el pecho»? Agrega después: «tras doce años de llevarla en la memoria». Esa mujer está describiendo, pues, en Madrid, precisamente un 18 de septiembre, a la edad de cuarentaicinco años, la reminiscencia de las cosas que más le impresionan y agradan de Chile.

En primer término, como lo ha repetido, le gusta la cordillera. A su juicio, es la matriz del país, la espina dorsal que representa la voluntad de ser. Sin ella Chile se habría caído. Pero se vive a su sombra casi sin saberlo. Ella regala la nieve y el agua y tiene un vientre de fuego, con volcanes que esperan su hora.

El segundo ditirambo (en ella exagerado) lo dedica al mar, por quien en más de alguna ocasión confesó su reticencia. Es el agua que llega hasta el Asia, el agua grande, el agua loca, que hacia la Tierra del Fuego suele convertirse en témpanos fantasmales.

El tercer elogio no será para la geografía sino para ciertas profesiones… «Para mineros y navegantes». Los hombres de su patria chica nacen marcados por el signo de la mina. Trabajaron muchas generaciones con la barreta y el pico. Buscaban el metal, la ciudad encantada, quimérica. A ella de niña le fascinaba escuchar a los mineros viejos, aquellos cuya búsqueda del oro o de la plata les seguía sonando en la cabeza. No consiguieron escapar nunca al sortilegio de su llamada. Casi siempre se quedaron con las manos vacías.

Sigue el panegírico de los oficios que ama, el de los marinos. El chileno, con tanta costa, se entregó a la aventura de los mares, «trópico arriba y capricornio abajo», topándose con la Isla de Pascua, forjando pequeños artilleros, tejiendo redes.

Ella dice que la «cuarta estrofa alabadora se la mandamos a las alamedas». Retiene en sus pupilas la visión de la entrada a los pueblos, teniendo a cada lado una custodia forestal que rinde honores. Está formada por los álamos esbeltos. En el extranjero, en la hora del descanso, «cuando el alma sube y se derrama sobre la cara», tal vez le vean temblar por dentro esas sombras de las alamedas, que para el chileno son tan caras que incluso nombra así sus accidentados Campos Elíseos en Santiago y dictan al Presidente Allende la improvisada frase final de su vida.

Destina su quinta alegoría a dos árboles de Chile. Primero a la araucaria. Para su ojo, «después de ella y de la palmera real, todo el resto puede llamarse plebe botánica». Allí está bajo el cielo mapuche, sin que la agobie nada, sin que le pesen las nubes bajas, sin que la afee la niebla, que en el peor de los casos es «el mayor y el mejor de los fantasmas».

El segundo árbol regalón es un vecino de su tierra originaria: el algarrobo de la soledad. Su tronco se empina sobre el sitio. A su sombra escasa se sienta el arriero y se acuesta la mula del Norte Chico. Es un árbol de su provincia, que se quema en las noches heladas por los leñadores o los mineros.

Ella ahora está lejos, reminiscente. Echa de menos el sabor de la fruta nativa. Por ella dirá su sexta bienaventuranza, celebrando el durazno y el damasco, el manzano y el peral. Su lengua tiene aún el lejano aliento de su aroma.

En este repertorio tan heterogéneo de las especies que despiertan las saudades mistralianas, el séptimo recuerdo será para los archipiélagos, para la extravagancia de los fiordos, de las penínsulas, de las islas regadas como gotas de tierra en el mar. Muchas de ellas fueron bautizadas por navegantes británicos en tiempos de la reina Isabel o Ana, o cuando el joven Darwin pasó moviéndose entre ellos y anotándolo todo a bordo del Beagle. Ella propone que un día sean rebautizadas, que no se llamen más Wellington o Reina Adelaida.

Exploración entre hielos que anteceden y persiguen al barco como una procesión de espectros. Se sostiene que ese mar final, más que bárbaro, es salvaje. Ella dirá palabras de consolación en su defensa.

Suele tener su sol, y es el más tierno sol de este Mundo cuando se come en horas la niebla rala y deja ver la última tierra chilena, partida en lucha por resistir y alcanzar el Polo o la nada.

La octava enhorabuena va endilgada a las artesanías pueblerinas. La dedica a las figuras de greda vendidas en la feria de Chillán. Le encanta la promiscuidad o la confusión de las especies, los caballos que se convierten en venados, los pavos que sugieren gallos, las vacas que parecen alpacas. No se debe a falta de pericia; es sobra de fantasía.

Esos amasadores de la arcilla son unos imagineros. Cuando contornean sus artesanías las están sobando como si crearan nuevos seres, animados por una espontánea originalidad, que los arrastra a no repetir los seres ya vistos. Y lo mismo el color, con veteados y franjas. Todo hace que el agua que se bebe en ellos tenga una sabrosura distinta y que el cuerpo de ese cántaro sea amable al tacto.

Lo que más la conmueve en el choapino araucano es que la india lo teje sobre sus rodillas al ritmo de una canción que no tiene principio ni fin. Su decoración no es un paño de flores ni un vuelo de pájaros. Son rayas recias, «rombos amarantos, unas grecas de coloración eléctrica». En Cautín donde, como se sabe, ella fue directora del liceo, cubre su mesa; pero también puede ser cojín. Gabriela sabe distinguir el original de la imitación.

El último recitado de la alabanza lo dedica al llamado baile nacional. Estalla sobre todo en septiembre, con la primavera. La cueca es una danza de la vendimia o la trilla. Es como vino y se hace acompañar por él. Es una mezcla de melancolía y erotismo. Ella encuentra esos talones ondulantes parecidos a los de pisadores del lagar, aquellos que aplastan la uva para arrancarle el mosto. Es un baile báquico, con pañuelos.

No creo que Gabriela la bailara nunca. Pero es el «noveno jalón» de su memoria, porque percibe que en esa danza nadie «acabará ganando», que tiene doble entraña pues está hecha de fuego y de aire, de desafío y sujeción. Es burla y llamarada, rasgueo e interjección, vida y muerte, océano y montaña.

Gabriela Mistral fue voluntariosa vendedora de la imagen de Chile por el mundo. No lo hacía por mero deber consular; era una forma de dar desahogo a su «echar de menos», de mantener contacto con la tierra distante. Pero también a través de esta remembranza del país va dando su opinión, señalando simpatías y remarcando aversiones.

XIII NO UN SABLE SINO UN REMO

E N UNA CONFERENCIA que da en Málaga en 1934, dibuján-
dole al auditorio el perfil del país remoto, ella dirá, de entrada,
que prefiere el navegante al hombre de uniforme. Hablando de la
forma y tamaño de su país, se referirá siempre a su espíritu y no
ocultará preferencias y desagrados.

> Han dado a Chile los comentaristas la forma de un sable, por remarcar
> el carácter militar de su raza. La metáfora sirvió para los tiempos
> heroicos. Chile se hacía, y se hacía como cualquier nación, bajo espíritu
> guerrero. Mejor sería darle la forma de un remo, ancho hacia Antofagasta,
> aguzado hacia el sur. Buenos navegantes, somos un país dotado de
> inmensa costa.[226]

Por su geografía Chile no es común ni ordinario. Se sale de la fila.
Una cinta de colores diferentes. Pero la rareza no sólo viene de su
forma. Los tres cuartos de millón de kilómetros cuadrados están en
buena parte cubiertos por cordilleras, con las cuales el chileno no
sabe qué hacer ni cómo vivir; por un desierto amarillento en el norte
y por un sur descalabrado, roto en multitud de disoluciones insu-
lares, blanqueado por un invierno a lo canadiense, escandinavo o
ruso. El territorio grato no es mucho, aunque casi todo él, por su
insólita y diferenciada fantasía, merezca el ojo del artista plástico, los
honores de la fotografía aérea, de la cámara de cine y el canto de los
poetas.

La geografía difícil determina una economía difícil. Para trasladarse del extremo norte al extremo sur habrá que viajar varios
millares de kilómetros. Es una tierra lineal e irregular a la vez. Son
mejores, materialmente hablando, los países redondos o cuadrados,
que los hacen más cercanos entre sus distintos puntos. En el nuestro
bastaría cortar el camino longitudinal para que diversas regiones
quedaran incomunicadas. El transporte desde zonas alejadas se
convierte en un disparate económico.

Pero a esa conferenciante que está describiendo a Chile ante un
público mediterráneo que poco sabe del tema en el sur de España, lo
que más le apasiona es definir la dimensión moral, puesto que a la
impenitente cateadora de almas lo que le importa de veras en hombres
y pueblos es sopesar el metal ético, y se esfuerza por descubrirle a sus
gentes las honduras, sus entretelas. Por ello, más que a la geografía

de Chile, que, desde luego, ejerce un influjo en el hombre que la habita, fijará los ojos en la historia. Y no lo hace por chovinismo. Sostiene que si hubiera nacido en otra tierra, de todos modos le gustaría leer unas cuantas de sus páginas. ¿Qué ve en ella? Algo que, sin duda, registran todas las naciones: el oficio creador de un país, la tarea cumplida por el equipo que forma su humanidad. Sobre todo la alegra un rasgo que a otros entristecería: Chile nace como una nación opaca, sin el atractivo del oro y sin riquezas a la vista. El primero que intentó conquistarlo, Diego de Almagro, desistió de la empresa a medio camino, porque le pareció tierra pobre y bravía. Quien hizo el camino casi entero fue Pedro de Valdivia, pero tuvo que pagar su osadía con la vida. Gabriela rendirá tributo admirativo al indígena que defiende a su tierra como su segundo cuerpo, pues si lo pierde perderá también el primero, además de su identidad. Sencillamente dejaría de ser.

De tal tierra sin brillo, con población relativamente escasa, aprendió el segundo patriotismo en un libro español, *La Araucana*. Ercilla fue el que asentó la primera piedra en el edificio de la conciencia del ser chileno. Pues hacer Chile —como cualquiera otra identidad nacional— ha requerido una voluntad de existir contra viento y marea.

La andariega le cuenta a los descendientes de los antiguos conquistadores que a los chilenos hay que conocerlos en el trabajo y sobre todo en el desafío a las regiones inhóspitas, en la «terrible prueba vital» del desierto, caminando sobre la pampa de sal, donde la lucha por el agua es tan ardua como en el Africa. Ella sale al encuentro de la imagen guerrera de Chile. Prefiere ejemplificarlo mejor en el laboreo de la pampa.

Hablará del país como si estuviera refiriéndose a sí misma. Sucede así más que nada cuando en el viaje por el mapa llega a su tierra pequeña, cuando se reencuentra con la zona de transición, cuando la naturaleza dice adiós al erial y se vuelve abrazo con el verde de los valles transversales. Comunica tal revelación personal a los oyentes.

> Esta es mi región, y lo digo con particular mimo, porque soy, como ustedes, una regionalista de mirada y de entendimiento, una enamorada de la «patria chiquita», que sirve y aúpa a la grande.[227]

Si el mundo y los cielos que contempla señalan su macrocosmos, aquella zona de los valles transversales encierra su microclima y su microcosmos. Para ella la región no es un pedazo del país. Es todo él, contenido en su esencia. Cualquier problema de la nación retumba entre sus cerros; cualquier vuelco o avatar político con el tiempo la envolverá, para bien o para mal. Rechaza la manía segmentadora, que concibe una nación como trozos cortados de una res que se expenden en la carnicería. Tiene el sentido viviente del conjunto.

Reafirma que no hay «patriotismo sin emoción regional». Aquellos que no se incorporen a la geografía de su propia zona, sólo concebirán el concepto de nación como abstracción mental, como especulación, pero no como un cuerpo de carne y hueso. La región es la patria al alcance de la mano y de los ojos.

Ella partirá por esta ruta señalizada hacia la integralidad de lo más pequeño, a la rememoración de la aldea de su infancia. Esta le sugiere la hostia, la parte consumible del cuerpo de Dios. Por eso en la aldea, como lo pensaba Tolstoi, está el mundo, o sea la célula del Todo.

Hace esas confesiones en voz alta ante una sala malagueña, que seguramente nunca antes escuchó hablar de un villorrio perdido situado entre los riscos de una tierra desconocida, separada por océanos y cordilleras, a diez mil kilómetros de distancia. Pide que la comprendan. Esta vagabunda ha andado por muchos lados y aprecia los pueblos extranjeros. Pero, incluso ellos, y sobre todo la memoria, bajo cielos ajenos, la hacen sentir el rebrote de las imágenes que florecen en el subsuelo de la niñez. Son apariciones leves o fuertes, tenues o agudas, sonidos vagos o perfilados, visiones nunca borradas, hasta perfumes aspirados cuando era chica. Como buscando la simpatía y complicidad del auditorio, se proclama creatura regional y piensa que todos los que la escuchan son como ella, seres que llevarían en sí, mientras existan, la imagen indeleble de su tierra y de una infancia inextinguible.

¿Y cómo es ella? Tratará de explicarlo volviéndose precisamente a las visiones de la niñez.

Somos las gentes de esta zona de Elqui, mineros y agricultores en el mismo tiempo. En mi valle el hombre tomaba sobre sí la mina, porque la montaña nos cerca de todos lados y no hay modo de desentenderse de ella; la mujer labraba en el valle. Antes de los feminismos de asambleas y de reformas legales. Cincuenta años antes, nosotros hemos tenido allá, en unos tajos de la Cordillera, el trabajo de la mujer hecho costumbre. He visto de niña regar a las mujeres a la medianoche, en nuestras lunas claras, la viña y el huerto frutal; las he visto totalmente hacer la vendimia; he trabajado con ellas en la llamada «pela del durazno», con anterioridad a la máquina deshuesadora; he hecho sus arropes, sus uvates y sus infinitos dulces llevados de la bonita industria familiar española.[228]

No se imaginen que aquella región es de feracidad paradisíaca, donde el fruto brota por sí solo. Ese tajo de la montaña no regala nada si no trabajan todos. El todos no perdona ni siquiera a los niños. En la más diminuta posibilidad fértil, allí donde se junta una tacita de agua, surgirá el pequeño huerto, amanecerá de septiembre a abril el frutal carnoso y en los comienzos de otoño, la uva crecida en viñas chiquitas se pintará de azul. Sus pobladores viven regando, como pueden, haciendo injertos de cirujano, con algo del antiguo árabe, del andaluz, pero sin la sensualidad de la vida mediterránea.

Son de poco comer, ninguna elegancia. Es una sociedad más democrática que la del centro y sur de Chile, habitada por muchos pequeños agricultores, obligados por la necesidad a ayudarse mutuamente. Un mundo cerrado, que, generalmente, no se empina más allá de su predio y cuida el centavo. Gabriela, oriunda y formada en esa región, defenderá a sus coterráneos de la mala fama cicatera, cortos de visión y extraerá de la falta de horizonte que rodea los villorrios alguna conclusión favorable.

> Nos han dicho avaros a los elquinos sin que seamos más que medianamente ahorradores, y nos han dicho egoistones por nuestro sentido regional… Nos tienen por poco inteligentes a causa que la región nos ha puesto a trabajar más con los brazos que con la mente liberada. Pero los niños que de allí salimos sabemos bien en la extranjería, qué linda vida emocional tuvimos en medio de nuestras montañas salvajes, qué ojo bebedor de luces y de formas y qué oído recogedor de vientos y agua sacamos de esas aldeas que trabajan el suelo amándolo cerradamente y se descansan en el paisaje con una beatitud espiritual y corporal que no conocen las ciudades letradas y endurecidas por el tráfago.[229]

De esa cuna austera y pobretona saldrá hacia la capital, hacia la región central o media, donde se aposenta el «verdadero cuerpo histórico y agrícola del país». Quiere contárselo a sus oyentes de Málaga, sabiendo que les habla de una tierra que está muy lejos y desea acercarlos como para que palpen, al menos con la imaginación, la enorme cordillera andina y la más baja y más vieja Cordillera de la Costa. Para dar una idea viva recurrirá a la imagen. El Valle Central es el tórax en el cuerpo de Chile. Además será la canasta del pan, de la carne. A ratos tiene rincones que ella llama «benevolencias del planeta».

Ese país de vinos, donde no escasean los borrachos, en aquellos tiempos era su primer exportador de Sudamérica a los Estados Unidos. La Ley Seca en ese país fue un golpe a los viñateros de apellidos vascos del centro de Chile. Su derogación entonó sus ingresos.

Un indocumentado

Siempre habrá nuevos episodios irrevelados en la relación Mistral-Neruda, anudada cuando ella, directora del Liceo de Niñas de Temuco, unge poeta de verdad y concede el espaldarazo al adolescente de quince años que le entrega, azorado, temeroso del no, unos versos con el objeto que le dé el sí. Desde aquel temprano gesto consagratorio habían transcurrido treinta años cuando el autor, menos ruborizado pero siempre en apuros, acudió a ver a su antigua amiga, cónsul en Nápoles, para que lo asista en un trance difícil. Ella se lo cuenta en confianza a su compadre Radomiro Tomic:

> Ayer tuve una pena doblada de vergüenza. Vino Neruda con su mujer. Había gente y él me pasó en silencio su pasaporte vencido para que le añadiese unas hojas tramitadas. Le dije que no tengo aún sellos consulares ni pasaporte. Es la verdad. Aún no vienen. Neruda es hombre muy callado y que no hace alharaca. Pero supe por sus medias frases que había ido a Roma para su diligencia de su pasaporte y volvió en las mismas. Puse un telegrama respetuoso y cuidadoso al Ministerio.[230]

Gabriela se comunica efectivamente con el canciller chileno Horacio Walker Larraín. No tiene fortuna su petición. Dice de ella misma que es un cónsul que no puede nada y del cual se ríen los cónsules políticos. Se pregunta si acaso no acabará la odisea de Pablo con su pasaporte.

A esto se agrega, en medio de las rachas de la guerra fría, la orden del gobierno italiano de no admitir a Neruda en su territorio. Gabriela entonces se va a Roma a hablar con el ministro de Relaciones, Conde Sforza, quien había conocido al poeta en Chile, visitando con asombro su casa de Los Guindos, a la cual le encontró aires de plebeyo palacio chino, aunque sin dragones colgantes de los techos ni vecindad de pagodas. Gabriela confiaba en su comprensión, porque, habiendo estado exiliado por Mussolini durante más de diez años, Sforza era «protector de desterrados». Al mismo tiempo, lo más sobresaliente de la intelectualidad italiana abogaba porque Neruda pudiera entrar y permanecer en el país libremente, amén que reclamaba su derecho a disponer de su documentación en regla.

Gabriela subrayó con rabia un fenómeno que domina nuestras sociedades mediatizadas: el silenciamiento de las voces que no se suman al coro obligatorio del sistema imperante. La astucia de una burguesía civilizada es harto capaz de aplastar todo pensamiento inconformista con sabiduría táctica y prosopopeya altisonante, a veces tétrica, a veces sonriente, siempre implacable. Aludiendo a un hecho luego mentado por Neruda, ella dejó constancia con la franqueza que le valió cien reproches por parte de hipócritas y maniobreros de los cuales se proclama víctima:

> Yo también he sufrido después de veinte años de escribir en un diario y de haber escrito allí por mantener la «cuerdecita de la voz» que nos une con la tierra en que nacimos y que es el segundo cordón umbilical que nos ata a la madre. Lo que hacen es crear mudos y por allí desesperados. Una empresa subterránea de sofocación trabaja día y noche. No sólo el periodismo honrado debe comerse su lengua delatora o consejera; también el que hace libros ha de tirarlos en un rincón como un objeto vergonzoso si es que el libro no es de mera entretención para los que se aburren...[231]

La Mistral y Neruda no mascan el freno de la censura. En muchas cosas más se parecían. En otras diferían bastante. ¿Qué tiene de extraño? Son poetas únicos y bien distintos. Un norteamericano, analizando la obra de ambos, dibuja lo básico del contrapunto en una forma que no compartimos del todo:

> Neruda tocaba todas las teclas de la música del tiempo y del espacio, y algo asimilaba de todas las tradiciones. Más que nadie, era el poeta de nuestra época; sus imágenes armonizaban con las inquietudes históricas desde la marcha sobre Roma hasta el sacrificio de Salvador Allende.
>   Gabriela, en cambio, fue poeta de regreso. Cada poema suyo es un alejamiento hacia la infancia o más allá de la tumba. Sus versos son oraciones; busca estar fuera de sí y de su tiempo. Para ella la naturaleza, íntima al tacto, es la antesala de otro mundo. Gabriela Mistral no era poeta nuevo sino poeta único. Vivió y escribió al margen de los modernos. Los movimientos le tenían sin cuidado. Pudo decir, con mayor razón que Darío, «mi literatura es mía en mí...»

La poetisa se desempeña como cónsul y tiene que aprender un poco de economía. Su país minero-agrícola debe trabajar duro y necesita una industria más desarrollada. Está contándole esto a los españoles cuando recién comienza a emerger de la «crisis universal» (así la llama), que azotó a su patria con un ramalazo muy fuerte.

Tres años antes ensaya para la radio lo que llama un «Pequeño mapa audible de Chile». Sostiene que aparte de los mapas visuales y palpables, con sus relieves, falta la carta geográfica de las «resonancias que volviese una tierra escuchable». Asegura que es cosa de tiempo que se recojan todos los ruidos y estruendos de una región, se escuchen los cantos de la pajarería en sus cerros y colinas, pero también se graben en la cinta magnética el viento, el rumor de la atmósfera, el cuerpo sinfónico de la tierra y del hombre que la habita y trabaja, que la camina y la puebla. La radio podría hacer así una «Caja de sonidos». Se pondrá a imaginarla.

Ella reside en Europa, pero empieza a murmurar con las palabras y los rumores un día del país lejano. Calculando la diferencia de los usos horarios, dirá que allá es todavía la mañana. El norte resuena tempranero con un choque de palas, barretas y explosiones de dinamita, que despedazan el desierto para dejar a flor de tierra el caliche, de donde se extraerá el salitre que entonces el país vendía por el mundo casi como exclusivo abono natural.

Bajando por la carta geográfica hacia su suelo natal, quisiera trasmitir los ruidos más sutiles del jadeo del hombre y el bullicio agrícola, el acezar y el balido de los animales en los potreros, pero también el grito de la minería de Atacama y Coquimbo. Hay que poner la oreja a la radio que habla en 1931 para escuchar el resuello de la naturaleza, los pasos humanos, los pitazos de los barcos entrando y saliendo de la bahía de Valparaíso y el croar del cardumen de pájaros marítimos, pero más que nada captar la voz del mar violento, diciendo al escuchar el alarido de las rompientes: «Yo no soy el Océano Pacífico, mal me bautizaron».

Hay que tener, por el contrario, el oído fino para percibir las voces apacibles del llano central. Allí no se escucha el rugido del puelche ni el bramido de toro del mar. La música no tiene tonos de riña. Durante las faenas se escuchan canciones en ese ámbito rural. Son los aires de la trilla y la vendimia, mezclados con los gritos de los trabajadores, que también incluyen mujeres y niños.

> El hombre grita a lo hondero, con pedrusco lanzado; la mujer silba o modosea, a lo codorniz y a lo tórtola, ya sea que cante o que sólo diga; es el habla sudamericana la más dulce de este mundo, el más tierno acento hablado por hijo de hombre.[232]

También la Patagonia donde vivió, no obstante ser tierra de soledad, tiene como ruido algo más que su inmenso silencio. Truenan las mareas salvajes. Sobre la tierra de pasto corto los rebaños dejan caer sus balidos, que se hacen más fuertes si los pastores a caballo los arrean a grito pelado.

Puede también esa región ser atravesada como cuchillo por un alarido cortante y estremecedor. Es el viento patagónico, que parece echar abajo el mundo. Luego, tras el desorbitado bufido de la naturaleza desencadenada, todo en la enorme pradera vuelve a una mudez de escalofrío.

> La oveja se duerme en esta anchura blanca o verde, y el que goza este encantamiento por unos años se enviciará en extensiones... Yo me gocé y padecí las praderas patagónicas en el sosiego mortal de la nieve y en la tragedia inútil de los vientos, y las tengo por una patria doble y contradictoria de dulzura y de desolación.[233]

Amistades y petición de mano

Hace tiempo que se ha alejado de Petrópolis. Sus nervios le exigieron poner distancia con el dormitorio de los Zweig y los dos cuerpos yacentes. Pero más que nada, con el lugar fatal donde Yin-Yin se inmoló o fue inmolado.

Los Angeles será la nueva sede. La ciudad es un supergigante norteamericano en ascenso. Ella buscará parajes más recoletos. La guerra, el nazismo han aventado hacia la costa occidental de Estados Unidos un número considerable de exiliados. Gabriela se hace amiga de uno de ellos, Thomas Mann, que tal vez está entonces escribiendo su *Doctor Faustus*. La charla entre la mujer de orgullo fiero por su América telúrica, aborigen o mestiza, con un exponente tan refinado de la civilización europea no sufre cortocircuitos violentos, tal vez porque el muy cultivado humanista tiene en sus venas una vertiente familiar brasileña. El autor de *La montaña mágica* no dirá nunca, por ejemplo, que alguien debe ser culpado o morir porque es blanco o negro «de más». Lo que no se decían en coloquios de substancia, se lo comunicaban por escrito en una correspondencia acumulada, muy rica.

Después de la temporada en Los Angeles, la movediza vuelve a un lugar conocido. Instala su consulado itinerante en Via Tasso 220, de Nápoles. Allí tiene su oficina y su casa de cuatro habitaciones, donde aterrizan chilenos invitados o compatriotas estilo paracaidistas, urgidos por comer o dormir en alguna parte donde no cobren y encima les den plata.

Roberto Matta me contó alguna vez que el hábito hospitalario lo tuvo Gabriela siempre que la situación se lo permitía. Lo experimentó él en carne viva allá por 1935, recién salido de Chile, sin un centavo, muerto de hambre, sucio, recurrió al Consulado en Lisboa como última instancia de sobrevivencia. Lo acogió esta señora grandota (por otra parte conocida de su madre), con aire de mamá todavía joven. Lo llevó a su casa. Llena de espíritu maternal le preparó la tina de baño. Higiene y reposo. Según Matta, venía tan desnutrido que el contacto del agua caliente lo hizo desmayarse. Extrañada por la demora, ella vino a averiguar si todo estaba en orden. Como no hubo respuesta a su discreto golpeteo en la puerta, la entreabrió y vio al muchacho desvanecido, durmiendo en el agua. Lo despertó como pudo de su vahído. Él cuenta —tal vez no sea cierto— que, eróticamente asombrado como ante la aparición de Venus, le tendió los brazos al cuello y acto seguido le propuso matrimonio. Desde luego, la consulesa en Lisboa rechazó amablemente la inopinada petición de mano. ¿Fábula completa o contiene una pizquita de verdad? Tal vez algo de esto sucedió, desfigurado por la imaginación del artista y las ganas del irreverente pintor de inventar escenas surrealistas.

Ella está mirando el mundo desde la colina napolitana Capodimonte. Dice con cierta pena nunca resignada y una gota de coquetería que se sentía ya muerta y enterrada cuando el cartero llega con correspondencia desde lejos y rostros conocidos o ignorados se dibujan sobre las páginas que comunican noticias o le piden de todo: recuerdos, dinero, algo suyo. Las lee en un sillón mullido, cuya necesidad le comía el cuerpo y que por fin ha adquirido. Sale poco, sobre todo a comprar libros. Sus precios son exorbitantes.

Recomienda a su amiga Matilde hacer poesía. Es un modo de refrescar el alma.

Sólo el arte es un refrigerio de la calentura tremenda de este mundo. Es como sacar las manos de las brasas y ponerlas en el arroyo. Más hace ella por mí que yo por ella.

La mujer era cerruca o cerrera. Aunque estuviera muy lejos, se consideró siempre amarrada a los montes nativos:

En montañas me crié
con tres docenas alzadas;
no las dejé, ni me dejaron.
Y aunque me digan el mote
de ausente y de renegada
me las tuve y me las tengo
todavía, todavía
y me sigue su mirada.[234]

Ella, excesiva y rotunda en la elección y en la repugnancia, no tiene empacho en proclamar que sólo cuentan en su ser los villorrios de

su infancia. Lo demás no existe. Se lo dice con todas sus letras a
Tomic:

> No existen las ciudades de Chile; existen las tres aldeas míseras del
> Valle de Elqui en las cuales me crié, sobre todo Montegrande. Curiosa
> conexión mental. Anteayer, 3 de diciembre, yo comencé a escribir un
> «recuerdo» de esta aldea.[235]

Va con la esposa de su corresponsal, Olaya, a visitar el rincón natal,
la escuelita en que estuvo de los cuatro a los doce años. Se le hizo allí
patente el cuadro del abandono menesteroso, el antiguo atraso, tan
añejo, con olor a vinagre descompuesto, revenido, como si su
pueblito hubiera quedado fuera del tiempo. A ella no le sorprendió
nada, pero a la joven, nacida en cuna rica, la golpeó el descubrimiento
de la miseria.

> Vio la hebra de viejas amigas de mi madre tapadas con sus mantitos
> negros, que salieron a la plaza a verme; vio la escuela en la cual no se
> ha hecho mejoramiento ninguno en cincuenta años. Dios la guarde por
> haber vivido conmigo esa visita al único lugar de Chile que tengo
> íntegro en mi memoria, que es mi vivencia casi cuotidiana.[236]

Reclama porque sus biógrafos olvidan la aldea de Montegrande, que
es para ella el punto inicial del mundo.

Mantiene con el precario poblado una relación telepática, que
llama intuitiva, adivinatoria y le transmite desde su «misteriosa
región» lo que sucede a las criaturas que le importan. Estas comunicaciones esotéricas la informan sobre todo de los fallecimientos en la
familia.

> También supe cuándo moría mi madre —cuándo agonizaba—. Como
> sonámbula, sin hábito alguno de rezar a mediodía, yo cogí una novena
> de ánimas francesas y leí en voz alta cuatro días enteros la novena. De
> quien nada supe nunca fue de mi padre, excepto sus tardías visitas.
> Parece que murió en Huasco.[237]

Algunos de los que ocuparon el cuarto de alojados tomaron nota del
movimiento interior de la casa y de la sicología de sus moradores.
Personaje fundamental: la cocinera italiana, con toda la erupción
meridional. Gabriela parecía ausente de los conflictos domésticos.
Quien los afrontaba y los atendía era Doris Dana, su secretaria
norteamericana, cuya cabeza Alone, con ojo por esta vez certero,
encuentra parecida a la de Katherine Hepburn. Ella es el eje central

de la casa; vela por todo. Escritora silenciosa, chofer de tránsitos endiablados, tiene in mente el hilo de Ariadna que le permite orientarse en el inextricable dédalo napolitano.

Gabriela, sobre la cual la edad se ha dejado caer, está en su otro mundo, en la tierra de sus sueños, escribiendo en un cuaderno de gran formato, que descansa sobre una tabla lisa que le sirve de mesa. Es el escritorio afirmado en sus rodillas y también la hora callada de intercambio con sus fantasmas, de sus cuchicheos con sus vivos y con sus muertos.

Escribe echando humo como una chimenea de fábrica. Abstraída en su labor, no oye los gemidos o los chillidos de las tormentas puertas adentro, o las percibe lejanas, con aire de serenidad, porque sabe que hay una dueña de casa en la cual ella ha delegado el cargo de capitán del barco encallado en la cima de la colina. Escribe junto a la ventana y en los días despejados puede levantar la mirada y divisar en lontananza —a veces ayudada por un anteojo de larga vista— las islas de Ischia y Capri, donde está por esos días su amigo Neruda.

Cuando estallaban las crisis caseras porque la empleada se daba un asueto no consultado, Gabriela sugería una solución que le hacía brillar los ojos: «Vamos a comer fuera». Y Doris —cuenta Alone— partía con ella y las visitas amontonadas en el Hillman, bajando de la punta del cerro hasta la espléndida bahía.

«La mujer con nombre de ángel y apellido de viento» —creo que así la llamó María Teresa León— vivía como un ángel en la casa de los vientos. Es la suya una residencia de altura y por allí atraviesa cantando, con todas sus sopranos y sus óperas, o rugiendo, con su circo de leones, el viento —¿es acaso el Mistral que viene del Africa, atravesando Sicilia?

Por allí pasa la chilenada, la América suya, a título consular o admirativo. Quieren besar el dedo de la gran Toqui de la poesía, que toma té a toda hora, con devoción china.

Por la noche suelen ir a comer a un restaurante sobre el mar, en el cual estuvimos acompañando a Matilde Urrutia de Neruda, que fue a Nápoles y luego a Capri en peregrinación, reeditando el viaje por los sitios de un amor clandestino.

Pequeñas mesitas transidas por el olor de las aguas que mecen el muelle. A lo lejos —no tan distantes— brillan las luces espías de un acorazado norteamericano. La orquesta, vestida para la cacería de los turistas, entona *O sole mio*, *Torna Sorrento*, una serie de tarantelas, esmerada en la atención lírica u operática a esa señora canosa que dicen que es Premio Nobel de Literatura y, por lo tanto, comprende el arte y pagará una propina generosa por el «bel canto».

Un día Doris tuvo que partir. Al fin y al cabo era más que su secretaria. Era casi todo en la casa; pero no recibía un centavo. Y además tenía su hogar allá, en Nueva York. Y debía regresar. Tan larga ausencia podría significar una catástrofe.

Pero no se marchó mientras el reemplazo no quedó resuelto. Gabriela Mistral no le escribió en ese trance al Presidente de Chile sino al Presidente de México. Le decía que necesitaba que la acompañara Palma Guillén. No era una desconocida, sino una persona de su intimidad y confianza. Había sido secretaria suya, no era una oficinista. Se desempeñó más tarde como embajadora de México en Suiza y ahora trabajaba como agregada Cultural de su país en Roma. Su sueldo era superior al de Gabriela. El Presidente de México contestó rápido: Sí. Estaba de acuerdo con la petición. Y Palma Guillén llegó a los pocos días para reemplazar a Doris Dana.

XIV MAESTRA SIN DISCIPULOS

L A EVOCADORA EXECRATORIA no quiere a su ciudad natal. Vicuña no tiene la culpa. Su afecto se aferra a aldeas de la vecindad donde no fue lapidada. Un día desde Nápoles, preocupada por cartas que le envía Pedro Moral —empeñado en rescatar la casa en que ella nació, que está amenazando ruina—, le repite a Laura Rodig su opinión monda y lironda rememorando de nuevo por enésima vez incidentes amargos. Sus recuerdos no dejan de apostrofar muertos y en algún caso de entregar su alma a los demonios. Su carrusel da vueltas por los mismos sitios. Monta los caballos con alas recorriendo el círculo vicioso de memorias que giran interminablemente en torno al mismo agravio.

Ya me trae azorada el afán de don Pedro Moral por aquello de la casa de Vicuña. Yo nací allí por casualidad y mi madre quedó en esa casa once días de cuarentena. Me crié en Montegrande y viví meses en La Unión y en Paihuano. El nombre de Vicuña me acarrea a la memoria mi expulsión de la escuela local en la que no duré más de unos seis meses, si acaso. Y fui expulsada de dicha escuela por mi madrina, una mujer ciega que en una cólera igualmente ciega me acusó de haber robado papel oficial. (Mi hermana, maestra como ella, me lo daba y el visitador de la escuela me lo regalaba cada vez que yo iba a verle). Mi extrema timidez y la exhibición que esa loca mujer hizo de mí (¡la culpable!) me valió una lapidación moral en la plaza de Vicuña, hecha por un grupo de las alumnas favoritas de la jefe y yo atravesé esa linda plaza —¡tan linda, sí!— con la cabeza ensangrentada. Luego, en una verdadera orgía de crueldad, aquella directora a quien no nombro por respeto a los muertos, llamó a mi madre y la convenció de que yo era una débil mental y de que se me pusiese a la cocina o al barrido de los cuartos. Eso fue mi Vicuña: dos o cuatro meses de escuela fallida y una tragedia escolar que es llaga en mi memoria. Porque además, una favorita ex alumna de esa señora, se encargó de llevar la leyenda del papel a la Escuela Normal de La Serena, de la cual fui echada después de haber dado mis exámenes de admisión por «los hechos de Vicuña», y por pedido expreso del cura y capellán don Ignacio Munizaga. Con lo cual criaron una autodidacta a la cual mucho le costó —sangre otra vez, sangre de esfuerzo— dar sus exámenes en la Normal Nº 1 de Santiago y seguir una carrera pedagógica «sin título» para ello.[238]

Su opinión sobre Neruda

En Nápoles reanudó el diálogo con un Neruda exiliado, aunque había recibido instrucciones escritas del gobierno de González Videla ordenando que el poeta no fuera acogido por ninguna embajada o consulado chileno. Ella hizo caso omiso de la prohibición. «No me conocen. Preferiría morirme antes de cerrarle la puerta a un amigo y más a un poeta como Neruda».

Como eran diferentes, con respeto mutuo se entendían. Ya en abril de 1936, poco antes de que estallara la guerra de España, ella había escrito un «Recado sobre Pablo Neruda». Después del esbozo de su trayectoria biográfica, entró en materia de análisis literario.

> La originalidad del léxico en Neruda, su adopción del vocablo violento y crudo, corresponden en primer lugar a una naturaleza que por ser rica es desbordante y desnuda, y corresponde en segundo lugar a cierta profesión de fe antipreciosista...[239]

Subrayamos que ella misma —a su modo— pertenece a la «fe antipreciosista» y en más de una ocasión su lenguaje fue calificado de «violento y crudo». Como en el caso que examina corresponde igualmente a su naturaleza «desbordante y desnuda».

Ella subraya la revolución que Neruda introduce en los temas.

> Sus asuntos deben parecer antipáticos a los trotadores de senderitos familiares: son las ciudades modernas en sus muecas de monstruosas criaturas; es la vida cotidiana en su grotesco o su mísero o su tierno de cosa parada o de cosa usual; son unas elegías en que la muerte, por novedosa, parece un hecho no palpado antes; son las materias, tratadas por unos sentidos inéditos que sacan de ellas resultados asombrosos, y es el acabamiento, por putrefacción, de lo animado y de lo inanimado. La muerte es referencia insistente y casi obsesionante en la obra de Neruda, el cual nos descubre y nos entrega en la forma más insospechada de la ruina, la agonía y la corrupción...[240]

Gabriela dice de su colega en 1936:

> Neruda es un místico de la materia. Su verso es de vértebras desmedidas por un resuello largo y un desenfado de hombre sin trabas y atajos. Su americanidad se resuelve en una obra de vigor suelto, de audacia dichosa y ácida fertilidad.

Son líneas escritas cuando Neruda acaba de publicar «Sólo la muerte» y otros poemas de *Residencia en la tierra*. Ella tiene también la obsesión de la muerte, pero diversa, y la conversa directamente con Dios. En cambio, su colega chileno es un materialista agnóstico, no digamos vulgar, sino representativo de la dialéctica humana, que entrelaza vida y muerte, forma y substancia.

> Pocos sabores españoles se sacarán de la obra de Neruda, pero hay en ella esta vena castellanísima de la obsesión morbosa de la muerte. El lector atropellado llamaría a Neruda un antimístico español. Tengamos cuidado con la palabra mística, que sobajeamos demasiado y que nos lleva frecuentemente a juicios primarios. Pudiese ser Neruda un místico de la materia. Aunque se trata del poeta más corporal que puede darse (por algo es chileno), siguiéndole paso a paso se sabe de él esta novedad que alegraría a San Juan de la Cruz: la materia en que se sumerge voluntariamente le repugna de pronto y da una repugnancia que llega hasta la náusea. Neruda no es un adulador de la materia, aunque tanto se restriega en ella; de pronto la puñetea y la abre en res como para odiarla mejor [...]. Y aquí se desnuda un germen eterno de Castilla...²⁴¹

Como alguna vez lo hizo hablando de sí misma, en parte atribuye este modo de mirar y sentir a las sangres mezcladas.

> Las facultades opuestas y los rumbos contrastados en la criatura americana se explican siempre por el mestizaje; aquí anda como en cualquier cosa un hecho de sangre. Neruda se estima un blanco puro, al igual del mestizo común que, por su cultura europea, olvida fabulosamente su doble manadero. Los amigos españoles de Neruda sonríen cariñosamente a su convicción ingenua. Aunque su cuerpo no dijese lo suficiente el mestizaje, en ojo y mirada, en la languidez de la manera y especialmente del habla, la poesía suya, llena de dejos orientales, confesaría el conflicto, esta vez bienaventurado de las sangres. Porque el mestizaje, que tiene varios aspectos de tragedia pura, tal vez sólo en las artes entraña una ventaja y da una seguridad de enriquecimiento. La riqueza que forma el aluvión emotivo y lingüístico de Neruda, la confluencia de un sarcasmo un poco brutal con una gravedad casi religiosa, y muchas cosas más, se las miramos como la consecuencia evidente de su trama de sangre española e indígena...²⁴²

Nunca le oímos a Neruda proclamarse blanco, ni menos puro. Creo que sabía que no podía apostar a que ningún antepasado suyo, en varios siglos, jamás accediera a la tentación de la india o de la mestiza. No es necesario que lo investigue un genealogista erudito. Bastaba —como decía Gabriela— con mirarle la cara, medir su paso lento, oír su palabra morosa y sensual y, por supuesto, leer su poesía, impregnada de un dejo, de un no sé qué, que no es precisamente europeo. Más de una vez sintió el conflicto de las fidelidades divididas. No por ello renunció a su independencia de criterio. Solían estallar acres disputas entre dos amigos suyos. Entonces no tratará de proceder como el Rey Salomón, pero intercederá para que los contradictores vean las cosas con menos enardecimiento, aunque ella, en lo suyo, acostumbraba ser sumamente apasionada.

El 29 de octubre de 1937, durante los días críticos de la polémica Neruda-Juan Ramón Jiménez, escribe a este último una carta donde trata de explicar el problema surgido, como un modo de aplacar las iras.

Consulado de Chile

Queridos Zenobia y Juan Ramón, Maestro de todos:

Hoy leo la *Antología cubana* y me remueve el prólogo de él, me remueve otros sedimentos. Alguien me dijo que Juan Ramón daba a su choque con nuestro Neruda un sentido un poco más racial, que, más o menos, él pensaba en una sensibilidad del Sur que no entiende y que lo maltrata por falta de sentido de ciertas esencias. No, Juan Ramón, Maestro de todos, no; hasta tendría la soberbia buena de decir a usted que me tengo por su admiradora más cabal, más íntegra en los dos sentidos de la palabra. Una veneración lisa y llana he conocido yo, chilena, hacia usted, desde mi lectura de *Poesía* (la edición pequeña) y de *Belleza*. Se ha completado el círculo de la perfección después de la antología general de que ya le hablé. Yo admiro a Neruda. Yo le quiero además. Y nada me ha sido más doloroso, más duro y agrio de ver, como ciertas brusquedades criollas de él para usted. Esto quería decírselo alguna vez y aquí va por fin...

Gabriela Mistral.[243]

Dios y los pobres

Radomiro Tomic, en 1952, responde a una petición de Gabriela solicitando su afiliación a la Falange Nacional chilena, que de ningún modo puede confundirse con la Falange Española: «No debe usted dar ese paso». «No había otra persona en el mundo —explica Tomic, entonces presidente de su partido— que nos honrara y ayudara tanto como ella con su incorporación. Pero sabíamos que ella pertenecía a todos los chilenos y Chile necesitaba un símbolo de unidad».

El estalinismo la asusta. Le arranca condenas terminantes.

Fue una revolucionaria personalísima. Expresaba su opinión muchas veces a gritos, sin eufemismos, recurriendo al adjetivo grueso, que aplicaba a los que cargan culpas sin atenuantes. No le cuesta nada recurrir a la palabra «horror». Salta ella con frecuencia de sus labios mirando la indigencia de la mayoría, que ensombrece la luz de la vida desde México hasta Chile. Se siente también responsable. Su alma tal vez ya está condenada por no haber hablado más alto y actuado con energía duplicada. Remover el horror es tarea colectiva. El hecho que ésta no se organice ni ponga manos a la obra la hace «pasar sucesivamente por la pena, la irritación, la indignación y al fin por una especie de oscuro estado mental. Nuestro pecado tiene algo de infinito y de dudoso perdón».

Vuelve como una obsesa al leit-motiv que la taladra: la avergüenza, la subleva la miseria en Chile, tan de norte a sur. Por las noches piensa en las cárceles abarrotadas. Ella, cristiana de cabeza a pies, se rebela contra la religión que es puro bisbiseo gutural de oraciones sin mística, con un rosario en la mano moviendo mecánicamente las cuentas. «Este catolicismo criollo-español es fatal para la raza entera».

Se llama «cristiana de terrón primitivo» y le duele el «divorcio absoluto entre las masas populares y la religión, mejor dicho, democracia y cristianismo». Advierte que los cristianos deberán acostumbrarse al nuevo comportamiento de la gente pobre si no la quieren perder para Dios. Su tono ruge, impreca con el trueno de las admoniciones de apóstoles contemporáneos:

> ... a los egoístas más empedernidos, será bueno decirles que, con nosotros o sin nosotros, el pueblo hará sus reformas, y que ha de salir, en el último caso, lo que estamos viendo: la democracia jacobina, horrible como una Euménide y brutal como una horda tártara...[244]

Rebeldes matricidas

Digamos que Gabriela era o fue poeta de transición, lo que no es lo mismo que poeta transitorio. Nosotros, muchachos del 35 o del 38, la considerábamos «arcaísta» o, peor, hermosamente anticuada, casi una admirable pieza de museo. Esta arbitrariedad de los iconoclastas de veinte años no resultaba ajena al furor nihilista respecto del pretérito imperfecto, publicado entonces como nuevo evangelio por el creacionista enragé. Cuando adolescentes, la hondura patética de *Desolación* nos envolvió en un escalofrío. Pero al recibirnos de jóvenes modernísimos y lanzar la bomba de la *Antología de poesía chilena nueva*, dejamos fuera a Gabriela Mistral, porque «pertenecía al pasado». Era un extremismo que andaba en ese momento haciendo estragos por todo el mundo occidental, con la ametralladora de la Revolución Estética en la mano. Pronunciaba condenas; mandaba los versos «demodés» a una guillotina de papel; sentenciaba a morir a todos los que no querían hacer volar las catedrales de yeso de la poesía o del arte que, a nuestro vehemente juicio, se levantaban como anacronismos en la cuarta década del siglo XX. Si los refractarios y sordos a la voz de los tiempos no planteaban la ruptura completa, ojalá escandalosa, respecto a los caducos modelos oficiales, debían ser execrados. Eran los tiempos de André Breton, Louis Aragon, de la irrupción de Igor Stravinski y de Pablo Picasso, el reino del manicomio coronado y del terrorismo artístico y literario.

No sé si Gabriela se molestó con nosotros. Una de las pocas veces que estuve con ella fue en junio de 1938 en la Embajada de Chile en Perú. Ella volvía en breve visita a su patria. Nosotros nos dirigíamos a Estados Unidos, pasajeros de tercera clase en un barco de la Grace, el *Santa Lucía*, en viaje a Nueva York, para asistir a un Congreso de la Juventud por la Paz. Se celebraría en Vassar College, Pougkeepsie, adonde se llegaba por un vapor fluvial, remontando el Hudson. Gabriela había estado en ese colegio para señoritas de recursos dando conferencias entreveradas con lectura de sus poemas. Aquella velada limeña representó el encuentro de una veintena de muchachos chilenos con una interlocutora en estado de gracia, dotada de una magnética fascinación natural, que copó la escena y se conversó sola toda la noche, hipnotizando al auditorio, mediante una prelógica cautivadora. Nos dio la impresión de hallarnos frente a una médium. Hablaba por su boca una potencia imaginativa, una fuerza campesina muy entrañable. Nos seducía ese lenguaje tan de tierra adentro, donde pueblo y poesía, verdad y fantasía se manifestaban en la palabra de una aldeana lenguaraz con visos de genialidad. Ella no sabía que dentro del grupo de estudiantes que la oían se encontraba un mozalbete engreído e insolentón que la había excluido de esa antología relativamente reciente. El libro de marras hizo mucho ruido y por su falta de respeto a los monumentos recibió una merecida paliza, simulacros de fusilamiento, estrepitosas risotadas y un coro de ridiculizaciones para flauta y orquesta. Su fiel amigo Alone nos masacró, sádico y puntual, en la crónica dominical de *La Nación*, con fuego de artillería pesada. Yo, uno de los dos culpables del desacato, de un crimen de lesa poesía, consideré innecesario reparar dicha inadvertencia para no amargarle la velada en que ella divagaba a su gusto. El joven sacrílego la escuchaba encantado. Al fin y al cabo ella era la madre espiritual, autotitulada de todos los niños nacidos en mi tiempo; negábamos a la mamá, pero seguíamos admirándola.

Estudiándola después, revisando textos alusivos, me formé la convicción que habíamos cometido además delito por ignorancia presuntuosa o unilateralidad omnisapiente. Precisamente, pocos meses antes de la Antología ella escribió sobre Poesía Nueva. No era una antagonista cerrada. Más bien rechazaba a sus grandes malabaristas y hechiceros; pero llamaba a comprenderla en lo que contuviera de expresión válida.

> La poesía nueva tiene siempre en torno el rezongo del lector común; él no entiende, él quiere entender y como no entiende mucho, rabia y acaba por negar. La poesía nueva es una contorsión, dice, una colección de tics nerviosos; en el mejor caso, una gaya payasada. Cada día yo sé mejor que eso es una Poesía, ni la única como ellos, los «nuevos» quieren, ni la primera ni la última que echa vagido en el aire del mundo.[245]

En cuanto a extremismo literario ella no era de los nuestros, pero tampoco militaba en el campo enemigo. Como muchos de ese tiempo, encajaba buena parte del cuerpo de la poesía nueva (su destino es envejecer rápido) en el caso del futurismo. Nosotros nos reíamos de Marinetti. Escupíamos el futurismo italiano, fascistoide y mecanicista.

En medio de la barahúnda Gabriela pide calma, recomienda prudencia. Había vivido la experiencia del sarampión con el «modernismo» y no iba a contraer de nuevo esas viruelas.

> Corrimos riesgos muy grandes en el Pacífico cuando los futuristas cayeron en alta marea sobre nuestros valles ingenuos[...]. La sensibilidad, la lengua poética y el repertorio de los temas que atraía la avalancha, tenía poco o nada que hacer con nosotros. Aquello era un furor de extranjería [...]. Fue el primer momento de la poesía nueva. Los que habíamos acogido el modernismo con el mismo frenesí, ya sabíamos cuánto tiempo tardan en pasar esas tercianas, y cuántos años perdemos los indígenas, en el sentido real de la palabra, en trocar la plata de nuestros cerros por las cuentas de vidrio de los viajeros. Pero la aventura de manufacturar lo ajeno, de resobarlo, de domarlo y ceñirlo al cuerpo, se tardó menos en la generación futurista que en la modernista... Si los discípulos de Joyce, de Apollinaire, de Cocteau, de García Lorca, de Neruda y Huidobro no hubiesen tenido los tercos dientes del araucano y la dignidad arisca del criollo (que no quiere durar en el coloniaje, sino arrebatarle al invasor las armas de la mano), habríamos perdido, igual que con el modernismo, unos cuarenta años en la liquidación del stock de tanta mercancía exótica.[246]

Al fin y a la postre, pasado, presente y futurismo, sólo son categorías de tiempo. Es cosa de fechas para que todos se confundan en los textos clásicos. El tiempo vuelve uno los tres tiempos gramaticales. A todos los convierte en pretérito. Y hace de las escuelas literarias o estéticas una sola cosa, que se incorpora al océano como agua que dejó de ser río y novedad. Todo lo que es nuevo en un instante dejará de serlo, así como el hombre deja de ser niño o joven.

Gabriela Mistral anda de boca en boca. Forma parte de la mitología nacional. Algunos niños pueden repetir de memoria versos de sus rondas y no falta el adulto que cite a capella largos trozos de «Los sonetos de la muerte» o «Amo amor».

Pero no nos engañemos: ella es poeta sin discípulos en el gremio. Sus colegas de género no la imitan, no la siguen, aunque digan respetarla. Neruda y Huidobro han influido más que ella en la poesía chilena de este siglo.

Un fenómeno similar se registra en la poesía latinoamericana. Ella no fue fundadora de escuela literaria alguna. Cuando Borges la denomina «esa maestra», el dejo menospreciativo demuestra que no se está refiriendo precisamente a una «maestra» en poesía.

Otros se ensañan con su prosa. La encuentran no sólo poblada de arcaísmos, sino anacrónica por sí misma, irrecuperable de forma y fondo.

A esos críticos sin misericordia todo en ella les incomoda: el exceso pasional, sus reclamaciones sociales, cierta locura recóndita y un provincianismo, o mejor dicho «aldeanismo», que proclama en todo instante.

En vida, varios críticos lapidarios intentaron demolerla. Chocante, insolente, atrevida, no sabe anatomía, inventa terminachos, tiene la fiebre de los neologismos, no respeta la sintaxis. Algunos eran hasta groseros y maledicentes. Les escuché bromitas canallas.

La serie de objeciones no termina allí. La controversia continúa. Ella seguirá siendo una figura polémica en el mundo de la literatura.

Con motivo de su centenario se preguntó a varios poetas y críticos chilenos sobre la vigencia actual de Gabriela Mistral. Las respuestas fueron variadas. Unos celebran lo que otros execran: la vehemencia del temperamento sin recato ni mesura. El más simpatizante admira los giros quebrados del lenguaje, que el de más allá estima insoportables. Alguien, con ganas de horadar, considera que su universo es más intenso y desgarrado que el de los poetas hombres, señalando que su obra encierra un llamado a descender a los antros del inconsciente. Jaime Valdivieso afirma que «su poesía es exótica e impopular, y en lo fundamental, desconocida». Toda su obra entraña «una toma de conciencia étnica y cosmogónica». Varias poetisas recalcan «aspectos de su producción literaria que por su carácter transgresor han quedado sumergidos».

Aclaremos que los detractores no son más que los admiradores. La mayoría silenciosa está formada por los indiferentes.

Otros aventuran un juicio más matizado sobre su personalidad y su obra. Hay en ella más infierno que paraíso, pero sobre todo páginas de purgatorio. Su vida lo fue. Purgatorio noche y día.

Le preguntan su opinión a Octavio Paz. Gabriela Mistral es como «rima» histórica y literaria de su compatriota de otros siglos, Sor Juana Inés de la Cruz. Poco tiempo después de recibir el Premio Nobel él la conoció en París. Leyó ella sus versos y lo puso en guardia contra riesgos cosmopolitas. Le recomendó ser «telúrico». Ella era anteísta. Aconsejaba mirar el cielo teniendo los pies en la tierra. Paz descubre en su poesía la ley de la gravedad. Tal vez se deba a que es una heredera de la Biblia, no en el sentido religioso sino terrestre. Su liturgia es el «pathos».

Un poeta peruano, Carlos Germán Belli, hace una confesión que valdría para muchos: no la conocía. Le ha resultado un descubrimiento. Lo que más le impresiona en su poesía es el peculiarismo, expresión del reino que lleva dentro.

El colombiano Germán Arciniegas la considera literalmente fabulosa, es decir, mujer de fábula. El venezolano Arturo Uslar Pietri la vio en Nueva York, «extraña y solitaria» y la oyó hablar de «los asuntos preocupantes de la condición humana».

XV CONTEMPLACIONES TRANSGRESORAS

CON ESPAÑA —se sabe— tuvo encuentros y desencuentros, aciertos y deslices; sintió odios y atracciones. Ha transcurrido más de medio siglo desde que saliera a espetaperros de ese país. No olvidó la partida a cajas destempladas. En el hogar natal del idioma es escasamente conocida. Algunos escritores peninsulares, más que por su azarosa permanencia en Madrid, la recuerdan por una poesía que a ratos les resulta fuera de órbita, con otro sentido del sol y de lo oscuro. Desde Palma de Mallorca, Camilo José Cela —más colega suyo por el Premio Nobel 1989— señala su ternura y su relación con Juan Ramón Jiménez. José García-Nieto formula una apreciación sobre su idioma: «Yo he dicho alguna vez que su español era más que nuestro español, hablando de la lengua[...]. Lo que puede censurársele como prosaísmo hoy tiene una enorme y positiva vigencia...». Blanca García-Valdecasas la mira leyendo el alma a través del físico. «Alguien me contó que tenía los ojos más claros y bellos del mundo, porte de una reina altiva y ceño bastante áspero. Creo que en su poesía se advierten las tres cosas...»

Con el tiempo —y esto se hizo más explícito a raíz de su centenario— se va profundizando la mirada que escruta a Gabriela Mistral desde el punto de vista de su sexo, en busca de lo que se denomina un «discurso femenil». Dentro de esta tendencia, en agosto de 1989 el Centro de Análisis y Difusión La Morada invitó al «Encuentro con Gabriela Mistral» bajo el patrocinio del Taller Lectura de Mujeres. Son ellas también las que convidan a observarla con otros ojos, con una «lectura cuestionadora». ¿Qué cuestionan? Ponen en tela de juicio lo que llaman «la interpretación canónica y autoritaria de la Mistral». Aclaran su propósito: «rescatar una imagen distinta a aquella que ha promovido y perpetuado el sistema político cultural patriarcal de la mujer». Esas comentaristas no retroceden ante los gestos provocadores y los retos que emanan de una Mistral corpórea, de un retrato de mujer que se salió del marco. Intentan recuperar su cuerpo y su experiencia, restablecer el lado suprimido de su historia. Repudian la visión asexuada, el mito de madre de todos los niños, especie de Virgen María dedicada a la enseñanza y a los cantos para chicos. Todo este acogerse al beneficio de la duda, rechazando el perfil oficial, bordea el riesgo. Se habla de una recreación de fisonomía. O quizás haya que aceptar como válida una suma de imágenes, partiendo de la irremediable lucha entre los contrarios. Una se come a la otra; deshace el dibujo rosado que se graba en los billetes; arranca las máscaras que le han puesto a la santa señora e intenta desnudar o, por lo menos, insinuar la otra Gabriela. Tal vez resulte que ella fue una y varias, una Mistral poliédrica, una humanidad en cuyo interior convivían las transfiguraciones, ardían los antagonismos, en una combustión coherente, cuyas llamas se han mantenido hasta ahora ocultas por la censura implícita en la doctrina escolástica.

Se va abriendo paso, trabajosamente, una corriente de interpretación mistraliana que pretende reconstituir su interior hasta ahora vedado con la técnica y la curiosidad intrigada de la mirada inquisitiva. Dicha percepción encierra un nudo dramático y atenta contra la estampa escolar.

Mirarla por el rabillo del ojo obliga a veces a leer su obra de manera sesgada, así como se hizo con Proust, al pesquisar *En busca del tiempo perdido* con ayuda de una clave sumaria. Así será posible desvelar sus disimulos, las alteraciones premeditadas. Vale decir, podrá poner al descubierto las pistas falsas.

Algunos llegan a la conclusión de que la Mistral más que encuentros necesita reencuentros. Es decir, una ruptura con los sistemas establecidos de exégesis y manipulada comprensión de su vida y de su escritura. Requiere un esfuerzo por romper su estereotipo, su armadura hermética, penetrando en la zona oscura del intrayo, de los impulsos reprimidos y las verdades inconfesas. Algunos temen que dicho intento encierre la bomba que estalla en el interior de una estatua haciéndola pedazos. Otros estiman que el explosivo simplemente conducirá a la verdad; una verdad hecha de muchas verdades. Puede haber una lectura patriarcal y otra matriarcal; masculina o femenina o del tercer sexo. Gabriela Mistral ha sido transportada a la gloria en un carro de complicidades para uso de un estado machista. Ella hizo del escribir verdad abierta y verdad oculta. Su lectura merece una cierta pauta de señalizaciones útiles para recorrer el camino. El tema siempre se ha tratado con gran cautela, pero es evidente que en ella —como en cualquier otro escritor— se interrelacionan la personalidad visible y la invisible, la expresión literaria y la identidad sexual.

Todo esto escandaliza a las Academias. Continuará siendo un coto vedado si no se abre una puerta a su biografía real y entera. Advertimos que por otro lado se van practicando orificios en el muro, que son como ojos de la llave por donde el voyeurista puede escudriñar el secreto que intuye. Naturalmente, visiones tan contrapuestas están condenadas a chocar con la moral al uso. Más de algún roce ha surgido ya... Pero estas colisiones que sacan chispas pueden ser el anuncio del fuego de las hogueras que consumen los antifaces y posibilitan el acceso a un conocimiento más pleno del personaje apenas previsto.

Gabriela era antisnob. Lo aclaró muchas veces, casi con violencia. ¿Pero también era clavecista? ¿Jugaba patéticamente a las escondidas?

Ver Nápoles y no morir

¡Muerta sin sepultura! Le piden de todas partes que dé conferencias, que haga una gira por América del Sur. Siempre ha tenido ánimo de servir. Iría a todas partes, pero ha renunciado a la Comisión UNICEF porque las arterias coronarias la tienen condenada. Y si no creen les mandará copia de certificados de los médicos yanquis, mexicanos, del rapallense y del napolitano. Vive encerrada en su casa. Ha tenido colapsos graves. En Yucatán demoró tres horas en reponerse. Una inyección triple, del médico norteamericano a la desesperada, la volvió en sí pero le estropeó el corazón un poco más. ¡Muerta sin sepultura!

La enferma más divisar desde su casa la bahía con los barcos de la guerra fría. No los quiere ver. Si de la guerra fría se pasara un día a la guerra caliente ella se iría a esconder entre los cerros, en la zona más rústica, «el agro de Virgilio». Tal vez olvida la virtud arrasante de la bomba atómica. Pero, amigos, un poco de optimismo: hace siete años que hablan de la Tercera. La Tercera Guerra no llegará por lo menos en vida de ella. No la verá.

Mira de nuevo la bahía y asiste al diario espectáculo de los napolitanos circulando y manoteando por las calles, probablemente haciendo bromas. Con una pupila observa de soslayo los catorce o veinte barcos con la bandera de las barras y las estrellas balancéandose sobre las aguas del Mediterráneo.

¡Que no la lleven a Chile! ¡Que no se azoren por mí!

¡Será lo que quiera Alá! Estaré mejor con mis muertos que allá en Chile con Su Majestad el Coronel que me profesa una antipatía digna de mejor objeto o sujeto.

De puro distraída «voy a morirme sin saber que me muero». Piensa que se morirá en Nápoles. No fue la única equivocación de su vida el vaticinar mal el lugar de su fallecimiento. Pero ya que hay que morirse, la muerte en Nápoles tal vez no sea tan triste. Ha escuchado muchas veces, y cuando niña le parecía gracioso, el dicho «ver

Nápoles y después morir». Ella lo saborea desde su belvedere todos los días durante años y le gustaría seguir viéndolo.

> ¡Ay, mi Nápoles! ¡Qué dulce es, qué loco, qué temperamental! Porque se parece a mi América, me vive aquí y me quedaré incluso metida en una mata grande de hierbas. Será eso mejor que estar allá con doña Carmela y ver llegar a diario el correo cargado de anónimos que me insulten.[247]

Como le gusta compadecerse se llamará una y otra vez «pobre mujer vagabunda y vieja que tarda en morirse». El invierno es más cruel con los ancianos. Ella le saca el cuerpo al frío leyendo y escribiendo en la cama. Cuando el aire se entibia se levanta para atender la oficina.

No se sabe de dónde saca informaciones fantásticas. «Sé que en nuestra tierra —escribe a Matilde— se están haciendo cosas de verdad definitivas y excelentes como es la Reforma Agraria que comienza».

Testaruda como piedra andina, la obstinación no es en ella porfía mediocre sino fidelidad granítica a concepciones irreductibles. Libró sus batallas solitarias sin armisticios y sin diplomacias. Como si la guerra entre el conquistador y el araucano todavía no hubiese terminado, nunca soltará las lanzas con que pelea por la causa del aborigen. Jamás olvida que

> ... el odio español se despeñó ya hace años sobre mí por la defensa del indio. La «insultada» fue muy del agrado de la mayoría lectora del país. Son tan ingenuos muchos de nuestros mestizos que se creen químicamente puros.

Tenía a tanto orgullo proclamarse químicamente impura, llevaba estas revueltas cartas de nobleza tan lejos, que hasta se inventaba sangres. La sangre humana se ha mezclado durante milenios y milenios y nadie puede saber, ni siquiera los reyes, cuáles fueron sus ancestros remotos. Hay, sin embargo, un documento de época donde se dice que su bisabuelo paterno Pedro Pablo (Joseph) Godoy era «mulato libre», de donde se infiere que, aunque no tanto como su colega Alejandro Pushkin, la poeta Gabriela tenía una dosis de sangre negra.

Sus antepasados conocidos eran gentes de la tierra que vivían entre viñas y olivos, trabajando en la cosecha de aceitunas, pisando racimos de uva en los lagares de la vendimia. Tal vez por alegoría de muerte y de resurrección, por la metáfora de la metamorfosis del grano moscatel transfigurado en pisco de Elqui o en pajarete turbador, la palabra lagar tiene para ella una polivalencia esencial, tanto que la usó como título de uno de sus libros.

Han tratado de reconstruir su desplomada casa natal en Vicuña, imitando en lo posible el original, que repite una lección de arquitectura sobre la vieja aldea elquina: muros de adobe en los cuales la paja no oculta su papel; el piso es simplemente suelo y el cielo no es tan cielo porque está tapado por una arpillera. Han puesto como techumbre elementos modernos: planchas acanaladas de zinc. Las rejas de fierro forjado representan un intento de fidelidad a las cosas perdurables de aquellos tiempos.

¿Cómo es ahora la pequeña vivienda de Vicuña? Un jardincillo, un corredor y dos cuartos. En el pasadizo se divisa un filtro de agua, asentado en piedra. En esa tierra de caballos se comprende que no falte la guarda de monturas, espuelas y cinchas, unos aperos de jinete. Es difícil establecer cuánto de esta reconstitución respeta la evaporada realidad del pasado: si esa cama de hierro fue efectivamente aquélla en que dormía la niña Lucila. ¿Al fin de cuentas —alguien preguntará—, este detalle tiene alguna importancia? Lo que ofrece mayor seguridad es el retrato de la madre, colgado en la pared. Y tal vez ése en forma de medallón de su madrina Rosario Alvarez. No faltan las descascaradas imágenes sagradas. Un Juan Bautista de madera; un Niño Jesús de yeso. ¿Aquella resistente muñeca de loza perteneció en verdad a la chica? ¿La maleta desvencijada la usó en algún viaje entre villorrios?

La apoteosis desconcertante

Un capítulo tonto en las letras chilenas es el «affaire» del Premio Nacional de Literatura para la Mistral. González Videla había rechazado el proyecto, ofreciéndole como consuelo y propina un aumento de sueldo. Esto no extrañó a Gabriela. Detrás del tardío reconocimiento andaban Matilde Ladrón de Guevara, Mireya Lafuente, Juan Guzmán Cruchaga y Luis Cruz Ocampo. El ministro pide tiempo. Necesita hablar con el Presidente Ibáñez, el mismo que la separó de su cargo en el primer gobierno dictatorial. El ministro dice: «Señores, comprendo perfectamente bien. Los escritores insisten en nombre del gremio que debe concedérsele por fin el galardón, aumentando su monto». Matilde le recuerda que en el jurado figura un solo escritor, le habla de la inflación. ¡Qué vergüenza tanto regateo después de haber recibido hace mucho tiempo el Nobel!

Gabriela cree que no se lo darán. El Presidente Ibáñez no la quiere. Matilde la abruma con su correspondencia a propósito del asunto:

> Usted me ha escrito cartas largas y cortas, todas ellas de este asunto del Premio Nacional. A usted le costará creer que eso ni por pienso es una obsesión ni una mera preocupación en mí, Matilde, amiga. Yo viví seis años con mi jubilación rebanada por el señor Ibáñez... Y viví, Dios es grande, es el amigo de los abandonados y de los perseguidos. Usted sabe aquella especie de cuento de hadas que fue el paso por mi vida de esa señora inglesa que me regaló una casa en Francia. Ya vuelve el señor Ibáñez, ídolo de la chilenidad y yo volveré a revivir el trance de que me rebanen el presupuesto. Viví, pues. Me fui a EE.UU. y volví a Europa —trayendo cinco mil dólares— todos mis sueldos. ¡No compré allí ni siquiera un vestido! Quería sólo asegurar el pan y mi vida en Europa. ¡Demos vuelta la hoja! No vale la pena resobar tales recuerdos, mi Matilde buena. Parece que la educación cívica de mi tierra no da pasos adelante.[248]

Premiada con el Nobel, los chilenos pensaron que ella se apresuraría si no a volver por lo menos a visitar su patria, que quería festejarla en grande y echar en su honor la casa por la ventana. Ella no tenía ganas de apoteosis ni de viajar a Chile. Seguían las cuentas pendientes. Además estaba de nuevo en el poder Carlos Ibáñez, el antiguo dictador que la había dejado en el aire. En su segunda «encarnación» era un Presidente «democrático». Pero, como es sabido, ella no perdonaba.

La pintora Mireya Lafuente, quien se desempeñó como profesora de dibujo del Liceo Nº 6 de Niñas de Santiago —cuando estaba recién fundado y Gabriela era su primera directora—, ocupaba en 1954 el cargo de Presidente de la Alianza de Intelectuales, creada por Neruda en 1938, de regreso de España en guerra.

Solicitó audiencia a Ibáñez para plantearle, en nombre de la institución, que el gobierno invitara oficialmente a Gabriela Mistral a venir a Chile.

Cuando Ibáñez escuchó la proposición respondió:

— Pero Mireya ¿no sabes tú que Gabriela no me quiere y no vendría?

— Yo no la he oído decir nunca nada en contra... ¿Por qué?

— En mi primera administración, lo primero que me mandaron firmar era para quitar todos los cargos extranjeros; y le quitaron el sueldo a Gabriela; fue Torreblanca. Pero en cuanto lo supe, lo hice restituir. Hágale saber usted esto.

— Pierda cuidado. Yo se lo escribiré.

El señor Carlos Ibáñez está decidido a borrar aquella historia. Pone la luz verde en el semáforo. Que le den el Premio Nacional de Literatura con reajuste a esa mujer que tanto desconfía de él y a la cual el gobernante nunca ha leído.

Ella dejó pasar su tiempito. Vino nueve años después de recibir el Nobel.

En 1954, cien mil personas la esperan a su llegada a Santiago. Cubren veinte cuadras y el bandejón central de la Alameda. La recorre como los héroes de no se sabe qué guerras, en auto descapotado. La preceden y anuncian radiopatrullas que tocan sirenas ululantes.

Un mundo popular en las calles. El mundo oficial en vehículos, salones, balcones. Intendente, alcaldesa, huasos a caballo espantados por el bullicio; 36 abanderados de los Liceos; destacamentos con uniformes de gala de las Escuelas Militar, Naval y de Aviación desfilan cuarenta y cinco minutos ante esa mujer que detesta el militarismo y la fanfarria.

Pasa bajo arcos de flores. Es la diosa Minerva recién salida de las aguas, pero sin casco. Desciende del automóvil junto a la puerta lustrosa y estrecha de Morandé 80. Ibáñez —su antiguo perseguidor— la espera. Cruza medio aturdida por los alfombrados aposentos de Palacio, Salón Blanco, Salón de Honor, Salón Rojo. Señoras, ministros. Alguien la declara Huésped Ilustre. El canciller Roberto Aldunate la presenta a la muchedumbre que se agolpa frente a los balcones de la Moneda: «Aquí os la dejo, pueblo, que queréis escucharla».

Aparece turbada, con su abrigo gris. El ídolo está allí, desconcertado. No tiene el aplomo de una actriz de cine. No maneja la escena.

¿Retorno al delirio de persecución? No quiere morir en Chile, aunque ha dispuesto que la entierren en su Montegrande, un microclima personal, república independiente. De Chile le gusta la naturaleza y la gente de pueblo. La hirieron definitivamente las miradas teñidas de rencor que vio en la calle. ¿Por qué odia tanto el chileno?

> Lo único que allá en Santiago observé en la calle fue la mirada, que es mi documento en toda tierra. Y vi, vi, vi las que echaban sobre mí. Fueron sólo tres salidas, tal vez dos, y tengo presentes esos ojos de curiosidad redondamente hostiles.[249]

No olvida esas pupilas torvas. Fue una paradoja viviente. Su tema, su desasosiego, su amor es el país donde se siente odiada. Su ostracismo perpetuo no lo creía tan voluntario. No quería partir y fue como una piedra que una vez que la echan a rodar desde la cima de Los Andes ya no se detendrá más hasta su caída en el último precipicio. Pero allí

en el abismo la piedra seguirá cantando, echando de menos, tararean-
do su melodía.

> Yo salí de Chile obligada y forzada por don Jorge Matte, ministro de
> Educación, a causa de aquel nombramiento para el Instituto de Ciencias
> Naturales de París. Quería quedarme con mi madre hasta su muerte. Me
> lanzaron y como tengo un fondo de vagabundaje paterno, me eché a
> andar y no he parado más. Estoy en mi cama y sigo, a ratos, el «Poema
> criollo de Chile», yo, esta descastada. Me faltan muchos libros popu-
> lares, porque la lengua criolla se me ha ido en dos tercios. Voy en la
> estrofa 60 faltan detalles, por aquí y por allá... y chilenismos. Pero me
> los tendré. Paro aquí porque me acuerdo de las cascadas del sur, que ya
> hice, pero que pienso corregir.[250]

La locura en coche. Delirio nacional. Como un adelanto de exequias
a lo Victor Hugo. Todas las capitales pueden un día ser Nueva York
recibiendo a Lindbergh.

El 10 de septiembre, en el Salón de Honor de la Universidad de
Chile le confieren un dudoso titulazo: Doctor Honoris Causa. El ojo
perspicaz y la palabra irónica de Armando Uribe recuerdan que allí,
rodeándola, estaban los que mandan. «Se sientan ahí el Presidente
mismo y sus ministros y la gente de poder, y estudiantes[...], también,
pequeños chilenos estaban presentes». Se puso de pie y habló largo
y tendido. No tenía papeles. Explicó que los había olvidado. Se refirió
a la pobreza y cómo combatirla. Comenzó a a hacer preguntas
incómodas para el gobierno en pleno: «¿Los mineros lograron
reivindicaciones?» Silencio abrumador. No eran sus antiguas interrogaciones al suicida o a Dios. Pertenecían a una mujer que por el
método preguntón denunciaba las deudas impagas con los desposeídos.
Armando Uribe recuerda la sección primordial de sus palabras:

> Yo estoy agradecida, yo represento a todos los que están agradecidos de
> que se haya finalmente implantado en Chile la reforma agraria, de que
> finalmente la tierra sea para quien la trabaje, de que de una vez por todas
> en Chile el pueblo anónimo pueda tener una tierra de la cual sacar
> palabras.[251]

Y habla infinitamente de esa reforma agraria que ¡ay!, en ese
momento no existía, y que ¡ay! anteriormente tampoco nunca había
existido. Cuando el Presidente y sus ministros salen de la sala, cuando
los demás pavos reales con moco —usuales en estos actos en el Chile
de ayer— salían de la sala, meneaban la cabeza y decían: «Esta
Gabriela está gagá», porque había hablado de una reforma agraria que

no había nunca tenido lugar, y había agradecido al gobierno el que la tierra fuera de quienes la trabajan. No falta quien recuerda que, medio desasida, medio ausente leyó el mismo discurso que había pronunciado quince años antes en la Universidad de Puerto Rico.

¿Patético? Grandes discusiones, pequeñas discusiones culturales en un Chile donde se podía discutir todavía, se produjeron en los días siguientes. Decían: ¿pero qué le pasó a la Gabriela Mistral…? ¿Está fuera de sí?, ¿no sabe lo que dice? Si no hubiera sido una mujer —nosotros, chilenos, sabemos cómo esto se maneja— habrían exclamado: «está cufifo, no tiene control sobre sí mismo, además de cucú». De la Gabriela no se podía decir eso; todos pensaron, sin embargo: «Esta señora, tantos años fuera de Chile», «esta señora con tantas melancolías, tantas tragedias en su vida, no sabe lo que está hablando».

¡No!: Gabriela Mistral sabía muy bien de lo que estaba hablando, sabía que no había nada que agradecer, sabía que no había reforma agraria en Chile en ese momento, pero quería imponerla. Y quería, además, mofarse, y éste es tal vez el medio más eficaz de los intelectuales de crítica y de ataque: quería mofarse de quienes no hacen lo que deben hacer.

Poco antes, siempre en medio de las aclamaciones de la multitud, acompañada por el Presidente —un general, terrateniente de la provincia de Linares, por añadidura— en un balcón de la Moneda, se declaró complacida que por fin en Chile se hubiera realizado la reforma agraria. Primer estupor, asombro, extrañeza, enojo y turbación en el adusto rostro del Mandatario. Pero la gente interpretó la frase: Gabriela quiere decir que hay que hacer la reforma agraria.

A la hora nona: Premio Nacional de Literatura. ¡Vírgenes necias!

¿**D**ECADENCIA? ¿SENILIDAD? Pero los ojos se mantenían para ciertas cosas escrutadores y zahoríes. El tiempo físicamente le había sumado un aire de majestad. Sin embargo, el transeúnte apresurado seguía viéndola tosca, demasiado dura, severa como profesora decimonónica con expresión de nula dulzura o de sargento malacara.

En su edad madura se dijo de ella que era mejor escucharla que mirarla. A primera vista intimidaba. Su porte elevado la presentaba como el reverso de la insignificancia, pero la envolvía en una atmósfera de lejanía.

Su corazón fatigado, ansioso por naturaleza, seguía enamorándose, con un estilo que la penetraba en el silencio, haciéndola gemir a solas.

Siempre hubo en esa mujer un subterráneo privadísimo, confinado a la región ultrasecreta. Dentro de esa zona reservada quizás Italia fuera también para ella un país especial en el capítulo amor.

En verdad, bajo las cenizas el ardor de sus años de volcán no estaba enteramente consumido. La lava quemante que le socavó el pecho por Magallanes no se había vuelto piedra caliza ni escoria muerta. Hubo nuevas erupciones, seguramente menos llameantes y no tan devastadoras como las de su juventud y su primera madurez.

En el camino unos cuantos hombres la atrajeron, aunque es de suponer que esa relación fue casi siempre unilateral y nunca pasó a realizaciones mayores. Como se da en la vida, la quisieron y ella no quiso; quiso y no la quisieron; pero alguna vez ya entrada en edad se sintió enamorada de veras. Sucedió en Italia.

A Gajardo le confiesa:

Es cierto: sí que una vez me amaron y yo no amé, y esto ocurrió en Chile. En otra oportunidad yo amé y no me amaron y esto pasó en Italia, en Nápoles, donde entonces yo vivía.

¿Qué se sabe de este amor? Nada, salvo lo que ella dice en esas pocas palabras. Al parecer era el rescoldo de un fuego que la calcinó calladamente durante su permanencia anterior en la península. Se desprende de sus palabras que sufrió por el desamor, golpeó y se aferró largo tiempo a una puerta cerrada. Tal vez por esta causa adicional, inconfesa en sus cartas, quería volver a Italia y precisamente a Nápoles.

Cuando rememora el episodio íntimo sus expresiones no arrojan mucha luz. Lo repetía casi en los mismos términos, agregando sólo un dato específico: las nacionalidades. «Es cierto que hubo un chileno que me amó y que yo no amé; pero en Italia hubo un italiano que yo amé y que no me amó».

Se enamoraba a su manera. Eros la llamó toda la vida, aunque siempre la detuvo el muro.

La palabra fea y los nombres sacrílegos

Desde Nápoles, el 26 de noviembre de 1951 le escribe a su «muy querido compadre» Radomiro Tomic:

> Cuando fojee usted los Evangelios, llegue al punto en que hay unas palabras muy misteriosas sobre Jesucristo, las cuales aluden a la maldición que trae sobre todos los seres el amor de la paz. Hace años este trozo me dejó pensando y es ahora cuando lo entiendo. En la defensa de la paz hay aquí en Europa personas importantes y super religiosas a las cuales ya se les desconfía y se les pone entre los maquiavélicos, sólo por haber adherido a sociedades pacifistas. Este limbo en que vivimos ha de pasar, es una verdadera encrucijada y esa gente quedará limpia. Es el terror mismo que siembran los belicistas, el que ha logrado crear no sólo una palabra sino una cincuentena de nombres malditos a lo largo y ancho de Europa. Pero lo más serio es que han creado también miles de mudos. Estos tienen la boca pegada por el miedo. Siempre fue así en las cosas más cruciales del mundo.
>
> Tengo otra prosa sobre la paz. Se la mandaré a usted; tache lo que quiera y publique el resto.
>
> No quiero callarle, compadre, algo muy pensado que me pasa: yo he calado el terror de las entendederas criollas: ignoran enteramente a media Europa y a toda Asia; pero opinan sobre ambas con una frescura incalificable.[252]

Solía hacer pronunciamientos chocantes para el «status». En noviembre de 1950, en plena guerra fría, se metió de nuevo entre las patas de los caballos. Escribió un Recado pecaminoso, «La palabra maldita». No es otra que la palabra paz.

Respuesta a cuatro cartas («ninguno de mis corresponsales es comunista», aclara) que hablan del peligro que implica pronunciarla: «La palabra "paz" es vocablo maldito —dice uno—. Usted se acordará de aquello de "La paz os dejo, mi paz os doy". Pero no está de moda Jesucristo, ya no se lleva. Usted puede llorar. Usted es mujer. Yo no lloro; tengo una vergüenza que me quema la cara. Hemos tenido una "Sociedad de las Naciones" y después una "Naciones Unidas" para acabar en esta quiebra del hombre.

«¿Querrán ésos, cerrándonos diarios y revistas, que hablemos como sonámbulos en los rincones o las esquinas? Yo suelo sorprenderme diciendo como un desvariado el dato con seis cifras de los muertos».

Ella responde:

No se amilanen. No se acobarden. Sigan diciendo «La paz sea contigo». [...]Tengan ustedes coraje, amigos míos. El pacifismo no es la jalea dulzona que algunos creen; el coraje lo pone en nosotros una convicción impetuosa que no puede quedársenos estática. Digámoslo cada día donde estemos, por donde vayamos, hasta que tome cuerpo y cree una «militancia de la paz», la cual llene el aire denso y sucio y vaya purificándolo.

Sigan ustedes nombrándola contra viento y marea, aunque se queden unos tres años sin amigos. El repudio es duro, la soledad suele producir algo así como el zumbido de oídos que se siente en bajando a las grutas... o a las catacumbas. No importa, amigos, ¡hay que seguir![253]

Cuando ella murió, Neruda recordó que *El Mercurio*,

... que ahora llora lágrimas de cocodrilo, exoneró a Gabriela de su puesto de colaboradora por más de veinticinco años, por haber escrito a favor de la paz y de la coexistencia pacífica.

La recibe el hombre de la guerra fría, presidente de Estados Unidos por los días de la bomba atómica en Hiroshima y Nagasaki, Harry Truman, un halcón sin debilidades intelectuales. Nadie cuenta esa conversación mejor —y describe tan bien su atmósfera de equívocos— como el poeta Humberto Díaz Casanueva, Premio Nacional de Literatura, quien entonces trabajaba en la Embajada de Chile en Washington:

El Presidente Truman concedió una entrevista a Gabriela y el embajador me dijo: «Vamos Humberto, para que usted sirva de traductor». Me bajó una gran timidez porque tenía que servir de intermediario entre la potencia intelectual más grande de América Latina y el Presidente de la potencia más grande del mundo. Para tal ocasión tuvimos que convencer a Gabriela que se pusiera en la cabeza un velo enrollado a manera de gorro porque ella no usaba sombrero. Pues bien, Truman nos recibó con una gran sonrisa y dijo: «¡Mucho gusto, señorita Gabriela, ¿como está usted?» Ella contestó: «Me complace saludarlo, señor Presidente, estoy muy bien». Truman siguió: «La felicito por el Premio Nobel». Gabriela contestó: «Muchas gracias, señor Presidente». Truman continuó: «¿Le gusta Washington?» Ella le dijo: «Sí, mucho». Yo comencé a darme cuenta que mi labor se estaba poniendo no fácil sino trivial, hasta que Gabriela, como ella acostumbra, quiso trascender lo convencional con una gran estallido. Y Gabriela dijo: «Señor Presidente, ¿no le parece una vergüenza que siga gobernando en la República Dominicana un dictador tan cruel y sanguinario como Trujillo?» Truman, por supuesto, no contestó, limitándose a una ancha sonrisa. Pero Gabriela siguió: «Yo quisiera pedirle algo, señor Presidente; un país tan rico como el que usted dirige, debería ayudar a mis indiecitos de América Latina que son tan pobres, que tienen hambre, que no tienen escuela». Truman volvió a sonreírse sin decir nada, el embajador se puso nervioso y también el jefe de protocolo. Había que buscar una salida para terminar la entrevista. Y llamaron al fotógrafo, quien nos dijo: «Todos ustedes deben aparecer mirando al Presidente y sonriendo». Y así quedamos para la posteridad.[254]

Neruda se batía en el mundo afirmando la calidad superior de los vinos chilenos. Gabriela entraba en duelo por los frutos de su tierra.

Un día Mathilde Pomes desata los demonios a propósito de una charla inofensiva.

—Usted estará encantada aquí. España produce las mejores frutas de Europa.

—No tienen nada que ver con las de mi país. No se comparan.

Patriota de las cosas más que de los hombres. Franca, bravía. El escritor colombiano Germán Arciniegas sostenía que ella era mal hablada. Sus discusiones a menudo se convertían en incendios. Abominaba de escritores y políticos españoles. ¡España no tiene hombres!, exclamaba.

El colombiano calmo se salió un poco de sus casillas.

—Cómo puede decir esto, usted, hija de América.

Fue como aplicar un fósforo a un pozo de petróleo. Cundió la lengua de fuego.

El quiso invocar a favor de España la prescripción histórica.

—No para ello —explicó Gabriela airada—. Los vencidos, los expoliados esperaban su revancha. —Y ella también.

—Son los míos —gritaba—. Vuestros orgullos, vuestros prejuicios los ciegan y ustedes no descubren en mí sino lo europeo. Pero yo no soy vasca, soy india, araucana, si a usted le gusta.

La pasión de esa mujer imponente fácilmente rebasaba los límites habituales. Había que tener fuerte dominio de sí mismo para mantener la serenidad cuando brotaban centellas, truenos, diluvios de imprecaciones de la boca y los ojos de esa mujer madura y siempre adolescente.

Mathilde Pomes le calculaba a Gabriela Mistral un metro 75 de altura y la describía como proporcionada, pero no hombruna. No puede resistirse al retrato admirativo:

> Muy mujer, en un sentido matriarcal. Un rostro de facciones netas, bien diseñadas, frente grande y nariz fuerte. Ojos muy hermosos que todo el mundo ha llamado verdes, pero que ella en su memoria ve grises verdosos. Tenía porte imponente, un aire engañosamente tranquilo, la palabra fácil y el tono justo. Irradiaba una calma. ¡Líbranos, Señor, de esas aguas mansas, porque era puro temperamento![255]

Arteriocuentosis

No aceptaba los panegíricos. Y sobre todo los que la ponían en ridículo, por ejemplo, el título desbocado de un voluminoso libro sobre ella publicado por un escritor chileno, *La divina Gabriela*. Ni divina ni emperador romano. Cuando supo en Madrid que había aparecido en Santiago una obra con ese nombre, sollozó a moco tendido.

Un escritor ecuatoriano significativo, Benjamín Carrión, poco antes del fallecimiento de ella, publicó un volumen llamado *Santa Gabriela Mistral*. Ella sabía mejor que nadie que en el proceso de su canonización ganaría el abogado del diablo por knock-out. Rechazaba loas y exageraciones. No creía mucho en sí misma y creía poco o nada en «los maestros de América».

El ensayista y escritor cubano Salvador Bueno, aclara este rasgo y la actitud de Gabriela como un problema continental que la sumergía en la angustia. «Desde hacía años, Carrión pensaba publicar un estudio sobre ella —anota Salvador Bueno— para incluirlo en una nueva serie de *Creadores de la nueva América*, primer libro de Carrión, que lleva, por cierto, prólogo de la escritora chilena». Y en una carta Gabriela explicaba:

> ¿Pero qué tengo yo de creadora de América? En primer lugar, yo siento una profunda decepción de nuestros países, que cada hecho nuevo me acidula más; yo he abandonado la actitud mesiánica que tuve algunos años, convencida de que el mesianismo es vanidad en parte, en parte

ingenuidad, en parte vocinglería, puro meeting en la sabida plaza. Yo me he separado violentamente de nuestros «maestros de América».[256]

Y añadía:

Está llena la América de liderecitos, de apostolitos, de rectificadores del mundo, que reciben estas designaciones con toda seriedad; yo me sonrío de ello; no me ponga usted en el caso de que la burla se revuelva contra mí.[257]

Y en otra carta, atribulada en su concisión, afirma:

Veo la América del Sur en un temblor. Aún no logro ver claro. Sabe usted que no creo en la mano militar para cosa alguna. Dios ayude a los buenos.[258]

El problema indígena —es bien sabido— era una preocupación suya constante. Cuando fue recibida en audiencia privada por Pío XII —como le sucedió con Truman—, la conversación giró, a impulsos de ella, en torno al indio americano. El Papa le preguntó si deseaba que pidiera a Dios una gracia especial para ella. Gabriela respondió: «No, Santo Padre, no ruegue por mí; ruegue por los indios de América».

Fernando Alegría propone una síntesis de la ideología mistraliana agrupada en cinco categorías esenciales:

1. Derechos Humanos: especial preocupación por las minorías sociales y raciales (mujeres, infancia, trabajadores, indios, judíos, perseguidos políticos).

2. Cristianismo social.

3. Antitotalitarismo: antifascismo, antimilitarismo, oposición a todo extremo político.

4. Pacifismo: apoyo a las tácticas de la antiviolencia de Mahatma Gandhi; ataque a las guerras imperialistas y a la diseminación de armas nucleares.

5. Americanismo: exaltación literaria de la organización comunal indígena y promoción de la reforma agraria.

Premio Nobel, ¿sinónimo de grandes tirajes?

Es casi lugar común. Otros lo estiman error común. *Le Monde* concluye que el Nobel no siempre promueve las ventas. Da como ejemplo fresco a Claude Simon, que recibió el premio cuarenta años después de Gabriela Mistral. El autor francés no parece más vendedor que la chilena. Es un escritor tan minoritario como antes que se le pusiera una invisible o invendible corona de papel, como rey de las letras. «La posteridad —se vaticina en el periódico— hará su justicia; pero por el momento, la audiencia restringida del laureado de Estocolmo obliga a presentarlo al público como un desconocido».

Gabriela no es invendible pero es poco vendida. ¿Desconocida del gran público? Humanamente sí. Literariamente no alcanza a la multitud lectora. ¿La posteridad le hará justicia? Si la posteridad se mide en treinta años su justicia hasta ahora resulta si no ciega, por lo menos tuerta, parca, cicatera y lenta. Si se mide en trescientos años, nadie sabe si la tratará con mayor largueza.

Tres fueron sus grandes secretarias, que de su mano han entrado en la historia literaria: Laura Rodig, Palma Guillén y Doris Dana.

Tuvo otras: buenas, regulares, malas.

Alguna deshonesta. Nunca sabremos si ella recordaba con mesura, pero en cierta ocasión habló con amargura de una secretaria que la engañó en un momento de su vida en que se sintió enceguecer, víctima de una diabetes avanzada. Contó que la hizo suscribir unos papeles para perfeccionar la hipoteca de la casa que la Mistral compró con la plata del Nobel. Aquellos documentos, según la versión de Gabriela, no se referían a un contrato de hipoteca sino a transferencia de dicha propiedad, precisamente a favor de esa secretaria. De acuerdo con sus palabras, el fraude le arrebató los dos tercios del monto del premio. No la denunció a la justicia porque no quería escándalos.

Neofilia

La patiloca sin remedio era inconciliable con las largas permanencias en un lugar. Su vida era como un carro de mudanzas.

A este vicio ambulatorio, a esta búsqueda incesante de un sitio distinto los sicólogos lo denominan neofilia. Una enfermedad del espíritu. Sus fieles secretarias tuvieron que seguir a esta chilena errante por muchos lados, aunque todas ellas sintieran la necesidad de fijarse en un punto. Vagabunda como su padre, pero no olvidadiza de países y afectos, su vida es comparable a un río siempre en marcha. Heráclito es un filósofo que la interpretó con su conocida metáfora de las aguas en un eterno y contradictorio movimiento. A Matilde le decía:

¿Quién ata esas aguas que siempre son otras? Yo soy como ellas; variable, ingrata. Así dicen por allá. Pero no hay tal, amiga, mi corazón es memorioso y callado muchas veces. Eso no tiene importancia. La vida me absorbe, se me pasan los días, a veces los años y pienso que si volviera atrás ya no encontraría nada de lo que fui.[259]

Es casi una ciega que cree en curas milagrosas. No las atribuye a la medicina culta sino a «meicas» y hechiceros indios. Un día visita en Florencia a su amigo Giovanni Papini, llevándole la droga mágica que le devolverá la vista. Le habla de la ciencia precolombina, de la sabiduría de la medicina azteca. «Cure sus ojos con la "tronadora"».

Cada vez que iba a Florencia se sentaba en un café de la Plaza Della Signoria y se dedicaba a contemplar embelesada a un joven hermoso. «Nadie puede arrebatármelo», decía con los ojos fijos en el *David* de Miguel Angel. Para contemplarlo necesitaba aclarar la vista.

Parecía una campesina fuerte. Y era casi una enferma imaginaria. Con la edad, los males de fantasía suelen transformarse en dolencias reales. Fallas del cuerpo y aflicciones del alma se funden en una patología única que el tiempo puede tornar crítica. En ella, con violencia aguda y singular, motivada por una naturaleza consumida por un fuego vivo.

Algunos estudiosos de su vida sugieren, a causa de las pasiones unilaterales, extrañas y únicas sufridas «con intensidad y rasgos desusados», que ella tuvo momentos en que perdió su «normalidad síquica». Luego hablan de neurosis, a la cual no serían ajenas sus errancias. La prospección sicológica encontrará un permanente material de investigación en su personalidad, en esos abismos que Dulce María Loynaz denomina más delicadamente «las socavaduras de su pecho».

Una arterioesclerosis pronunciada fue haciéndose manifiesta. Neruda llamaba a esta enfermedad "arteriocuentosis". La cuentamundo que fue siempre Gabriela, con los años se volvió más divagadora, más repitente de ciertas evocaciones y más narradora de determinadas historias. Se ha dicho que en los últimos tiempos estaba un poco ausente, como desarraigada de su medio. Dulce María Loynaz escribe:

> Esto era así hasta cierto punto: después ya no lo era. De su memoria podían desvanecerse, como se decía, nombres y caras, citas y compromisos y hasta el año en que vivía. Pero jamás se le pasó por alto una palabra mal empleada, un error en la cita de un autor, un punto y coma en su poesía [...]. De modo que no me faltó razón para pensar que la poetisa se olvidaba de aquello que no le interesaba, y como le interesaban pocas cosas, los demás la creían ausente. Pero en lo suyo estaba tan presente como ausente en todo lo demás.[260]

XVII LAS VENGANZAS HERMOSAS

A DULCE MARÍA LOYNAZ —que aludió al tema del suicida a propósito de «Los sonetos de la muerte»— le reveló que hubo en su vida otro hombre que fue para ella objeto de un amor intenso y desgraciado. Le contó que «él estaba celoso de su gloria», dato nuevo, perfectamente verosímil.

> Contaré así que en una de esas conversaciones o monólogos suyos —porque solía hablar sin poner los ojos en su interlocutor, como si no se dirigiera a él— le oí decir, con el consiguiente asombro, que el novio aquél que le fuera doblemente arrebatado, no había sido en verdad su único amor.
>
> Muchos años después, cuando Lucila era ya Gabriela, y su libro famoso en el mundo, surgió otro hombre en su vida, al que amó intensamente y también desdichadamente.
>
> Estaba ella en la treintena, que es cuando las pasiones alcanzan plenitud en nuestro pecho; pero estaba además en su camino, en el que era ya su verdadero rumbo. Y el hombre no la dejaba andar, no la quería allí, tenía celos del glorioso destino de su amada.
>
> Aquello había que acabarlo, y Gabriela lo acabó…[261]

Ella le habló que llevaría su nombre a la tumba, promesa que cumplió. Pero un día se levantó la tapa del secreto para que el mundo lo supiera. Seguía desenvolviendo el relato, que alcanzaba ribetes folletinescos.

> Por eso —me decía al final de su historia— no he regresado a Chile. El vive todavía, y aunque ya pasó nuestra hora, no quiero que me vuelva a ver viva…
>
> Ese hombre, cuyo nombre se llevó la poetisa a la tumba, ¿la vería al fin muerta?
>
> ¿Se atrevería a allegarse, como un desconocido, como un número más entre la fila, hasta la gran mujer yacente que lo amara un día?
>
> Y si lo hizo… ¿qué sentiría él, ante aquellos labios que intentara, osado, sellar con vanos besos, ahora ya sellados por la muerte?[262]

Ella era buena para el soliloquio. Cuando tomaba la palabra no la paraba nadie. Si cogía el hilo en su boca, ¿quién se atrevería a cortar la inspirada reminiscencia?

Mucho, sin duda, era evocación verídica. Pero también salpicada de complementos novelescos. ¿Suponer sus sentimientos es sólo pura imaginación? ¿Lo demás debería ser silencio? Pero para ella era remembranza parlante, con retazos de invención melodramática.

Los años apagaron un poco las rabias, pero dejaron un sedimento de tristeza que rara vez fue sinónimo de melancolía neutra.

Como decía en «Los sonetos de la muerte»: «Me alejaré cantando mis venganzas hermosas». ¿Había llegado la hora del ajuste de cuentas tranquilo, conforme al dicho que la venganza es un plato que se come frío?

Cuando él murió, y la precedió en más de veinte años, de partida no escribió elegías, como lo hizo para su madre, ni oraciones como las que dedicó a Yin-Yin, sino un recado perfecto, calmo, pero no exento de pulcra severidad e ironía. Actuó como un biógrafo que describe reposadamente una trayectoria humana, como si él nunca hubiera sido para ella la vida o la muerte, la dicha y el dolor. No había en aquel individuo sentido del riesgo, en contradicción con algunos genes o ancestros que tal vez se la jugaron en otras generaciones.

> Andaban en este hombre nuestro algunas sangres aventureras; el Magallanes le venía en soslayo del Portugal y el Moure de Colombia. Los dos sumandos de razas dulces y letradas que han debido hacer su diferenciación del chileno común. Era hombre aristocrático y de naturaleza rítmica. Ni en vida ni en arte conoció convulsiones y saltos […]. La derechura de su línea poética dice una gran lealtad a sí mismo, y sus cuarenta años sin sucesos cuentan un disfrute regustado de lo que le cayó en suerte: patria y temperamento…[263]

Confiesa, sin decirlo, que lo encontraba buenmozo. Y de rostro espiritual, suave, como un remanso tras un día convulso.

> Blanco, puro, y un hermoso varón para ser amado de quien lo mirase: mujer, viejo o niño. Tal vez las cabezas poéticas más bellas que han visto valles americanos hayan sido las de José Asunción Silva y la de nuestro Magallanes.
> Y era una belleza con hechizo, de las que trazan su zona en torno. Un teósofo diría que su aura era dulce. Porque la voz hacía conjunción con el cuerpo fino para volverlo más grato aún. Perdida voz de amigo que suele penarme en el oído: cortesía del habla, que además de decir, halaga…[264]

Le gustaba ese tipo de hombre, atildado sin exceso. Sabiéndolo muerto, su ademán no es desesperado. Escribe como recadera tranquila simplemente sobre una persona que conoció.

Todavía más: una extrema pulcritud personal de traje y manera.

Cualquier raza habría adoptado con gusto esta pieza de lujo. Yo miraba complacida a ese hombre lleno de estilo para vivir y, sin embargo, sencillo. Se parecía a las plantas escogidas: trascendía a un tiempo naturalidad y primor.

No conoció eso que llamamos «lucha por la vida» y, a causa de ello, también no se veía jadeado de cuesta ni descompuesto por erizamiento de despechos.

Ni rico ni pobre: le dejaron lo que Horacio quería, y él se quedó con eso a gusto. Parece que no tuvo nunca ejercicio oficial, excepto una curiosa gestión de alcalde en San Bernardo, y sin cargo oficial, andaba metido por bonita gana en gestiones por nuestra cultura, que eran más útiles precisamente por no llevar encima voluntades gubernativas...[265]

¿Y su poesía? Bueno, espigaba entre los versos y las mujeres, sin profundizar mucho. A veces entristeciéndose.

Su poesía se resuelve en el amor de la mujer y en una mirada minuciosa de la naturaleza.

Este, como el otro, cuando no estaba enamorado, se sentía huero de toda cosa y también de sí mismo. «La sensibilidad no puede escoger a otra cosa que la mujer —decía— y después, lo que se parece a ella».

Entre un amor y otro caían sobre él unas grandes desolaciones...[266]

Envidia literaria

Después admite, públicamente, que se carteó mucho con él. Tal vez ese dato dio la pista a hurgadores de sigilos sentimentales para escudriñar por aquí y por allá hasta dar con ese manojo de correspondencia, que descubre uno de los misterios amorosos más hondos y desesperados en la historia de la literatura chilena. Pero ella reduce el sentido de las epístolas al mínimo. Como para que nadie piense otra cosa.

A lo largo de nuestros centenares de cartas, yo le recetaba para relleno de esos hondones, un poco de fe en lo sobrenatural y de búsqueda de experiencia interior.

Pero era de su tiempo; habían hecho en él su feo trabajo racionalismos y materialismos, levantándole en torno el cerco de cemento armado de la incredulidad redomada, que él no saltaría nunca para echar los ojos a mejores vistas. El dúo de las cartas era copioso e inútil; pero continuó a lo largo de cinco años.

El se sentía con cierta obligación de cuido sobre mi poesía, yo con la de un vago cuido de su alma. No llegamos a nada fuera de conocernos un poco y de acompañarnos casi sin cara, porque hasta entonces no me había visto nunca.

Alguna vez le dije sin creerlo que la mujer lo banalizaba y lo tenía viviendo a la deriva. El me contestó que una teología no lo haría a él más cabal que una mujer. Y la razón tal vez era suya, que tan completo, tan alerta y tan digno anduvo por este mundo...[267]

Gabriela sabía de su envidia literaria. Y nunca quiso decirle que ella era más poeta que él, aunque siempre lo supo. ¿Para qué si en dicha relación no le interesaba la competencia literaria sino el amor? En cuanto a él, seguramente le dolía la victoria de la mujer sobre el hombre en el campo de batalla de la poesía. Esa derrota sí que hería su orgullo. Quizás porque no la amaba o no quería bastante a esa amiga tormentosa y le importaba más su amor propio de escritor. Es posible también que él, de buena fe, conociéndola, aterrado por la violencia de la pasión femenina, que se trasuntaba en una poesía imprudente y bárbara, a ratos impúdica y cruel, sin miramientos, que no reprimía los alaridos ni las maldiciones, estimara —según su sensibilidad inclinada a los matices tenues y desdibujados— que ese «pathos» no era legítimo ni aceptable en el reino de la buena literatura. Este debía regirse para su gusto por un código de maneras autocontroladas, ojalá flemáticas. Pues así era la poesía del hombre aquel. La de ella era el irrespeto, el turbión, un torbellino y un ponerse a gritar los sentimientos de un modo que a veces lindaba a los oídos recatados de Magallanes con la indecencia.

Ella, por su parte, sopesaba exactamente los quilates literarios del contradictor. Y estampó sobre su obra unas pocas líneas de crítica, tan ajustada, que calzan como anillo al dedo de la verdad.

Su poesía, suave y pasada a meliflua, tiene poco que hacer con el alma nuestra. Había nacido entre nosotros para darnos la utilidad de la contradicción, pagarnos ciertos saldos de la raza y cubrir algunas ausencias en nuestra espiritualidad.

Sus géneros fueron los avenidos con su temperamento: la canción, el madrigal, la balada, alguna vez la elegía de tono menor, en varias ocasiones la jugarreta con los niños, todo esto realizado con seriedad, donosura y un arte consumado en varias composiciones.

Amoroso, gran amoroso, sin espesura de sensibilidad criolla y también sin laciedad romántica.

Entre líricos y sentimentales —y hay tantos que el bosque sigue tupido— ni empalaga ni da sonido de metaloide; su sentimiento verdadero lo redime de la plaga del tiempo y le saca del montón en que quedaron hacinados los otros cómplices de la plaga becqueriana de nuestra América.

Su don de armonía hace grato el reparo de sus poemas. Los estridentistas dirán lo que quieran; pero de tarde en tarde la oreja busca sola, como el ciervo el viejo manadero, las armonías de esas especies de antepasados que nos resultan ya los poetas de hace diez años. Hemos venido cayendo en vertical, pendiente abajo de cuarzo y brulotes, y la melodía de anteayer ya parece nuestra abuela.

Los mejores libros de Magallanes se llaman *La jornada* y *La casa junto al mar*. Apenas salieron del país. El varón de la vida perfecta no buscó el diálogo extranjero. A pesar del cabal amigo que debía ser, del verdadero hombre de convivio, por limpio y escuchador, por excusador, vivió no poco solitario el que venía tallado para la más linda camaradería...[268]

Como vemos, esos párrafos no están llenos de limones agrios. En ninguna frase cae una gota de ácido cítrico. El resentimiento está dominado. O el tiempo lo esfumó y le puso rienda. Habla de su amigo-enemigo con generosa simpatía.

Pensó la mujer que ella moriría antes. E imaginó —como se pone a decir su confidente Dulce María Loynaz— la escena shakesperiana o digna de Corín Tellado en que él se acerca a la difunta. Gabriela lo sobrevivió por años, los que le permitieron serenarse y mirar desde lejos al invisible que partía, con un dejo de esa ternura que es como el rescoldo que las grandes fogatas dejan prendido en los bosques por largo tiempo.

Fue ella —y no él— quien, desde el extranjero, escribió ese recado de despedida. Un adiós que, a primera vista, hubiera podido pronunciar por otra persona que nunca la hiciera sufrir. ¿Pero qué querían? En el último momento ella, sobre su tumba, no estallaría en lágrimas ni iba a confesar su secreto. Simplemente escribiría lo preciso. Y así lo hizo.

A los cuarentaiséis años se nos murió, sin que le esperáramos esta mala muerte brusca. El gran cortés se acabó con cortesía, como el agua de regato que se sume de pronto en un hoyo del desierto de Atacama. Iba de su pueblo de San Bernardo a Santiago cuando la angina le cayó al pecho. Por no molestar a los pasajeros del tranvía se levantó a pedir al conductor que parase, y éste le dejó cerca de la casa de su hermano, donde se acabó en momentos sin agonía.

Así se nos borró del aire y la luz de Chile, que no han sido usados por hombre literario más dignamente natural. [Abril de 1935][269]

Pero como todos somos generales después de la batalla, ahora, que sabemos su secreto, podríamos percibir un cierto estremecimiento de la mano que traza las letras y descubrir en las entrelíneas que esa muerte le dolía y la golpeaba mucho más de lo que allí literalmente se expresaba.

El mate en la plaza

Dulce María Loynaz puntualiza sobre ella:

> Curada de los grandes sacrificios, era incapaz después del más pequeño. Ajena a toda pose, igual que a todo sacrificio —empezando por los formalismos sociales, que la tenían sin cuidado, y sin los cuales es tan cómodo vivir—, Gabriela Mistral jamás se preocupó de ser o parecer otra cosa que no fuese ella misma, y sin creerse perfecta, tampoco la tentó el menor interés de perfección…[270]

Era firme y reconcentrada en sus sentimientos. Atesoraba con fruición amistades, experiencias, ternuras, y también antipatías y rencores.

Se decía «chilena vagabunda» y era un móvil perpetuo. La antisedentaria también resultaba incapaz de vivir sola. Necesitaba ayuda para todo, porque no atinaba a hacer nada doméstico. Pobre administradora, mediocre en cuanto al manejo de sus derechos de autor, se encolerizaba, sin embargo, a morir cada vez que sabía de la edición pirata de alguna de sus obras.

Como elquina genuina, le gustaba ir a los mercados a oler las frutas. Pero ese perfume solía desvanecerla, hasta hacerle perder el sentido. Doris Dana comenzó a atarle a la cintura un globo azul de helio por si se desmayaba o se extraviaba, para divisarla desde lejos entre la multitud compradora. Como a veces se desorientaba y le daban vértigos, depositaba en su bolsillo un papel con sus señas e indicaciones del domicilio, en prevención de que las fragancias frutales o el dédalo de las calles le jugaran una mala pasada.

A medida que entraba en años se acentuaban ciertos rasgos de su carácter. Se negó, como Acario Cotapos, a tocar dinero, resabio tal vez de esos tiempos casi remotos en que fue profesora de Higiene en un llovido liceo de Traiguén.

¿Vivir en Chile? No, muchas gracias. Se la echarían al hombro en poco tiempo. No demorarían en llamarla «la Gaby».

En Nápoles, en febrero de 1952, se mostraba, como siempre, temerosa del retorno. Le decía a Juan Uribe-Echavarría:

Siempre trabajé mucho cuando estuve adentro. Es tarde para pensar en viajes largos. Soy como esos gatos a los que hay que echarles aceite en las patas para que vuelvan. Debo cuidarme. Estoy muy vieja y enferma... Si voy a Chile, ¿vería Chile? No lo creo. Me llevarían de un lugar a otro «oficialmente», sin intimidad. Son las dolencias de la fama. Entrevistas, fotografías, delegaciones... Me matarían en un mes. Prefiero seguir en Italia. Pueblo de buen humor y de buenos humores...[271]

Y, sin embargo, escribe a su amigo Radomiro Tomic:

A mí, compadre, me importa mucho más mi país y los otros nuestros también; me trabajan, me suelen llevar por las noches a un hoyo o a un remolino de angustia. Sin embargo, mis paisanos siguen diciendo de mí que soy una sin-patria, una descastada. Mi fatalidad es que, sin buscarlo, yo hablo una lengua (un pensamiento, una ideación) que no es la de mis criollos; nadie, nadie puede vivir en vano once ó doce o más años de Europa y Estados Unidos.[272]

Como era costumbre en el campo, en la casa se tomaba mate en calabaza. Cuando Gabriela volvió por unos momentos a Montegrande, se juntó en la plaza con sus condiscípulas de antaño y se pusieron a conversar unos mates. Casi todas eran viejitas materas de embozo negro, con pocos dientes. La lengua no paraba y las reminiscencias de infancia se desgranaban incontenibles rememorando a la niña Lucila Godoy cuando tenía seis años y todas eran alumnas de su hermanastra Emelina Molina. Alguien tomó una fotografía de ese corro de ancianas enlutadas, sentadas en la placita, succionando con sus labios exangües una herrumbrosa bombilla de plata. A Rosa Amalia Pastén, que en los días del centenario de su amiga de niñez era la máxima geronte de Montegrande, con 106 años a cuestas, todavía le queda memoria para describir a la Lucila, que pasó un día por su pueblo sólo para tomar mate y hacer unos recuerditos con sus antiguas compañeras.

Fue en 1954 cuando Gabriela conversó en la plazuela con sus condiscípulas de hacía sesenta años. Volvía al pasado acompañada por esas contemporáneas bisbiseantes y desdentadas que retornaban juntas en ese instante de felicidad retrospectiva a una infancia común. Le costó reconocerlas. Como ella, habían cambiado en casi todo, en la voz, el cuerpo, el paso; pero las reconocía por los ojos, ayer frescos, ahora gastados. Sí. Estaban allí de nuevo, como entonces, cuando su media hermana Emelina les pasaba lista: Lucila Godoy, Juana, Amalia, Genara Gómez; Auristela Iglesias, Elena Pinto, Arismenia Rodríguez. Esa loca maniática de las palabras se entregó de nuevo al vicio de oler el perfume de los nombres desaparecidos, pasados de moda: Genara, Auristela, Arismenia…

La escuela es y no es la misma. Es la de entonces porque el cuerpo del edificio, a pesar de que tiene más de un siglo y medio, se mantiene erguido sobre una base de piedra y las espesas murallas de adobe siguen resistiendo las injurias del tiempo.

No es la misma y no podría serlo porque sus 170 años es mucho plazo para mantenerse intacta. Ha cambiado y la han puesto más elegante, con pisos de pino oregón sencillamente porque un día lejano, allá por 1897, allí aprendió a leer una niña que más tarde se dedicaría a juntar letras y a trabajar frases como un orfebre. Pero como si la tierra misma se cansara de sostener durante tantos inviernos una pesada mole, la escuela está hundida, bajo nivel. En verdad la culpa no es de ella; la tienen el progreso, las necesidades de reajustar el camino que pasa por su lado, en dirección a la aldea.

Sin embargo, conserva su estructura de otrora, con tres habitaciones, dos a la calle y una que da al patio con galería. Allí jugaba la niña en los recreos, anunciados por el tañido de la campana de bronce que sigue repicando, practicando su resonante oficio.

En verdad la sala de clases es una sola: la más amplia, con su disposición clásica, el pupitre de la profesora Emelina, el pizarrón negro, las bancas de los niños.

Tres catres de bronce en la habitación contigua pintan un cuadro de época. Allí dormían doña Peta, Emelina y Lucila. No faltaban el tocador, el lavatorio, el jarro enlozado. Adosadas al muro las sillas de paja. Una plancha a leña que habla de otros menesteres domésticos. Una tetera de cobre dice que aquel recinto, con sus palmatorias esparcidas, servía de alcoba a tres mujeres solas antes que Thomas Alva Edison viera extenderse su invento de la ampolleta eléctrica por estos andurriales del Señor.

Esa casa de tres cuartos fungía también como oficina de correos. La media hermana Emelina, profesora, directora, allí recibía y despachaba la correspondencia del pueblo y las encomiendas. Su equipamiento de oficina era módico: un buzón, una balanza antigua y sellos de goma.

Hoy día funciona allí la Casa-Escuela Gabriela Mistral, con una pizca de museo. En una vitrina de la sala de clases pueden verse cartas intercambiadas, allá por los años 1943 y 1946, entre Emelina Molina e Isolina Barraza. No es mucho.

En la región sigue habiendo nombres curiosos. La cuidadora actual de la escuela, Betica Rojas, está orgullosa de su responsabilidad y espera que esa casa en que vivió y estudió la niña Lucila siga por mucho tiempo «en perfecto estado de conservación».

Cartas, libros, recados, mensajes

Mathilde Pomes insiste en que se le agrava el delirio de persecución. Era desconfiada. Tal vez sus vehementes sospechas tenían muchas veces algún fundamento.

El 8 de enero de 1942 —en plena guerra mundial— pone en guardia a Roque Esteban Scarpa.

> ... Yo deseo —yo espero, y más confío— en que usted, en este momento odioso de mi país, se quede limpio y no vaya a engrosar las filas de falsos católicos y nazis verdaderos que me dan una infinita vergüenza...[273]

Poco más tarde, insiste en el tema en carta al mismo corresponsal.

> ... Hace meses se pierden cartas importantes y artículos. Mano fascista lo hace, según declaraciones de una seuda condesa italiana, italiana loquísima, que vino a hacerme un semichantaje y largó su hazaña —la de sus jefes, porque ella es sólo la boca imprudente... No la entregué a la policía por respeto a sus canas, pues es mujer de más de sesenta. Perdone a su amiga que le reproche, con una ternura de tía, sus flaquezas por la comparsa satánica nazi-fascista. Yo le reconozco lo suficiente para saber que eso viene a usted por vías limpias y nobles, que sus viejos españoles le hacen acercarse a los que batan la bandera de la tradición, que de ahí sale su estima afectuosa por el señor Souviron, sus citaciones y otras cosas. Tampoco yo le niego que, en lo personal, me entiendo fácilmente con los españoles de cepa antigua. Pero en eso me quedo; no los acompaño ni por un momento en sus aventuras de agentes de Hitler y me da un cierto calofrío ver a mis amigos queridos ser cogidos por la cuerda de nuestros místicos e irse con ellos. Tenga cuidado, amigo mío. Nunca fue más necesaria que ahora la sutileza de la teología para darse cuenta, avizorar y salvarse...
>
> Gabriela
>
> 1º de junio de 1942. Dirección. Consulado de Chile. Rua 1º de marzo, 47. Petrópolis, Brasil. No me mande nada a la Embajada. No voy nunca allí. Cuido mi aura del aura nazi...

Es probable que no estuviera viendo fantasmas. Tenía sus experiencias y la vida le había hecho abrir mucho los ojos, como el búho de la sabiduría que observa en medio de la noche cuanto sucede.

Era mujer de epístolas no sólo a los corintios, sino a muchos corresponsales. Aparte de las ya conocidas que mandó a dos amores (Videla y Magallanes), son esenciales las que envió a entrañables amigas, sobre todo a Palma Guillén y Doris Dana, con quienes sucesivamente convivió largos años en el extranjero.

Siempre fue activa epistolera. Se defendía de enemigos escribiendo cartas a granel. Despachaba misivas a amigos y personas de su estima y admiración. A México, por los comienzos del siglo, llegaban sobres con el sello postal de un lejano correo, cuyo nombre se les antojaba a los destinatarios un sitio que podía ser un observatorio astronómico sudamericano: Los Andes. En los tiempos del auge del Modernismo escribió ocasionalmente a Rubén Darío, pero sobre todo a Amado Nervo, a González Martínez, el poeta que había recomendado «torcer el cuello al cisne de hermoso plumaje». Muchos la tuvieron por corresponsal asiduo.

La gran mina oculta del epistolario está en buena parte por descubrir. Después de la muerte de la Mistral, Victoria Ocampo envió a Doris Dana la correspondencia que recibió de Gabriela. Al parecer vale la pena. La lista de su carteo es impresionante, más que por el número— harto apreciable—, por las calidades y la personalidad de quien lo manda. Arroja también la luz de un reflector sobre la vida intelectual de su tiempo.

La Fundación Romain Rolland entregó varios textos. Revelan la mutua simpatía que se profesaban el autor de Juan Cristóbal y la chilena. Los unían causas comunes.

Las familias de Thomas Mann y de T.S. Eliot también facilitaron copias de la correspondencia que ambos recibieron de Gabriela.

Queda un montón de cartas familiares, sobre todo de su hermana Emelina, afincada hasta su muerte en tierra natal.

Y también —dato curioso— cartas de un tipo bastante tocado que andaba por las calles del pueblo, por el valle de Elqui, con un cartel colgado, donde se leía: «Soy el único primo hermano de Gabriela Mistral».

Escribió un mundo de recados y artículos.

Hubo un periódico que estableció un récord mundial de fidelidad a Gabriela Mistral. Y ella le pagó con la misma moneda. Fue *Repertorio Americano*, de Costa Rica, dirigido por Joaquín García Monje. En sus páginas la chilena publicó, desde 1919 a 1951, muchas de sus más sobresalientes producciones. La primera fue «Oración de la Maestra», que apareció el 20 de septiembre de 1919. La última, «La palabra maldita», el 1º de enero de 1951. Entremedio se destacan los recados sobre «La cacería de Sandino» (11 de junio de 1931); «Sandino» (14 de abril de 1938); «Manuel Magallanes Moure» (20 de abril de 1935); "Recuperación de Pablo de la Torriente" (29 de abril de 1939); «La Madre» (22 de febrero de 1941); «La muerte de Zweig» (20 de junio de 1942).

Ese periódico pequeñito, modestísimo, de factura artesanal, es una hazaña intelectual del continente. Gabriela tuvo conciencia de su valor moral y se enorgullecía de ser su colaboradora.

Se han microfilmado cuarenta mil documentos suyos. Es su herencia; no en billetes, sino en papeles. La legó a su secretaria Doris Dana, quien desde que tenía veintiséis años vivió con ella. Esta los confió a la Biblioteca del Congreso de Washington.

Gastón von dem Busche, profesor de la Universidad Católica de Chile, revisó allí cincuenta mil hojas y doscientas libretas de apuntes.

En cambio, con los libros nunca se prodigó. Fue extraordinariamente renuente y evasiva para publicarlos. Sentía inhibición porque los estimaba una responsabilidad suprema. Una vez editados podían convertirse en un hijo que da alegría o en una sentencia capital. Para ella un libro debía ser una obra unitaria. Todos los días escribía «para ejercitar la mano». Echaba a la basura los lastres. Como Laura Rodig antes, en el último tramo de Gabriela era Doris Dana quien los rescataba del cesto de los desechos. En esa escoria había de todo, a veces incluso piedras preciosas.

XVIII   EL FRACASO DE LA SIBILA

A RATOS CREYÓ que poseía cierto don profético. Murió mucho antes que las autoridades de facto de su país fueran sentadas durante dieciséis años consecutivos en el banquillo de los acusados en las Naciones Unidas.

Un día de diciembre de 1955, ella habló en la Gran Sala de la Asamblea General de las Naciones Unidas en sesión solemne. Se sentía vieja, pero juntó fuerzas para leer con voz cascada un mensaje.

> Hace ocho años dos palabras bajaron hacia las multitudes de varias naciones y de millones de hombres, y son esas palabras las que celebramos hoy en la forma de los Derechos Humanos [...]. Yo sería feliz si vuestro noble esfuerzo por obtener los Derechos Humanos fuese adoptado con toda lealtad por todas las naciones del mundo. Este triunfo será el mayor entre los alcanzados en nuestra época.[274]

No conoció esa felicidad de que los Derechos Humanos fueran respetados por todas las naciones del mundo. Todavía no se ha alcanzado ese triunfo mayor con que ella soñaba.

Tuvo la fortuna de no asistir a su fracaso como sibila. Murió dieciséis años antes que Chile fuera convertido en matadero de los Derechos Humanos.

Los matarifes borraron su nombre del edificio de la UNCTAD, construido bajo la Presidencia de Salvador Allende, y reprodujeron su efigie en billetes de cinco mil pesos. No era ése su ideal del respeto de los Derechos Humanos.

América del Sur la deja temblando. Se lo escribe al ecuatoriano Benjamín Carrión cuando los generales asaltan o incendian los palacios de gobierno. Allí desliza el párrafo célebre, que debería grabarse en el frontispicio de las escuelas.

> Ni el escritor, ni el artista, ni el sabio, ni el estudiante, pueden cumplir su misión en ensanchar las fronteras del espíritu si sobre ellos pesa la amenaza de las Fuerzas Armadas, del Estado Gendarme que pretende dirigirlos. El trabajador intelectual no puede permanecer indiferente a la suerte de los pueblos, al derecho que tienen de expresar sus dudas y sus anhelos. América en su historia no representa sino la lucha pasada y presente de un mundo que busca en libertad el triunfo del espíritu. Nuestro siglo no puede rebajarse de la libertad a la servidumbre. Se sirve

mejor al campesino, al obrero, a la mujer, al estudiante, enseñándoles a ser libres porque se les respeta su dignidad.[275]

Los peligros de convertirla en estatua

¿Y qué dicen de ella los chilenos de ahora? El 2 de abril de 1989, *El Mercurio* interroga con motivo de su centenario.

Raúl Zurita no se siente su deudor literario, pero sí le debe como pasajero posterior del mismo mundo.

Su poesía no ha influido en mi poesía, pero eso no tiene importancia. Su vida sí ha influido en mi vida. Ello, en estos tiempos duros, es una opción del dolor, del sueño y de la maravilla.[276]

Nicanor Parra, el de los «Antipoemas», como de costumbre, declara todo lo contrario:

Influyó sobre mí/ ¡claro que sí!/ más que Huidobro/ más que el propio Neruda posiblemente/basta abrir al azar un libro mío cualquiera/ para ver que sin ella no soy nada./ Sólo Pezoa Véliz/ resiste la comparación/ cuando se trata de poesía chilena/ hay que atreverse a decir la verdad/ otros puede que sean más geniales/ pero ninguno más honesto que la Mistral/ es su sinceridad la que conmueve./ He dicho y lo repito con muchísimo gusto/ que este país debiera llamarse Lucila/ en su defecto/ que se llame Gabriela/ se la debería volver a querer/ a releer...[277]

Un tercer poeta va del pasmo a la guerra y, luego, en su madurez, firma la paz. (Estos tres movimientos contrastantes, al estilo de una partitura, encierran un fenómeno que se produce a menudo en los poetas de las generaciones posteriores). Ante el tema Mistral, el nostálgico Jorge Teillier, perenne retornante a la poesía de los lares, define así este contradictorio vínculo deslumbramiento-distancia-aproximación:

Misteriosa Mistral. Tiene cien años y no los representa (su poesía puede tener uno o mil). Cuando niño me abrían una puerta a un mundo estremecedor de versos como «Yo no quiero que a mi niña golondrina me la vuelvan». Más tarde, sentí un adolescente rechazo ante ella, el mismo que ante los monumentos y efemérides nacionales. Ella era la Extranjera, no así Huidobro, De Rokha, Neruda. Pero superado ese prejuicio, me fascinaron su poesía y su personalidad. Se cumplió su profecía: «Todas íbamos a ser reinas». Es a la vez un personaje bíblico, y nuestra Ceres y Perséfone, subterránea y luminosa de la Tierra y el Infierno.[278]

Un cuarto poeta señala los riesgos que amenazan a un gran poeta cuando le llueven encima, por ejemplo, a raíz de un centenario, los homenajes de aquellos a los cuales la poesía les importa un alpiste. Miguel Arteche, de inclinación mística, quiere preservar de los accidentes del camino a esta mujer que considera el mayor «poeta religioso de nuestra lengua y de este siglo». Puntualiza:

> Siete peligros suelen acechar al poeta, más otros que el lector puede agregar: 1) Que se convierta en un «poeta nacional», y que, como consecuencia de este hecho, sus peores poemas sean memorizados por colegiales danzantes; 2) Que todos hablen de él, a raíz de su Centenario, pero pocos conozcan sus mejores poemas; 3) Que sean descuartizados por huasos semióticos; 4) Que se le otorguen en vida bustos, escuelas, plazas y calles e, incluso, que aparezcan en billetes de banco; 5) Que pueda dedicar todo su tiempo a escribir poemas; 6) Que se publiquen sus poemas completos, y los puedan comprar sólo los ricos; y 7) Que nadie sepa, en fin, de qué poeta se trata y cuál es su poesía.[279]

Alguien que la ha estudiado sistemáticamente, Roque Esteban Scarpa, habla del problema en cuestión: nombre común y obra poco conocida.

> Recién se está comenzando a desentrañar la poesía de Gabriela Mistral: la poesía tan sencilla en apariencia y tan compleja de ecos en sus esencias. A ésta ha de sumársele que estaba tan guardada por perros hortelanos desde la muerte…[280]

El crítico Alfonso Calderón la siente invariablemente fugitiva, muchas veces inasible. Como ella en vida, su poesía es presencia y huida. Con el tiempo dicha ambivalencia se acentúa. Responde quizás a una búsqueda incesante de lo inencontrable, que se alimenta de entrevisiones, insinuaciones vagas o vigorosas. Es como una puerta abierta al camino que nunca termina de recorrerse. Es

> …algo que se empecina en esfumarse y en reaparecer dándonos la sensación de que el bulto de la apariencia es la otra cara de la realidad. Somos «medio Adanes, medio Topacios» —escribió en un poema—. Su poesía nos ayuda a entrever el primer soplo, anterior a la palabra «ánima». En su afán de filiarse con las huestes de hombres y mujeres del Antiguo Testamento, en su confesión de sentirse judía, aun no siéndolo;

en afán ecuménico, se halla el deseo de encontrar en el momento preciso
en el cual el hombre y la materia sabían entenderse. De ahí, echa las
redes y sueña con realidades. Es la dueña y señora de los umbrales. Lo
que resta es misterio.[281]

Entre críticos y poetas existe el consenso, conforme al juicio de Jaime
Concha, que Gabriela Mistral «sigue siendo, en definitiva, una gran
desconocida». En una antología de sus poemas de amor publicada en
Alemania Federal (*Liebesgedichte*, Luchterland, 1981), su prologuista,
el poeta chileno Federico Schopf, traza la oposición entre «la vida
real» de la poeta a la «vida ejemplar» que la crítica oficial, de acuerdo
a la ideología dominante, se ha preocupado de difundir. Enrique Lihn
opina con cautela: «El razonable lugar en que debiera colocársela está
por descubrir junto con ella misma».

Aquí cabe una pregunta escabrosa: ¿Por qué su imagen se
muestra fragmentada, se construye con tres o cuatro rasgos parciales
más o menos excluyentes (la autora de poesía infantil, la madre de
todos los niños y de ninguno, la mujer que canta a un suicida, la
hundida en tristezas irremediables, amén de otros tópicos patéticos
o agridulces) y se reduce a silencio todo lo otro que ella fue y que
dijo, más que nada si se trata de pronunciamientos políticos y
sociales?

Una posible respuesta, simplificada al límite y resumida al
máximo, enfatiza que este perfil incompleto resulta deliberado. No
corresponde a su esencia, a su mensaje, a lo que hizo, pensó o escribió
en su tránsito por la tierra. Se acalla a la mujer trasgresora del sistema:
en una palabra, a la revolucionaria, a la descontenta, a la subversiva.
Con este rapto o escamoteo de lo más recio y decidor de su personalidad y de su obra, ciertamente se empobrece el caudal de su herencia,
se desvitaliza la potencia de su pensamiento, reduciéndola a la figura
aceptable de una señora más o menos dolorida, con aureola prefabri-
cada de santa laica que amó a san Francisco, nunca olvidó la nieve de
la Patagonia y compuso la letra de canciones de rondas tan inocentes
como purísimas y bailadoras.

Probablemente este fenómeno de sustracción de lo más hondo de
su ser personal y literario explique esa falta de sincronización con las
generaciones sucesivas. Se comete así una injusticia que pesa como
hipoteca sobre la cultura chilena y sobre la herencia que asocia, en su
continuidad histórica, las promociones literarias del siglo XX.

En su artículo «La otra Mistral», publicado en *La Epoca*, el 2 de
abril de 1989, Raquel Olea, refiriéndose al libro de Patricio Marchant,
Sobre árboles y madres, que gira en torno a la poesía de la madre de
Desolación, manifiesta que ésta

... puede ser un anuncio, pero aún existe un vasto ámbito desértico con relación a otras lecturas que su escritura potencia: me refiero a aspectos específicos de su condición social e histórica de mujer latinoamericana, y en ello el desvelamiento de las determinantes de otra subjetividad allí implícita, la de su diferencia sexual, históricamente reprimida y suprimida.

En una sociedad donde los vivos hacen su agosto y el país se transforma en El Dorado de los pillos y los aprovechadores, éstos no pueden tolerar de buen grado juicios tan quemantes y vitriólicos como los que acostumbraba emitir esta mujer que así escribía:

> El exitismo sudamericano es algo descomunal. Me conozco muy bien su cara vulgar; le he visto en la condescendencia ante el dinero, ante el poder estatal, ante la mediocridad personal afortunada. De golpe y porrazo, caímos en el bric-a-brac de las democracias fabricadas como los carros Ford o el jabón Palmolive...[282]

Sobre todo después de su partida se ha intentado cantarla. Con letra suya se registran más de treinta partituras para coro. Otras tantas para solistas. Casi todas pertenecen a *Desolación*. Unas pocas a *Ternura*. Una a *Tala*. Dos a *Lagar*. Hasta ahora ninguna del *Poema de Chile*. La mayor parte de los textos se reparten entre temas escolares y místicos. Comienzan a surgir los cassettes. Es la entrada a una tímida modernidad y a un mercado incipiente, que probablemente nunca llegará al «boom».

Ahora anda por las veredas. Habla en las plazas.

Junto a las torres de Carlos Antúnez con Providencia, al comenzar la indecisa primavera del 89, nos topamos con zancos, máscaras, colores crepitantes. En esa esquina ruidosa está parada «Lucila». La pájara pinta se dedica al teatro callejero. Esos chicos escapados del colegio no están haciendo la cimarra; son cómicos de la legua que intentan un montaje mistraliano. Disparan unos cuantos fogonazos alegres sobre el tema de la muerte, al estilo de las calaveras mexicanas de mazapán.

Hay mujeres que quieren saludarla con flores. No sólo con nomeolvides. Gabriela ingresa al Club de los Jardines. Hay rondas de paisajistas y unos haikays de ikebanas, ondulantes de ramos generales, con susurros de follajes diversos y perfumes botánicos.

XIX ¿QUIEN FUE?

UNA AMIGA SUYA subrayó que la inflexibilidad de su carácter era tanta que ni aun para morir quería tenderse. Seguía trabajando. En los días finales, en víspera de ser internada en el hospital, antes que el mal generalizado le quitara el resto de su fuerza, se dedicó a pulir su libro *Recado de Chile*. Tal vez ya lo había escrito o muchos trozos fueron publicados anteriormente, pero ahora lo preparaba para imprimirlo como una unidad y un todo.

Quería completar también su *Lagar* con una segunda parte.

Residía en Roslyn, en el barrio de Long Island, Nueva York. Su casa estaba lejos del centro, entre los árboles.

La crónica comenta que su vida comenzó a extinguirse lentamente.

Falleció a las 5,18 A.M. (hora de Chile), del jueves 10 de enero de 1957 en el Hemsptead General Hospital, a los sesentisiete años. La deshidratación provino de un cáncer al páncreas. Su estado se agravó el viernes anterior, luego que parecía recuperada de una antigua enfermedad.

Según los médicos, no sufrió esta mujer que alguna vez dijo que había vivido «muy sola en todas partes», pero se marchó rodeada por el sentimiento de muchos chilenos y también de lectores suyos que la estimaban a través del mundo.

Volvía al asunto. Le antepuso un pensamiento: «He escrito como persona que habla en la soledad».

Estuvieron velándola Jacques Maritain, Victoria Kent, Victoria Ocampo, Germán Arciniegas y algunos chilenos.

Después de su fallecimiento, la anticosmética, la sin afeites, fue víctima de la cosmética del sistema. La rociaron con desinfectantes y no vacilaron en desodorizar su cadáver. Había que desvanecer los olores de su vida y de su muerte con esencias perfumadas. Gabriela fue lavada con detergentes aceptables. Siendo todo un símbolo de poesía para niños, debía exhalar aromas maternales. Se circundó su nombre con un halo de santidad; nadie debía ver en su poesía nada sensual, no obstante que lo amoroso compromete buena parte de su obra y se comunica con sus terminales nerviosos a los versos pasionales. *Desolación*, para ira de Silva Castro, no es el informe de un médico forense que practica la autopsia del cadáver de un suicida, sino de una mujer que reacciona con sus órganos en tensión y de la cual brota la poesía como un fluido del cuerpo condicionado por un alma en situación límite. El hecho trágico puso en acción las células sensibles, hasta lo enfermante. Ella siente el dolor físico que viene del sentimiento.

En esa mujer que en su vida hizo turnos de estados de ánimo, al instante de maravilla rápidamente le sucede el desastre. Como creatura de su América, tenía un determinado olor de piel y un inconfundible olor de alma. En ella la fragancia seductora o nauseabunda tuvo siempre una característica: su intensidad.

Maquillaron su cadáver. Le pusieron otro rostro.

Un transporte aéreo del Ejército de Estados Unidos llevó el cuerpo de Gabriela hasta el Perú. En Lima fue trasladada en un avión chileno hasta Santiago, donde llegó el 19 de enero.

Entre el mar y Los Andes volaba en el último de sus últimos sueños.

> Madre mía, en el sueño ando
> por paisajes cardenosos
> un monte negro se contonea
> siempre para alcanzar el otro monte
> y en el que sigue estás tú vagamente
> pero siempre hay otro monte redondo
> que circunda para pagar el paso
> al monte de tu gozo y de mi gozo.
> …O te busco, y no sabes que te busco
> o vas conmigo, y no te veo el rostro;
> o en mí tú vas, en terrible convenio
> sin responderme con tu cuerpo sordo
> siempre por el rosario de los cerros…[283]

Había escrito una premonición de su viaje de regreso a la Madre.

Se decretaron funerales nacionales. Allí estaban los que la sentían y los que sin sentirla estaban porque había que estar. La velaron en la Casa Central de la Universidad de Chile. La cola desbordaba la Alameda y se extendía hacia el sur por las calles circunvecinas, Arturo Prat y San Diego. En ella se agolpaban sus pobres, los obreros de los cordones industriales, los jóvenes y las ancianas de las poblaciones callampas, los estudiantes, sus colegas maestros, campesinos con trazas mapuches. Entraban a echarle una primera y una postrera mirada muy en silencio. Sólo se oía el ruido de los zapatos lentos. Siguieron llegando por la noche. Se respiraba el olor acre de las coronas descompuestas. Había muchachos que repetían el circuito para echarle una segunda mirada. Algunos sollozaban. Priestley, perdiendo la flema, dijo algo que no debe tomarse al pie de la letra ni envanecer a los chilenos:

Chile es un país mucho más civilizado que Inglaterra. Allá se nos muere un poeta, y apenas unos cuantos sabemos la noticia. Aquí la llora todo su pueblo...

Muchos tenían un nudo en la garganta.

No todos la habían leído. En cierta ocasión ella dijo: «Chile es el país que menos me conoce... y el que menos me lee». Pero esa multitud, interminable como la cinta de un sin fin, sentía que esa mujer era suya. La mayoría inmensa contemplaba por primera vez su rostro. No les extrañó demasiado que la hubiesen embalsamado y su cara apareciera maquillada. Porque todo puede suceder en este mundo. Además no está mal que la muerte esté bien presentada. Si en vida alguien dijo que era fea, en la hora del adiós todos la encontraron hermosa, incluso aquellos que no estaban tan afligidos por la partida de una mujer demasiado viva de genio y franca de boca.

Iba a ser enterrada en Monte Grande, en una tumba que pronto conocería el abandono. Retornaba por fin a su tierra. Se volvía polvo de los caminos.

Sonaban las bandas militares. Era como la amplificación de una gran retreta de plaza de provincia.

¿La gente que la acompañó sentía que estaba enterrando un pedazo de Chile, como alguien dijo, un átomo de humanidad?

Cuando se abrió el testamento de Gabriela Mistral se supo que legaba la Medalla de Oro y el pergamino del Premio Nobel al pueblo de Chile, bajo la custodia de la Orden de San Francisco; el dinero que produzca la venta de sus libros en América del Sur, a los niños pobres de Monte Grande; el proveniente de la venta de sus libros en otras partes del mundo, a Doris Dana, su secretaria, y a su amiga mexicana Palma Guillén de Nicolau, que renunció a la donación en beneficio de los niños pobres de Chile.

Si es verdad que las últimas palabras de O'Higgins, en su lecho de muerte repitieron una obsesión: «¡Magallanes, Magallanes!», ¿qué dijo Gabriela Mistral al despedirse de la vida, si es que dijo algo, si es que tuvo fuerzas o ganas de murmurar un adiós a este mundo para el cual ella sigue siendo, en muchos aspectos, una ilustre desconocida?

Inscripciones tumbales

Hablemos de nichos, de lápidas y otras cosas difícilmente más alegres.

Se aprovechó un pedazo de mármol de un velador viejo para el nicho de Romelio Ureta. Fue la ofrenda de una antigua amiga de Gabriela Mistral, Isolina Barraza. Allí el resto del velador de otro siglo conforma lo más sólido de la tumba del suicida en el Cementerio Municipal de Coquimbo. Hay algún verso de «Los sonetos de la muerte». La donante del mármol del velador viejo dejó un mensaje escrito. Una sobrina, Elena Ureta, hizo otro tanto. Lo demás es silencio y ramitos de flores campestres.

La lápida de quien interrumpió este silencio cinco años después del tiro en la sien muestra una inscripción optimista: «Lo que el alma hace por su cuerpo es lo que el artista hace por su pueblo. G.M». No está hecha con fragmentos marmóreos de un velador en desuso. Las letras se cincelaron en un pedazo de piedra caliza. Circundan la leyenda guías de parra, que nos vuelven a la idea del vino de la poesía, de la vida, de la muerte —el lagar—, tres temas que se enlazan como sarmientos a la obra y la imagen de la mujer que descansa bajo la cubierta grabada.

Ella reposa allí porque así lo quiso y lo dispuso. Para que no haya dudas una placa reproduce en su tumba el texto del codicilo testamentario: «Es mi voluntad que mi cuerpo sea enterrado en mi amado pueblo de Montegrande, Valle de Elqui, Chile».

Está sola en la muerte, porque, al fin de cuentas, esta es la soledad absoluta.

Debería hacer un viaje para encontrarse con los suyos. Y no puede. Tendría que caminar cincuenta kilómetros, para cubrir la distancia entre el Memorial de Montegrande y el Cementerio de La Serena. Su madre quería tener tumba, pero el mausoleo de la familia se construyó allí un año después de su muerte, en 1930. Gabriela lo financió desde lejos y quiso que contara con cuatro criptas, reservándose una para ella. Esta es la única que aún está vacía. Arriba yace doña Petronila. Abajo duermen los restos de su hermanastra y primera maestra, Emelina Molina, que falleció en 1947. En el medio, la sobrina Graciela Amalia Barraza, muchacha en flor, cortada de la rama en 1926.

Tampoco puede darse un paseíto por Montegrande, recorrer a su gusto el Valle, sentarse bajo los árboles, esconderse entre los espinos y las colas de zorro. Ahora los parronales están por todas partes y los temporeros llegan incluso del sur para la recogida de la uva y multitud de mujeres trabajan encajonándola en los «packings».

Pero, pese a todo el movimiento y el ruido que dura algunos meses, Montegrande ha cambiado poco, aunque las torres de la iglesia se vean reparadas y brillantes bajo una reciente manito de gato.

Frente a ella circulan burros morosos como cuando la niña Lucila iba y venía bajo el sol cabalgándolos por sendas que el viento volvía polvorientas. No olvidemos que ya entrada en edad y cargada de gloria, entre otras enfermedades, retornó por un rato a su pueblo de infancia y señaló con desaliento que casi nada había mejorado, que la pobreza seguía habitando esas casitas, esmirriadas, de chatura aplastada entre cerros.

Tal vez ni siquiera la hubiese consolado el saber que todo el pueblo programó vestirse de fiesta para festejar el centenario de su nacimiento. En ese 7 de abril de 1989, Montegrande quiso ponerse el traje dominguero del siglo. Se pintaron las paredes de adobe con colores refulgentes. Parecían frascos de mostaza o mujeres gruesas con tenidas azules o verdosas.

La iglesia, donde ella asistiera sobrecogida a misas de difuntos y mirara con recelo bodas pueblerinas; donde hizo a los siete años su Primera Comunión, también enlució las torres de tabla fina y pintó de blanco inmaculado el estuco del frontis. Pero en medio de la algarabía de los preparativos, el pueblo no se perdió la siesta. Al lado, en la plazuela donde una Lucila Godoy de pelo blanco, convertida hacía muchos años en Gabriela Mistral, sorbió unos mates en compañía de un montón de ancianas de manto y pañolón negro, que fueron sus condiscípulas en la escuela, hay gente que cabecea y descabeza un sueñito bajo el amparo de los follajes, porque la siesta allí es sagrada. La mayor parte la duerme en casa, bajo techo. La vida se suspende por un par de horas para entrar al mundo de los sueños o las pesadillas.

Alguna gente visita su tumba en Montegrande. Un informe oficial afirma que, durante el verano, el Museo Gabriela Mistral de Vicuña recibe siete mil visitantes al mes. El edificio imita el estilo azteca, con murallones de piedra y patios embaldosados. Inaugurado en 1971 y diseñado por el arquitecto Oscar Mac Clure, observa sobre todo un criterio genealógico. Vitrinas que recuerdan a los abuelos paternos, Gregorio Godoy e Isabel Villanueva; a los abuelos maternos, Francisco Alcayaga Barraza y Lucía Rojas Miranda. Allí se deja constancia de un padre inconstante, fallecido en Copiapó en 1911. Por supuesto no puede faltar la madre, Petronila Alcayaga Rojas. En ese árbol familiar la rama más cercana la ocupa su media hermana.

En otra vitrina hay retratos de su padre, quien nació en 1857. Se recoge el certificado de nacimiento de Lucila María Godoy Alcayaga. Allí se dice que nació a las cuatro de la mañana. Ese mismo día se inscribió su nacimiento y se le impartió bautismo, porque se temía por su vida y sus parientes no querían que muriera morita.

En la tercera vitrina, dedicada a Yin-Yin, el certificado no es de nacimiento sino de defunción, fechado en Petrópolis, donde se establece que Juan Miguel Godoy Mendoza, de dieciocho años de edad, natural de Barcelona, escolar, soltero, hijo de Carlos Miguel Godoy y de Marta Mendoza, falleció en el Hospital de Santa Teresa a las dos horas del 14 de agosto de 1943, siendo la causa de su deceso «intoxicación arsenical». Se exhibe también la carta que Yin-Yin dejó a su tía, señalando como se sabe: «Creo que mejor hago en abandonar las cosas como están. No he podido vencer, espero que en el otro mundo exista más felicidad».

El enigma tras el rostro

A esta mujer famosa, que nació un siglo después de la Revolución Francesa y no precisamente en París, en el fondo se la conoce poco.

Se complacía en recordar: «Nací en Vicuña, Elqui… el 7 de abril de 1889, entre treinta cerros». Ese cerco de montañas la hizo ser como ellas, encerrada, secreta, desconfiada de la gran llanura.

Gravita en su vida el misterio de la persona a la cual se le pintan muchas fisonomías, muchas identidades. ¡Qué de raro tiene si ella se autoatribuía muy diversas sangres: india, vasca, judía! ¿Las tuvo en realidad? ¿Fue efectivamente esa mujer a la cual le supusieron variados rostros? ¿El del amor al suicida; la enamorada de Cristo; la madre que no pudo ser, transfigurada en reina de las rondas; la eterna descontenta ante una sociedad olvidada de pobres, de niños con los pies morados de frío? ¿Quién fue? ¿La maestra rural? ¿La condenadora? ¿La perdonadora? ¿La que implora rugiendo? ¿La peregrina de muchas tierras? ¿La apasionada de la encina y de todas las flores?

Pasó por la existencia y continúa circulando por ella como una figura enigmática. A cien años de su nacimiento y a más de treinta de su muerte, sigue cargando todavía con un peso de incógnita.

En las escuelas su imagen es muy presentable: la madre de todos los hijos. Sus fotografías a ratos le conceden una salud de hierro, de campesina robusta y grandota, pero ella se quejó siempre de enfermedades y buscó alivio por el mundo. Elegía los consulados pensando en los climas benignos. Los prefería suaves, como el de su Valle de Elqui.

De ella se ha dicho lo mejor y lo peor. Tiene fieles a su culto y detractores fanáticos, que en su tiempo trataron de escarbar en su biografía inédita y no dejaron de arrojarle puñados de barro. Vive en una especie de coma literario, lleno de muertes y resurrecciones. No pertenece a las alucinantes promociones de nuestro tiempo comercializado. No es un best-seller. Se mueve sin la soberbia y la arrogancia de los grandes tirajes. Se mantiene como esas corrientes ocultas que trabajan sin marketing, sin promoción, sin máquinas calculadoras, en una especie de tierra de nadie, alimentada sólo por el lento crecimiento de su propia semilla, ésa que para germinar exige capas profundas.

Su poesía arranca raíces de las colinas natales. Nace de un sueño tan persistente que muchos niños latinoamericanos de hoy siguen compartiéndolo. Continúan escuchando en ella el eco que se repite entre los montes, el grito de la mujer dolida, en estilo aullido, marca clásica de «Los sonetos de la muerte», atemperada a ratos por la dulzura pendular, aunque nunca muelle, de «El ruego» o de «Amo amor». La regla de su vida fue el dolor y no el placer.

Casi todos sus contemporáneos están muertos y sus recuerdos dispersos. Con ella desapareció una época. Pero el testimonio contenido en su obra aún suscita discusiones y tormentas. No sólo su poesía sino también su polémica prosa, que algunos juzgan sofisticada, nueva expresión personal del barroco latinoamericano o de dandismo campesino.

Así se plantea en los umbrales del tercer milenio esta personalidad que muchos chilenos creen tener en el bolsillo porque allí llevan una edición suya barata.

Se trata, en rigor, de una mujer que no cuidó mucho el equilibrio. La poseía el furor de la palabra y del sentimiento. Luchaba por causas que la mayoría juzgaba perdidas y no eran puramente literarias. Pecaba por lo que algunos estiman el insolente mal gusto del pronunciamiento cívico. Lo graficó —uno más— en la paradoja iconoclasta de la «Palabra maldita». A menudo la suya lo fue. Porque no podía ni quería ocultar su rebeldía. Y no era una descontenta simplista sino complicada.

Nos encontramos ante una mujer solitaria y nostálgica, que hasta la hora de su muerte quiso reencontrar el verde de su infancia, no en función de su goce exclusivo, sino para que se transmutara en materia prima azul en la vida de los pobres, de los niños. Todo esto puede sonar no sólo anacrónico y quimérico sino también muy elemental. Pero forma parte de la médula y el deseo de su mensaje.

Nunca se tragó sus palabras. Fue franca en la poesía, en la correspondencia, en sus recados, en la conversación. Pagó caro por ello. Hubo enemigos que eructaron su envidia y no faltó el áspero comentario ruin. Ella nunca los sobreseyó de sus culpas. Este hecho tiene mucho que ver con su autoexilio. Depositaria de una conciencia, de un sueño, de una preocupación, que no era meramente individual, escribió en vida un epitafio que no está grabado en su tumba: «No callaré. No olvidaré. No perdonaré».

Regalo de cumpleaños

No todo será siempre pena y desamparo. Ella quería que un cerro de su pueblo tuviera su nombre. ¿Cómo se le ocurrió? Un día su amiga Isolina Barrera le pidió que asistiera a un homenaje que deseaban rendirle. Le contestó, huraña, que se dejara de cosas y ridiculeces. Para salir del paso, medio en broma medio en serio, le dijo que le gustaría más que bautizaran un cerro de Montegrande con su nombre. Continuó loqueando, porque era desvariadora, y sugirió algo más. Como una niña que pide la luna, agregó que el monte que más quería era El Fraile. Pero no lo van a desnombrar. Entonces busquen otro, alguno entre los 500 del lugar que siguen sin bautizo. Surgió de repente un autor de tres libros, fabricante de juguetes, que, empleando su talento de empresario poético, decidió regalarle a la muerta admirada ese obsequio que ella anhelaba. José Chapochnik mandó mil seiscientas cartas a muchos países de la tierra instando a la unión, a forjar una cadena para derrotar «los dragones del olvido». Junto a otros escritores, al final, consiguió nada menos que El Fraile. Como el juguetero milagroso es hombre de servicio completo, solicitó que en los mapas quedara registrado el nuevo nombre. No resultó tan difícil porque se descubrió que El Fraile estaba moro. Oficialmente era un monte innominado. El 7 de abril de 1991, cuando se celebró su aniversario 102, la eterna adolescente recibió aquel regalo de cumpleaños que ansiaba: un cerro en Montegrande llamado Gabriela Mistral.

De poeta a poeta

En 1964 Neruda hizo la peregrinación del hermano menor a su sepulcro. Aunque ella escribió que «los huesos de los muertos / pueden más que la carne de los vivos», quizás aquella tumba equivalga a una página perdida de *Desolación*. Esa sensación de dejadez provocó al poeta un malestar punzante. Con la indignación todavía ardiéndole, se sentó a escribir unas líneas directas y sencillas:

«Esto para contar que hace algunos días pasé por el sitio donde reposan los restos de la poetisa. Todo es abandono en aquella tumba.

Yo mismo obtuve el terreno para que ella descansara allí, en Montegrande, en la aldea en que nació. Yo mismo escogí aquel sitio en una colina.

Gabriela vivió en todas partes: en Italia, en Brasil, en España, en los Estados Unidos. Y dentro de Chile en el norte del desierto de Atacama y en las soledades de la Patagonia. Pero dejó escrito en su testamento que la enterraran en su aldea, en Montegrande. Yo cumplí con sus deseos. Busqué un rincón de tierra y los escritores entregamos ese sitio al gobierno. Los escritores pusimos una gran lápida de piedra y el Estado trasladó la sepultura de ella. Y allí la dejó abandonada.

Algo peor pasó con sus libros, con sus originales, con sus manuscritos, con sus derechos de autor.

Allí, pues, está dormida, ahí en Montegrande, mi compañera errante. En aquella tierra reseca. Nunca llueve. Los montes se levantan como inmensas manos de la tierra. No hay más vegetación en las alturas que los gigantescos y espinosos cactus.

Pero abajo se juntan dos valles que el río Elqui ha cortado en la piedra. Alamos e higueras sin hojas, como centinelas desnudos, bordean el delgado torrente. Desde la tumba mirando hacia la altura no se ven animales ni seres humanos. Sólo las espinas de los cactus, los montes metálicos, las grandes piedras verdes y grises, el duro cielo azul que jamás tiene una nube. Pocas veces el viajero siente el peso de una soledad tan aplastante. Pero esta soledad cuya grandeza tiene tanto contacto con la poesía de Gabriela Mistral, estaría bien si no fuera por la miseria de su tumba. No hay una flor ni un asiento para el viajero; no hay nada sino aquella piedra olvidada con su nombre. Y aquí vienen las escuelas y niños, cantan los versos de ella contemplando el total abandono de su sueño.»

Esa mañana el autor va a poner punto final a este libro. Lee en el diario que Graham Greene —fallecido la víspera— reveló a unos amigos que trabajaba en una novela sobre los sueños (es la última que publicó). Les explicó que comenzó a anotarlos cuando tenía 16 años y retomó el hábito en la vejez. Gabriela Mistral fue fidelísima a sus sueños toda la vida. Tanto los llevaba adentro que se preocupó de pedir la palabra para después de su muerte: «Apegada a la seca fisura del nicho, déjame que te diga...»

Y sigue hablando. Y sigue soñando.

Porque ella creía en los sueños, en la porfía de los sueños.

NOTAS

1. Luis Vargas Saavedra, *Prosa religiosa de Gabriela Mistral*, Ed. Andrés Bello, Santiago de Chile, 1978. "Mi experiencia con la Biblia", pág. 41.
2. Norberto Pinilla, *Biografía de Gabriela Mistral*, Ed. Tegualda, Santiago de Chile, 1945, pág. 65.
3. Efraim Szmulewicz, *Gabriela Mistral (Biografía emotiva)*, Ed. Atacama, Santiago de Chile, 1958, pp. 23 y 24.
4. Gabriela Mistral, *Lecturas para mujeres*, Secretaría de Educación, Departamento Editorial, México, 1923. "Recuerdo de la Madre Ausente", pág. 28.
5. Ibid., pág. 26.
6. Ibid., pág. 27.
7. Ibid.
8. Ibid., pág. 28.
9. Sergio Fernández Larraín, *Cartas de Amor de Gabriela Mistral*, Ed. Andrés Bello, Santiago de Chile, 1978, "Carta XXXVI", pp. 189 - 190.
10. Ibid., carta I, pág. 80.
11. Ibid., carta II, pág. 82.
12. Ibid., carta III, pág. 85.
13. Ibid., carta IV, pág. 87.
14. Ibid., carta II, pág. 87.
15. Ibid., carta IV, pág. 88.
16. Ibid.
17. Ibid., carta V, pp. 91 - 92.
18. Ibid., carta V, pág. 92.
19. Ibid.
20. Ibid.
21. Ibid., carta V, pp. 92 - 93.
22. Ibid.
23. Ibid.
24. Ibid., carta V, pp. 93 - 94.
25. Lucila Godoy Alcayaga, "La Instrucción de la Mujer", en *La Voz de Elqui*, Vicuña, Chile, 8 de marzo de 1906.
26. Ibid.
27. Mario Bahamonde. *Gabriela Mistral en Antofagasta, años de forja y valentía*, Ed. Nascimento, Santiago de Chile, 1980, pág. 84.
28. Matilde Ladrón de Guevara, *Gabriela Mistral, rebelde magnífica*, Ed. Losada, Buenos Aires, Argentina, 1962, pág. 35.

29. Gabriela Mistral, *Desolación*, Ed. Nascimento, Santiago de Chile, 1923, pág. 174.
30. Sergio Fernández Larraín, *op. cit.*, carta X, pp. 119 - 120.
31. Ibid.
32. Ibid.
33. Lenka Franulic, "Recado sobre Gabriela Mistral", en revista *Ercilla*, Santiago de Chile, 27 de mayo de 1952.
34. Sergio Fernández, *op. cit.*, carta X, pág. 121.
35. Roque Esteban Scarpa, "Carta a Pedro Aguirre Cerda" [1 de febrero, 1920], en *La desterrada en su patria*, t. II, Ed. Nascimento, Santiago de Chile, 1977, pág. 338.
36. Ibid., pp. 339 - 340.
37. Ibid., "La Intrusa", t. I, pág. 109.
38. Mario Bahamonde, *op. cit.*, pág. 26.
39. Roque Esteban Scarpa, *Gabriela piensa en...*, Ed. Andrés Bello, Santiago de Chile, 1978, "Federico Mistral", pág. 307.
40. Ibid., pág. 309.
41. Roque Esteban Scarpa, *La desterrada...*, "El Magallanes", 20 de mayo de 1918, t. I, pág. 114.
42. Ibid., t. I, pág. 28.
43. Gabriela Mistral, *Magisterio y niño*, Selección de prosas y prólogo de Roque E. Scarpa, Ed. Andrés Bello, Santiago de Chile, 1979, "El Oficio Lateral", pág. 43.
44. R. E. Scarpa, *Gabriela piensa..*, "Sarmiento en Aconcagua", pág. 182.
45. R. E. Scarpa, *La desterrada...*, "Escultura chilena: Laura Rodig", t. I, pág. 100.
46. Sergio Fernández Larraín, *op. cit.*, carta I, pág. 99.
47. Ibid.
48. Raúl Silva Castro, *Epistolario. Cartas a Eugenio Labarca (1915-16)*. Homenaje a Gabriela Mistral, Anales de la Universidad de Chile, Santiago de Chile, 1957, pág. 266.
49. Sergio Fernández, *op. cit.*, carta III, pág. 103.
50. Ibid., pág. 104.
51. Ibid.
52. Ibid., pág. 105.
53. Ibid.
54. Luis Vargas Saavedra. Epistolario de Gabriela Mistral y Eduardo Barrios, Ed. Universidad Católica, Santiago de Chile, 1989.
55. Sergio Fernández L., *op. cit.*, carta IV, pág. 107.
56. Ibid., pág. 108.
57. Ibid., carta V, pág. 109.
58. Gabriela Mistral, *Ternura*, Colección Austral, Buenos Aires, Argentina, 1945, Colofón con cara de excusa, pág. 187.

59. Sergio Fernández L., *op. cit.*, carta VI, pág. 112.
60. Ibid., carta VII, pág. 114.
61. Ibid., carta XII, pág. 126.
62. Ibid.
63. Ibid., carta XIII, pág. 130.
64. Ibid., pág. 131.
65. Ibid., carta XIV, pág. 135.
66. Ibid., carta XV, pág. 137.
67. Ibid., carta XVI, pág. 140.
68. Ibid., pág. 142.
69. Ibid., carta XVII, pág. 143.
70. Ibid., pág. 145.
71. Ibid., pág. 146.
72. R.E.Scarpa, *La desterrada en...* Prólogo de Gabriela Mistral, t. I, pág. 13.
73. Ibid., t. II, pág. 319.
74. Ibid., "Prólogo de G.Mistral", t. I, pág. 13.
75. Ibid., "Señor, es el invierno", t. I, pág. 319.
76. Ibid., "La Antártida y el pueblo magallánico (Dos años patagónicos)", t. II, pág. 380.
77. Ibid., "Prólogo de G.Mistral", t. I, pp. 14 - 15.
78. Ibid.
79. Ibid., pág. 23.
80. Ibid., pág. 24.
81. Ibid.
82. Ibid., pp. 16 - 17.
83. Ibid., "La mala caridad", t. II, pág. 269.
84. Ibid., pág. 270.
85. Ibid., "Recado sobre la Antártica y el pueblo magallánico", t. II pp. 377 - 378.
86. Ibid.
87. Ibid., "Coplas del presidario", t. II, pág. 180.
88. Ibid., "Mujer presa", t. II, pág. 183.
89. Gabriela Mistral, *Desolación*. "Balada", pág. 153.
90. Ibid., "Ruth", pág. 32.
91. R.E.Scarpa, *La Desterrada...* "Carta a Juan Contardi", t. II, pág. 350.
92. Gabriela Mistral, *Desolación*. "Poema del Hijo", pág. 181.
93. Ibid., "La mujer estéril", pág. 36.
94. R.E.Scarpa, *La Desterrada...* "Desolación" (continuación), t. II, pág. 14.
95. Ibid., t. II, pp. 45 - 46.
96. Ibid., "Canciones de cuna", pág. 49.
97. Gabriela Mistral, *Desolación*. "Miedo", pág. 265.

98. Revista *Análisis* del 10 al 16 de abril de 1989.
99. Gabriela Mistral, *Desolación*. "Desolación", pág. 203.
100. Ibid., "Arbol muerto", pág. 205.
101. Ibid., "Tres árboles", pág. 207.
102. Ibid., "La lluvia lenta", pág. 222.
103. R.E.Scarpa, *La desterrada...* "Entrevista a *La Unión* de Punta Arenas", pp.. 303 - 304.
104. Ibid., t. II, pág. 306.
105. Sergio Fernández L. , *op. cit.*, carta XXVIII, pág. 172.
106. R.E.Scarpa, *La Desterrada...* "Su corazón tiene una corona de fuego", t. II, pág. 208.
107. Ibid., t. I, pág. 31.
108. Ibid.
109. Ibid.
110. Ibid., "Su corazón tiene... ", t. II, pág. 207.
111. Ibid.,
112. Ibid., pág. 208.
113. Ibid.
114. Ibid., pág. 209.
115. Ibid.
116. Sergio Fernández L., *op. cit.*, carta XX, pág. 154.
117. Ibid., carta XXVI, pág. 166.
118. Ibid., carta XXXIII, pág. 181.
119. Ibid., carta XXXIV, pág. 184.
120. Ibid.
121. Ibid.
122. Ibid., carta XXXV, pág. 187.
123. R.E.Scarpa, *La desterrada...* "Telegrama a Armando Jaramillo, Ministro de Instrucción Pública", t. I, pág. 105.
124. Ibid., "Carta a Josefina Ley Castillo", t. I, pp. 106 - 107.
125. Sergio Fernández L., *op. cit.*, carta XXXVI, pág. 190.
126. Isauro Santelices, *Mi encuentro con Gabriela Mistral*, Ed. del Pacífico, Santiago de Chile, 1972, pág. 81.
127. Ibid., pág. 82.
128. Sergio Fernández L., *op. cit.*, carta XXXVII, pág. 194.
129. Ibid., pág. 196.
130. Laura Rodig. *Presencia de Gabriela Mistral (Notas de un cuaderno de memorias)*. Anales de la Universidad de Chile, Santiago de Chile, 1957, pág. 290.
131. Gabriela Mistral, *Croquis Mexicanos*, Ed. Nascimento, Santiago de Chile, 1979, "Un poeta nuevo de América: Carlos Pellicer, Sembrador", pág. 150.
132. Ibid., "Como se ha hecho una escuela - granja en México", pág. 40.

133. R.E.Scarpa, *La desterrada...* "Educación Popular", t. I, pág. 148.
134. R.E.Scarpa, *Gabriela piensa...*, pág. 264.
135. Gabriela Mistral, *Poesías completas*, Ed. Aguilar, Madrid, España, 1958, "Julio Saavedra Molina, estudio crítico-biográfico", pág. XXXIX.
136. Gabriela Mistral, *Desolación*. "Desvelada", pág. 150.
137. Ibid., pág. 151.
138. Ibid., pág. 172.
139. Ibid., pág. 178.
140. Fundación Pablo Neruda, *Boletín invierno*, 1989, pág. 10.
141. Gabriela Mistral, *Desolación* , "Voto", pág. 339.
142. Gabriela Mistral, *Desolación*. "Himno de la Escuela Gabriela Mistral", pág. 133.
143. Luis Vargas Saavedra, *Prosa religiosa*. "Discurso en la Unión Panamericana", pág. 53.
144. Ibid., "carta a Francisco Dussuel", pág. 10.
145. Ibid., "Mi experiencia con la Biblia", pág. 44.
146. Ibid., "Entrevista a Revista de Educación Argentina", pág. 13.
147. Gabriela Mistral, *Lagar*, Ed. del Pacífico, Santiago de Chile, 1954, "Caída de Europa", pág. 19.
148. Ibid., "El costado desnudo", pág. 41.
149. Ibid., pág. 44.
150. Gabriela Mistral, *Tala*, Ed. Losada, Buenos Aires, Argentina, 1947, "Recados", pág. 182.
151. R.E.Scarpa, *Gabriela piensa en...* "La lengua de Martí", pág. 171.
152. Juan Loveluck, *Estirpe martiana de la prosa de Gabriela Mistral*, Universidad Veracruzana, pág. 124.
153. Gabriela Mistral, *Páginas en prosa*, Ed. Kapeluz, Buenos Aires, Argentina, 1962, pág. 78.
154. R.E.Scarpa, *Gabriela piensa en...* "La lengua de Martí", pág. 170.
155. *Cuadernos de Cultura*, Nº 5, La Habana, Cuba, 1939, "Los versos sencillos de José Martí", pág. 27.
156. R.E.Scarpa, *Gabriela piensa en...* "La lengua de Martí", pp. 173 - 174.
157. Ibid., pp. 175 - 176.
158. Fernando Alegría, *Genio y figura de Gabriela Mistral*, Ed. Universitaria de Buenos Aires, Argentina, 1966. "Recados contando a Chile, Cuando murió su madre", pág. 178.
159. Mario Céspedes, *Recados para América*, Ed. Epesa, Santiago de Chile, 1978, "El Grito", pág. 12.
160. Ibid., "Sandino", pág. 44.
161. Ibid., "La cacería de Sandino", pág. 92.
162. Ibid., "Sandino", pág. 44.
163. Luis Carlos Soto Ayala, *Literatura Coquimbana*, Imprenta Francia, Santiago de Chile, 1908, pág. 102.

164. Ibid.
165. R.E.Scarpa, *Gabriela anda por el mundo*, Ed. Andrés Bello, Santiago de Chile, 1978, "Sestris levante en la liguria italiana caminada", pág. 275.
166. Ibid., pág. 276.
167. Raúl Silva Castro, *Epistolario Gabriela...*, pág. 269.
168. Ibid., pág. 270.
169. Matilde Ladrón de G., *op. cit.*, "Carta a Luis Oyarzún", pág. 99.
170. Ibid., "Carta a Laura Rodig", pág. 54.
171. Ibid.
172. R.E.Scarpa, *Gabriela anda por...* "Recuerdo del árabe - español", pág. 223.
173. R.E.Scarpa, *Gabriela piensa...* "Página para Pedro Salinas", pág. 255.
174. Ibid., pág. 256.
175. Ibid., "Cinco años de destierro de Unamuno", pág. 247.
176. Ibid., "Sobre el extraño poeta lituano Oscar de Lubicz Milosz", pág. 370.
177. Gabriela Mistral, *Poesías completas*, pág. XCII.
178. Gabriela Mistral, *Cartas de Gabriela a Juan Ramón Jimenez*, Ed. de la Torre, Universidad de Puerto Rico, 1961.
179. Eduardo Frei Montalva, *Memorias (1911 - 1934) y correpondencias con Gabriela Mistral y Jacques Maritain*, Ed. Planeta Chilena, Santiago de Chile, 1989, pág. 131.
180. Ibid., pág. 139.
181. Víctor Alba, *La Mistral vista por su amiga y secretaria*, Anales de la Univ. de Chile, pág. 92.
182. Gabriela Mistral, *Recados contando a Chile*, selección del padre Escudero, Ed. del Pacífico, Santiago de Chile, 1957, pág. 100.
183. Luis Vargas S. *Prosa religiosa...* "Carta a Alfonso Reyes", pág. 17.
184. *Archivo Nacional de Chile*, Biblioteca Nacional, Santiago, sección Oficios Consulares del año 1947, Brasil.
185. Luis Vargas S., *Prosa religiosa...* "Carta a Alfonso Reyes", pág. 18.
186. Gabriela Mistral, *Poesías completas*, "Dulce María Loynaz, Gabriela y Lucila", pp. CXXXVI y CXXXVII.
187. Matilde Ladrón de Guevara, *op. cit.*, pág. 43.
188. Ibid., pág. 45.
189. Ibid.
190. Ibid., pág. 46.
191. Augusto Iglesias, *Gabriela Mistral y el modernismo en Chile*, Ed. Universitaria, Santiago de Chile, 1950, Prólogo de Valéry, pág. 386.
192. Ibid., pág. 387.
193. Ibid., pág. 390.
194. Ibid., "Carta a Mathilde Pomes", pág. 393.

195. Ibid.
196. Ibid.
197. Ibid.
198. Ibid.
199. Ibid.
200. Ibid., "El triunfo", pág. 399.
201. Matilde Ladrón de G., *op. cit.*, pág. 39.
202. Enrique Gajardo Villarroel. "La Gabriela que yo conocí.II". *El Mercurio*, Santiago de Chile, 11 de junio de 1989.
203. Ibid.
204. Marie-Lise Gazarian-Gautier, *Gabriela Mistral, la maestra de Elqui*. Ed. Crespillo, Buenos Aires, Argentina, 1973, "Discurso aceptación Premio Nobel", pág. 110.
205. Centenario de Gabriela Mistral, "Cartas a Radomiro Tomic", Diario *La Epoca*, Santiago de Chile, 9 de abril de 1989.
206. Gabriela mistral, *Croquis mexicanos*, "Reloj de sol. Simpatías y diferencias", pág. 30.
207. Ibid., pág. 31.
208. Alfonso Reyes, *Himno a Gabriela*, Anales de la Universidad, op. cit., pág. 19.
209. Gabriela Mistral, *Cartas de Gabriela a J.R.Jiménez*.
210. Enrique Gajardo, "La Gabriela que yo conocí.III". *El Mercurio*, Santiago de Chile, 18 de junio de 1989.
211. Ibid.
212. Gabriela Mistral, *Tala*, "Todas íbamos a ser reinas", pág. 108.
213. Ibid., Vieja, pág. 142.
214. Gabriela Mistral, *Ternura*, "Dame la Mano", pág. 63.
215. Gabriela Mistral, *Lagar*, "Ronda de fuego", pág. 160.
216. Gabriela Mistral, *Ternura*, pág. 89.
217. Gabriela Mistral, *Tala*, "Muerte de mi Madre", pág. 176.
218. Ibid., "Nocturno de la Consumación", pág. 176.
219. Ibid., "Nocturno de la Derrota", pág. 177.
220. Ibid. "Dos Himnos", pág. 177.
221. Hernán Díaz Arrieta (Alone), *Interpretación de Gabriela Mistral*, Anales de la Univ., pág. 15.
222. Enrique Gajardo, *op, cit.*
223. Revista APSI, Santiago de Chile, 5 al 11 de junio, 1989.
224. Enrique Gajardo, *op. cit.*
225. Gabriela Mistral, *Lecturas para mujeres*, pág. 173.
226. Gabriela Mistral, *Breve descripción de Chile*, Anales de la Univ... pág. 293.
227. Ibid., pág. 296.
228. Ibid.

229. Ibid., pág. 297.
230. "Carta a Radomiro Tomic", en Diario *La Epoca*, Santiago de Chile, 8 de abril de 1989.
231. Mario Bahamonde, *op. cit.*, pp. 74 - 75.
232. Mario Céspedes, *op. cit.*, "Pequeño mapa audible de Chile", pág. 191.
233. Ibid. pág. 192.
234. Gabriela Mistral, *Poema de Chile*. Ed. Pomaire, Santiago de Chile, 1967, pág. 37.
235. "Carta a Radomiro Tomic", en Diario *La Epoca*, Santiago de Chile, 8 de abril de 1989.
236. Ibid.
237. Ibid.
238. Matilde Ladrón de G., *op. cit.*, "Carta a Laura Rodig", pág. 33.
239. Gabriela Mistral, "Recado de Neruda", en Diario *El Mercurio*, 26 de abril de 1936.
240. Ibid.
241. R. E. Scarpa, *Gabriela piensa...*, "Recado sobre Pablo Neruda", pág. 129.
242. Ibid., pág. 130.
243. Gabriela Mistral, *Cartas de Gabriela a J. R. Jiménez*.
244. Luis Vargas S. *Prosa religiosa...* "Cristianismo con sentido social", pág. 38.
245. Gabriela Mistral, "Poema de Neruda", en Diario *El Mercurio*, 10 de diciembre de 1934.
246. Gabriela Mistral, "Recado a Barrenechea", en Diario *El Mercurio*, 25 de abril de 1934.
247. Matilde Ladrón de G., *op. cit.*, "Epistolario de Gabriela Mistral y Matilde Ladrón de Guevara", pág. 163.
248. Ibid., pág. 142.
249. Ibid., pág. 163.
250. Ibid., pág. 164.
251. Armando Uribe Arce, *Funerales. Q.e.p.n.d. Recuerdo de Gabriela Mistral*, en Revista *Araucaria de Chile*, Ed. Michay, Madrid, España, 1985, N° 32, pp. 115 - 116.
252. "Carta a Radomiro Tomic", en Diario *La Epoca*, Santiago de Chile, 9 de abril de 1989.
253. Gabriela Mistral, *La palabra Maldita*, Imp. Cultura, Santiago de Chile, 1953, pág. 8.
254. Centro de Investigaciones Lingüístico-Literarias. Instituto de Investigaciones Humanísticas. Universidad Veracruzana, 1980, "Gabriela Mistral", pág. 12.
255. Mathilde Pomes. *Gabriela Mistral (Poetes d'aujourd'hui 103)*. Ed. Pierre Seghers, Paris, France, 1963, pág. 33.

256. Salvador Bueno, *Aproximaciones a Gabriela Mistral*, Anales Univer... pág. 65.
257. Ibid.
258. Ibid.
259. Matilde Ladrón de G., *op. cit.,* Pág. 63.
260. Gabriela Mistral, *Poesías completas,* "Dulce María Loynaz", pp. CXXXVIII - CXXXIX.
261. Ibid., pág. CXL.
262. Ibid., pág. CXCI.
263. R. E. Scarpa, *Gabriela piensa en...*, "Magallanes Moure, el chileno", pág. 109.
264. Ibid.
265. Ibid., pág. 110.
266. Ibid.
267. Ibid.
268. Ibid., pág. 111.
269. Ibid., pp. 110 - 111.
270. Gabriela Mistral, *Poesías completas*, pág. CXIX.
271. Juan Uribe Echavarría, *Gabriela Mistral, aspecto de su vida y de su obra*, Ed. Universitaria, Santiago de Chile.
272. "Carta a Radomiro Tomic", en Diario *La Epoca*, Santiago de Chile, 9 de abril de 1989.
273. R. E. Scarpa, *La desterrada....*, "Carta a R. E. Scarpa", t. II, pp. 365 - 366.
274. Marie-Lise Gazarian-Gautier, *op.cit.*, pág. 127.
275. Matilde Ladrón de G., *op. cit.*, "Carta a Benjamín Carrión", pág. 111.
276. Diario *El Mercurio*, Santiago de Chile, 2 de abril de 1989.
277. Ibid.
278. Ibid.
279. Ibid.
280. Ibid.
281. Ibid.
282. Alfonso Calderón, "Grandeza Americana", en Diario *La Epoca*, Santiago de Chile, 2 de abril de 1989.
283. Gabriela Mistral, *Tala*, "La fuga", pág. 11.

BIBLIOGRAFIA

Obra poética de Gabriela Mistral

Desolación, Ed. Nascimento, Santiago de Chile, 1923.
Ternura, Colección Austral, Buenos Aires, 1945.
Tala, Ed. Losada, Buenos Aires, 1947.
Lagar, Ed. del Pacífico, Santiago de Chile, 1954.

Publicaciones Póstumas

Poesías Completas, Colección Aguilar, Madrid, 1958.
Poema de Chile, Ed. Pomaire, Santiago de Chile, 1967.

Selecciones de su obra en prosa

Lecturas para Mujeres, Secretaría de Educación, Departamento Editorial, México, 1923.
Recados contando a Chile, edición de Alfonso Escudero. O.S.A., Ed. del Pacífico, Santiago de Chile, 1957.
Materias, edición de Alfonso Calderón. Ed. Universitaria, Santiago de Chile, 1978.
Recados para América, edición de Mario Céspedes. Ed. EPESA, Santiago de Chile, 1978.
Gabriela anda por el mundo, edición de Roque Esteban Scarpa, Ed. Andrés Bello, Santiago de Chile, 1978.
Gabriela piensa en..., edición de Roque Esteban Scarpa, Ed. Andrés Bello, Santiago de Chile, 1978.
Prosa Religiosa de Gabriela Mistral, edición de Luis Vargas Saavedra. Ed. Andrés Bello, Santiago de Chile, 1978.
Croquis mexicanos, edición de Alfonso Calderón. Ed. Nascimento, Santiago de Chile, 1979.
Magisterio y niño, edición de Roque Esteban Scarpa. Ed. Andrés Bello, Santiago de Chile, 1979.
Grandeza de los oficios, edición de Roque Esteban Scarpa. Ed. Andrés Bello, Santiago de Chile, 1979.
Elogio de las cosas de la tierra, edición de Roque Esteban Scarpa. Ed. Andrés Bello, Santiago de Chile, 1979.

Otros textos en prosa

La palabra maldita, Imp. Cultura, Santiago de Chile, 1953.

Breve descripción de Chile, Anales de la Universidad de Chile, Homenaje a Gabriela Mistral, Santiago de Chile, 1957.

Páginas en prosa, edición de José Pereira. Ed. Kapeluz, Buenos Aires, Argentina, 1962.

Estudios sobre Gabriela Mistral

Literatura coquimbana, Carlos Soto Ayala, Imprenta Francia, Santiago de Chile, 1908.

Biografía de Gabriela Mistral, Norberto Pinilla, Ed. Tegualda, Santiago de Chile, 1945.

Gabriela Mistral: su vida y su obra, Julio Saavedra Molina, Prensas de la Universidad de Chile, Santiago de Chile, 1946.

Gabriela Mistral y el modernismo en Chile, Augusto Iglesias, Ed. Universitaria, Santiago de Chile, 1950.

Himno a Gabriela, Alfonso Reyes, Anales de la Universidad de Chile, Homenaje a Gabriela Mistral, Santiago de Chile, 1957.

Interpretación de Gabriela Mistral, Alone, Anales de la Universidad de Chile, Homenaje a Gabriela Mistral, Santiago de Chile, 1957.

Presencia de Gabriela Mistral, Laura Rodig, Anales de la Universidad de Chile, Homenaje a Gabriela Mistral, Santiago de Chile, 1957.

La Mistral vista por su amiga y secretaria, Víctor Alba, Anales de la Universidad de Chile, Homenaje a Gabriela Mistral, Santiago de Chile, 1957.

Aproximaciones a Gabriela Mistral, Anales de la Universidad de Chile, Homenaje a Gabriela Mistral, Santiago de Chile, 1957.

Gabriela Mistral, aspecto de su vida y de su obra, Ed. Universitaria, Santiago de Chile

Gabriela Mistral (Biografía emotiva) Efraim Szmulewicz, Ed. Atacama, Santiago de Chile, 1958.

Gabriela Mistral, rebelde magnífica, Matilde Ladrón de Guevara, Ed. Losada, Buenos Aires, Argentina, 1962.

Gabriela Mistral, Mathilde Pomes (Poetes d'aujourd'hui 130) Ed. Pierre Seghers, Paris, France, 1963.

Genio y figura de Gabriela Mistral, Fernando Alegría, Ed. Universitaria de Buenos Aires, Argentina, 1966.

Mi encuentro con Gabriela Mistral, Isauro Santelices, Ed. del Pacífico, Santiago de Chile, 1972.

Gabriela Mistral, la maestra de Elqui, Marie-Lise Gazarian-Gautier, Ed. Crespillo, Buenos Aires, Argentina, 1973.

Estirpe martiana de la prosa de Gabriela Mistral, Juan Loveluck, Universidad Veracruzana.

Una mujer nada de tonta, Roque Esteban Scarpa, Ed. Universidad Católica, Santiago de Chile, 1976.

La desterrada en su patria (Gabriela Mistral en Magallanes: 1918-1920), Roque Esteban Scarpa, Ed. Nascimento, Santiago de Chile, 1977.

Gabriela Mistral en Antofagasta, años de forja y valentía, Mario Bahamonde, Ed. Nascimento, Santiago de Chile, 1980.

Reino, Gastón von dem Bussche, Ediciones Universitarias de Valparaíso, Valparaíso, Chile, 1983.

Sobre árboles y madres, Patricio Marchant, Santiago de Chile, 1988.

Gabriela Mistral íntima, Ciro Alegría, Ed. Antártica, Santiago de Chile, 1989.

Epistolario

Epistolario, Cartas a Eugenio Labarca (1915-16), edición de Raúl Silva Castro, Anales de la Universidad de Chile, Homenaje a Gabriela Mistral, Santiago de Chile, 1957.

Cartas de Gabriela a Juan Ramón Jiménez, Ed. de la Torre, Universidad de Puerto Rico, 1961.

Cartas de amor de Gabriela Mistral, edición de Sergio Fernández Larraín, Ed. Andrés Bello, Santiago de Chile, 1978.

Epistolario de Gabriela Mistral y Eduardo Barrios, edición de Luis Vargas Saavedra, Ed. Universidad Católica, Santiago de Chile, 1989.

Epistolario de Gabriela Mistral a Radomiro Tomic, Diario *La Epoca*, Santiago de Chile, 8 y 9 de abril, 1989.

Memorias (1911-1934) y correspondencias con Gabriela Mistral y Jacques Maritain, Eduardo Frei, Ed. Planeta Chilena, Santiago de Chile, 1989.

Tan de usted, epistolario con Alfonso Reyes, Luis Vargas Saavedra, Edit. Hachette y Universidad Católica de Chile, Santiago de Chile, 1991.

ESTE LIBRO SE ACABÓ DE IMPRIMIR EL DÍA
28 DE NOVIEMBRE DE 1996 EN LOS TALLERES DE

FUENTES IMPRESORES, S. A.
Centeno, 109, 09810, México, D. F.

7243